まずは「聞く」からはじめよう

対話のためのディベート・レッスン

ボー・ソ

川添節子 訳

Good Arguments

How Debate Teaches Us to Listen and Be Heard

Bo Seo

早川書房

まずは「聞く」からはじめよう

――対話のためのディベート・レッスン

GOOD ARGUMENTS

How Debate Teaches Us to Listen and Be Heard

by

Bo Seo

Translated by
Setsuko Kawazoe
First published 2024 in Japan by
Hayakawa Publishing, Inc.
This book is published in Japan by
arrangement with
The Ross Yoon Agency LLC
through The English Agency (Japan) Ltd.

装画／石井志歩（Yoshi-des.）
装幀／吉村 亮（Yoshi-des.）

ジンギョン・パクと
ウォンギョ・ソに捧ぐ

目次

訳注は小さめの字で示した

はじめに

九歳の誕生日を迎えるまえに、ぼくは人と違う意見が言えなくなった。そうする能力が少しずつ崩れていったみたいだった。あるときを境にそうなったわけではなく、ゆっくりと確実に失われていったのだ。最初は抵抗した。言葉が喉につまりながらも、どうにかして反対意見を吐き出した。だが、やがて議論するときにがんばるのもリスクを取るのも、自分をさらけ出すのも嫌になっていった。それで、次第に口を閉ざすようになった。沈黙のなかでぼくは自分に言い聞かせた。この安全で隠れた場所で生きていけばいい。

二〇〇三年七月、ぼくは両親といっしょに韓国からオーストラリアに移住した。新しい人生、新しい仕事、新しい教育を求めて移住するという決断に、最初はわくわくしたが、閑静な高級住宅地として知られるシドニー北部のワールンガに住んでみて感じたのは、なんてばかなことをしたのだろう、ということだった。仲の良い友達、本物のスパイスの効いた料理、同じ言葉を話す四八〇〇万人を置いてきてしまったのだ。いったい何のために？　ウールワース〔オーストラリアの大手スーパーマーケット」店内の冷気にさらされた通路や地元の公園のジャングルジムのてっぺんでぼくが感じた疎外感には、よりによって自分が選ばれてしまったといういらだちが含まれていた。

ぼくの訴えに父も母も同情はしてくれたが、まったく動じなかった。二人が「移行期」という言葉を何度も口にする様子から、戸惑いや混乱は想定されていたように感じた。

父と母は似た者同士ではなかった。父は朝鮮半島の最東端にある田舎町で、保守的な大家族のなかで育った。母はソウルの進歩的な家庭で育った。父は物質的な快適さを厭《いと》い、母は華やかなものを好んだ。父は人が好きで、母は考えを重視した。しかし、移住は二人に共通する資質を浮き彫りにした。強い独立心と夢を実現するという決意だ。

シドニーに来てから最初の数週間、両親が一連の手続きに町中を走りまわるあいだ、ぼくはレンタカーの後部座席にいた。家具を買い、納税者番号を申請し、住まいを借りた。一つ一つの手続きが終わるたびに、この町との結びつきは強まっていったが、愛着は湧かなかった。何かできることはないかと訊くと、ぼくがしなければならないのは一つだけだと言われた。「学校に早くなじんでちょうだい。わかった?」

地元の小学校はブッシュスクールと呼ばれていた。野生生物保護区に囲まれた学校の敷地は、常に植物に侵略される瀬戸際にあった。教室の窓には草がつたい、使われていない円形競技場のベンチには耳の大きさくらいのキノコがたくさん生えていた。夏は緑豊かな場所だった。だが、三年生の初日は冬の八月で、月曜日の朝に登校したときには、色の抜けた葉が揺らめき、敷地の境は陰っていた。

H組の黒板の前に立ったホール先生は、水色の服を着た若い女性で、顔の輪郭が溶けそうなくらい優しい表情を浮かべていた。教室に入るように手招きされたので、ぎこちなく歩いていくと、先生は黒板に完璧な筆記体でこう書いた。「Bo Seo, South Korea（ボー・ソ、韓国）」。この不思議な文字列を見て、ぼくの前の三〇組の目は丸くなった。

その週、ぼくはクラスで注目の的だった。運動場でくだらないことを言いあうと、みんなが喜んだ。たとえば、クラスメートの一人が西洋文明を持ちあげるとする――パンはおいしいだろ？　そこでこちらは知っている数少ない英単語を駆使して言う。「違う、コメのほうがおいしい！」ほかの子供たちはばか言うなと言わんばかりに首を振りながらも、けんかの火種を感じて沸きたつ気持ちを抑えきれない様子だった。

しかし、ひと月のうちにぼくの目新しさは薄れ、言いあいは別の色を帯びてきた。スポーツやグループプロジェクトの場で意見の対立が起きたとき、ぼくは自分の言いたいことをうまく表現できなくて、いらだちや怒りを招いた。こうした勝つか負けるかの状況では、個性的なやつと見なされるか、攻撃の対象とされるかはほんの紙一重の差で、ちょっとしたしぐさや言葉がきっかけとなって一線を越えてしまう。

言葉の壁を越えるうえでもっとも大変なのは、その場の会話――スピード、複合的なリズム、急展開する話題――についていくことだ。議論になると、これらの難しさがさらに増す。正確に話せなくなり、プレッシャーを感じて言えることも言えなくなる。言葉も文章も残骸になって積みあがり、それにつまずいて前に進めなくなるのだ。

子供たちのなかには、特定の人間に対する敵意というより、権力を求める野蛮な本能によって、自分たちの優位性を押しつけてくる者もいた。そういう子は顔をゆがめて、ぼくの言っていることがわかるやつはいるか、と声を上げた。まわりの子は最初はとりなそうとして、そのうちためらうようになり、結局はばつが悪そうに「気にするなよ」と言って立ち去った。数カ月間、ぼくは踏ん張った。闘う自分、駆け引きする自分、言い訳をする自分——各自がそれぞれの仕事をしようとした。

その後、学年が終わる少しまえの二〇〇三年一一月、ぼくはこれ以上続けるのはごめんだと思った。どんな論点も主張も、言い争う労力に見合わないように感じた。この気持ちを無視しようとすると、脚やお腹や喉が団結して異議を唱えた。

こうしてぼくはへらへらと笑うことを覚えた。教室ではすぐに自分の無知を、運動場では負けを認めた。英語が上達しても、使う単語は「イエス」と「ＯＫ」ばかりだった。最初のころは、声を上げなかった争いを覚えておいて、いつか言い返してやろうと思っていた。そのうち記憶することもなくなった。

二〇〇五年一月に五年生に上がるころには、ぼくは同調性を最大限に活用していた。通信簿には、朗らかな性格で指示をよく守ると書かれてほめられた。同級生のあいだで言い争いがあれば、あいだに入って丸く収めた。両親は韓国の親族に、ぼくのすばらしい順応ぶりを伝えた。

実際にそのとおりだった。最初は議論を投げ出した自分を恥ずかしく思ったが、このころには、あえて口論することに恥ずかしさを感じるようになっていた——顔を真っ赤にして、唾を飛ばし、無駄なことをしていると。ぼくは子供時代を乗りこえる道を見つけたような気がしていた。

その後、二〇〇五年三月のある日の午後、変化が訪れた。二年近くかけてつくりあげてきた生き方がほころびてしまったのだ。

＊＊＊

昼食のあと講堂に向かいながら、ぼくは自分の裏切りに毒づいた。三日前、五年生を受けもつライト先生が、新しい活動の参加者を募った。「ディベートっていうのは、二つのチームが形式に沿って議論をして、聴いている人たちの支持を求めて競い合うの。知力の戦いよ！」ほとんどの生徒は断ったが、教室を出ようとするときに声をかけられたぼくは、気がつくと誘いにうなずいていた。議論を避けるために、ディベートに参加することを選んだのだ。

ルールは単純だった。中立的な第三者が論題を提示し（たとえば「すべての動物園を禁止すべきである」）、参加者の信条にかかわらず、三人からなる一チームに肯定、もう一チームに否定の立場を割り振る。まず、肯定側のチームの一人が議論の口火を切る。それから両チームが交互に、全員が持ち時間（ぼくたちの場合は四分）を使って意見を述べる。

全員の発表が終わると、審判――こちらも中立的な立場で、ディベート経験が豊富な人が務めることが多い――が、勝敗を発表する。参加者は個人ごとに話し方、話の内容、貢献した戦略という三つの基準によって審査される。しかし、審判が勝敗を決めるにあたって、良心に照らして答えを出さなければならない問いかけは一つだけだ。すなわち、どちらのチームの主張に納得したか。

前日はあまり眠れなかった。普通のディベート大会ではチームが準備する時間は限られている（だいたい一五分から一時間）が、このときは数日あった。これは大いに助かった。日常の生活での言い争いが難しいのは、即座に反応しなければならないからだ。短い時間でいいから、考えて適切な言葉を思い出す時間さえあれば、とどれだけ願ったことか。このときは、肯定側の第一スピーカーとして、事前にたっぷり準備する時間があったので、実際にそうして、夜中まで調べてまとめた。

講堂はわかりやすく設営されていた。舞台上には二つのテーブルにそれぞれ椅子が三脚並べられ、そこからは整列してすわっている六〇人あまりの生徒が見渡せた。観客の視線を避けるために、ぼくはチームのほかの二人に隠れるようにして舞台の上を歩いた。チームの一人、スポーツが得意なイザベラは大またで歩き、もう一人の神経質な少年ティムは足をもつれさせながら所定の位置に向かった。頭上では、雨が金属の屋根にあたってパーカッションさながらに不吉な音を奏でている。

対戦相手は同じ五年生のJ組の生徒で、すでに席についていた。ぼくたちが階段をのぼっているとき、三人はこっちを見てばかにするような表情を浮かべた。それから女の子二人はすぐにおしゃべりを再開し、観客席の友達に手を振ったりしていた。しかし、メタルフレームの眼鏡をかけた優等生のアーサーは、ぼくたちから視線を外さなかった。アーサーには運動場でやられたことがある。彼は植物学から第二次世界大戦まで幅広い知識を武器に、自分の優秀さを見せつけ、ひたすらしゃべり続けて、相手の話の腰を折り、まともに話をさせないのが常だった。

しかし、この舞台では全員が同じ時間を与えられ、公正に評価されることになっている。アーサーのいつもの無敵さは鳴りを潜めているように見えた。以前は彼の眉毛ときれいに磨かれた靴しか目に入らなかったのに、このときは彼のシャツの小さな染みと右の頰のほくろが目に入った。

舞台の中央では、ライト先生が前髪をかきあげ、会場に響きわたる声でディベート大会の開幕を告げた。「こんにちは、皆さん。これから皆さんにはディベートを観戦してもらいます。チームを問わず、誰かが意見を述べているときには、それ以外の人は全員黙って聞かなくてはなりません」。そして、指を一本口に当てて二〇秒間「シーッ！」と言って示した。

それからもう片方の手でノートを取りあげた。「ノートを開いて、六列になるように線を引いてください。発言者一人につき一列です。発言者の要点をすべてそこに書きこんでほしいのです。提起された主張には必ず反応するというのがディベートのルールです」。生徒は皆、先生の言うとおりにした。定規を使って同じ長さの完璧な直線を引いた者もいれば、フリーハンドで書いた者もいた。「試合が終わったとき、それで勝ち負けを決めます。自分の意見や発言者が誰かは関係ありません。議論の質で勝敗を決めるのです。質問はありますか」

次に「すべての動物園を禁止すべきである」という論題が発表され、続いてぼくの名前が呼ばれた。皆の視線が一斉に自分に向かって動くのがわかった。ぼくはインデックスカードを集めて、まばらな拍手に迎えられながら舞台の中央に向かった。

舞台の上から見えたのは、それまでに見たことがない光景だった。観客全員の目がまばたきをしながらぼくに向けられている。口は半開きだが、皆静まりかえっている。六年生を受けもつ審判の先生は、白紙のノートにペンを押しつけ、ぼくの意見を書こうとしている。オーストラリアに越してきてからはじめて自分の話をちゃんと聞いてもらえるかもしれない。

数年間、ぼくは議論を避けてきた。ぼくのほうから歩み寄らなかったのは間違いだったのだろうか。

＊＊＊

二〇〇五年の運命の日から一七年あまり、ぼくは今でも良い議論を目指して走り続けている。途中、節目になることはいくつかあったが、ゴールには到達していない。競技ディベートで二回世界チャンピオンになり、オーストラリアン・スクールズ・ディベーティング・チームとハーヴァード・カレッジ・ディベーティング・ユニオンという世界有数のチームの指導にあたった。韓国からオーストラリア、そしてアメリカ、中国と世界を渡りあるき、それぞれの場所でより良い形で意見を異《こと》にする方法を模索してきた。

この本は、ぼくのこれまでの短い人生を振りかえって、二種類のディベートについて記したものだ。

一つは競技ディベート。与えられた論題について、公平な審判の前で自分たちの意見を述べて競い合うゲームである。その起源は古く、古代ギリシャの修辞学や初期仏教の修練にさかのぼり、議会制民主主義の発展とともに進化した。今では、世界中の高校や大学で盛んに行なわれ、そこで活躍した経歴を持つ大統領、首相、最高裁判事、業界のリーダー、受賞経験のあるジャーナリスト、著名な芸術家、市民社会のリーダーは大勢いる。ディベートを学ぶのは簡単だが、完全にものにすることはできない。だから、子供も大統領候補も参加できる（参加の意義は違うかもしれないが）。

もう一つのディベートは、人生で日常的に遭遇する意見の相違によるものだ。ディベートチームに参加する人は少ないが、人は誰でも日々なんらかの形で議論している。ぼくたちは物事がどうあるべきかというだけではなく、現状についても異なる意見を持っているので、単に何かを認識するだけでも対立を招きかねない。そうして起きた議論で、ぼくたちは相手を説得し、解決策を探り、自分の信念を振りかえり、自分のプライドを守ろうとする。個人あるいは職業上の、もしくは政治的な利益は、こうした議論に勝つだけではなく、正しい形で行なえるかどうかにかかっているとわかっている。

ぼくが言いたいのは、競技ディベートは日常生活のなかでもっと上手に意見を異にする方法を教えてくれるということだ。うまく意見を異にすれば、多くが実現できる。たとえば、自分の思いどおりにする、将来の対立を減らす、対立する相手との関係を保つといったことだ。本書ではこれらについて触れることになるだろう。だが、目指すところをもう少し控えめな言葉で言うなら、こういうことだ。すなわち、ぼくたちは意見の相違があるほうが、ないよりも良い結果をもたらすように、意見を異にしなければならない。

本書では、そのためのツールと根拠を示す。

前半は競技ディベートの基本的な五つの要素——論題、立論、反駁《はんばく》、修辞法《レトリック》、沈黙——とともに、それらを操るためのスキルや戦略について述べる。こうした要素は、日々の議論の根底にある物理的性質を明らかにするものだ。つまり、形式論理よりも使いやすく、交渉術よりも広く使える知識体系を手にすることになるだろう。

後半は、競技ディベートの教訓を生活の四つの側面——悪い議論、人間関係、教育、テクノロジー——に当てはめ、良い議論が公私ともにぼくたちの生活を向上させることを示す。ぼくは古くからある競技ディベートは、議論を無視せず中心に据えたコミュニティのほうがうまく機能する証拠になるのではないかと思っている。どのような真実の証でもそうだが、それが示す結論は必ずしも明確ではない。ディベートの歴史には、支配、ごまかし、饒舌《じょうぜつ》、排除がつきものだ。しかし、ディベートにはすばらしいものを生み出す可能性もある。刺激的で愛にあふれた、啓示的な意見の相違によって豊かになる人生と社会である。

良い議論について本を書くには微妙な時代だと思う。今の時代、政敵と闘うために船を出すことはないが、意見の相違がかきたてる疑念や侮蔑、敵意はかつてないほどに大きくなっているように見える。だから議論をしても、双方が相手の悪意を想定するせいで、話はかみ合わなくなる。ディベートに対する意識が高まっているこの時代に、対話を維持するための価値観やスキルは地の底まで落ちている。これが「分極化（polarization）」という言葉が意味するものだ――意見が合わないというのでもなければ、意見に大きな隔たりがあるとか、相違の数が多いというのでもない。意見を異にするのがあまりにも下手くそなのだ。ぼくたちが行なっている議論はただ苦痛なだけで、まるで役に立たない。

論戦が盛りあがるなかで、意見の相違に期待しなくなった者もいる。二〇一二年、アメリカ大統領選で共和党候補だったミット・ロムニーは、私的な集まりの席で「国民の約四七パーセントは常に民主党に入れるだろう。彼らは所得税を一切払わず、常に依存している」と述べた(1)。四年後、民主党候補のヒラリー・クリントンは、共和党の支持者の半分は「哀れな人」だと述べた(2)。ロムニーもクリントンも謝罪したが、説得も理性的な議論もできない人がいるという考えは容認されないものの、選挙戦の論法には組みこまれている。

しかし、こうした信頼の欠如が引き起こす最悪の結果は、もっと身近なところにもたらされているのかもしれない――恋人、友人、家族のあいだの沈黙という形で。カリフォルニア大学の研究によれば、二〇一六年のアメリカ大統領選のあとの感謝祭では、対立政党の支持者がいた場合、食事会が三〇分から五〇分ほど短くなったという。「全国的には、感謝祭の食事の席で、支持政党が異なる人々の三四〇〇万時間分の会話が失われた(3)」

間の悪いことに、ディベートするのに今よりいい時代はない。ぼくたちは、かつてないほどに個人の自由を享受し、選挙権を持ち、世界とつながっている時代に生きている。公共の場は多様化し、公共の対話は論争と化している。意見を異にするやり方が下手くそだと知ったからといって、こうした重要な成果が失われるわけではない。過去を美化する必要もない。ぼくたちは多元主義を許容してこなかったし、意見の相違をうまく扱ってもこなかった。だから新しい道をつくらなければならない。

不安定な時代だからこそ、人は意見の一致を求めてしまうのかもしれない。違いを排除し、共通するものにこだわりたくなるのかもしれない。もともと内気な人間として、ぼくは日々こうした本能の力を感じている。だが、その力に流されればつらい思いをすることも知っている。

シドニーの子供時代の数年間、ぼくは自分のまわりから議論を追い出し、同意を軸に生きようとした。この経験を通じてわかったのは、同意してばかりの人生は満たされないということだった。そうやって生きるためには、たくさんの妥協と自分への裏切りを必要とする。そうしてもっとも価値あるもの――特に率直さ、挑戦心、繊細さ――とのつながりを失うことになる。

世界のあちこちに足を運んで確信したのは、政治社会も意見の不一致がなければ衰えるということだ。繁栄する国は、議論を進化させる。そうした考えがなければ、人間の多様性に敬意を抱くことも、不確実な未来を受け入れることもできない。一方、その逆で、ただひたすらに一致を求める共同体は、歴史的に見れば、独裁政治や露骨な多数決主義に向かう傾向がある。自由民主主義においては、良い議論は社会が実施すべきものというより、社会そのものでもあるべきだ。

＊＊＊

オーストラリアでつらい日々を過ごしていた最初のころ、ぼくは自分が抱える問題の起源を知った。言語が複数存在するのは、バベルという町の論争が原因だとシドニーの学校で習ったのだ。昔、世界に言語は一つしかなく、皆同じ言葉で話していた。やがて人々は思いあがり、天にも届く塔を建てることにした。だが、その塔が空を貫いたとき、怒った神は手を下した。人々の言葉をばらばらにして、互いに通じないようにしたうえで、世界中に散り散りにしたのである。

　そのときはわからなかったが、ぼくはのちにこの話について別の見方をするようになった。塔が崩れたことで、世界には新しい文化と言語からなるカオスが解き放たれたのだ――ノーベル賞の受賞記念講演で作家のトニ・モリスンは表現豊かにそう指摘した[4]。塔を追放された人々は地面に居を構え、苦労して旅をして、意思の疎通に励むことになったのである。

　塔の崩壊によって、論争は避けられないものとなったが、それはより大きな人生を人々にもたらした。

よく訊かれることがある。友達との会話ではなく、競技中の白熱する議論のなかで自分の意見を見つけられるのか。この問いについては長年、頭を悩ませた。最近は、ほかに方法があるだろうかと考える。論争は争いが起きたときの反応として最適であるとは限らないが、いろいろなことを明らかにする。議論するためには、体を張ったケンカや自制とは違った形で、自分をさらけ出す必要がある。外の世界との摩擦のなかで、ぼくたちは自分が誰で、何を信じるかについての境界線を見出す。

今の時代、人々は議論を社会不安のあらわれか、不満の原因としてとらえている。はっきり言えば両方だろう。しかし、ぼくは最終的に、議論が治療――世界をつくりなおすための道具――にもなることを読者に伝えたいと思っている。

二〇〇五年三月のある日の午後にはじめてディベートに出会ったとき、ぼくはこうしたことをわかっていなかったし、言いあらわす言葉も持ちあわせていなかった。でも、救命ボートを差し出されているような感覚があった。しがみついてさえいれば、自分を救ってくれるだけではなく、明るい未来に連れていってくれるような気がした。舞台の前方から観客を見渡したとき、ぼくのなかに別の何かが芽生えた。前進する意欲。それはみずみずしく、力強く主張していた。

ぼくはゆっくりと息をした。スピーチの出だしの文章を思い起こしたとき、足元の地面が固まるのを感じた。始めたら最後、途中でやめることはできない。声を放つというのはそういうことだ。声が次に何を語るかはわからない。

第1章

論題

議論を見つける

二〇〇七年一月のある月曜日、小学校を卒業してから二カ月後、セカンダリースクール〔日本の中学および高校にあたる〕のバーカーカレッジの緑色の校門は、新しい世界への入り口となった。中学校の初日を迎えたぼくを含めた一二歳の子供たちにとって、それまでいた場所との違いは歴然としていた。元クラスメートたちは自分なりの着方で制服を着て運動場を闊歩していたが、糊のきいた白いシャツを着た在校生は、入学案内のパンフレットに載っている生徒そのものに見えた。ブッシュスクールの敷地は無秩序に広がっていたが、きれいに手入れされたこの男子校には、物事の秩序があるように思えた。早急に覚えなければならないと思った。

昼食を取るころには、そう簡単ではないことがわかってきた。生徒数二〇〇〇人ほどの学校で、秩序は複数あるほうが自然だろう。教室のなかでは、先生には「サー」か「ミス」で呼びかけ、発言するときには手をあげるなど、期待される一連の行動があったが、外の運動場では、弱肉強食のルールが幅をきかせていた。光が注ぐ音楽棟には音楽棟の、体育館脇のカビくさいロッカールームにはロッカールームのルールがあった。期待される行動は、場所によって万華鏡のように変化した。

オーストラリアに来て三年半、話し方を切り替えるのは上手になっていた。家では言いたいことを言い、学校では求められているように見えるくだらないことを楽し気に話した。ところが、バーカーでは困ったことにルールや慣習がよくわからなかった。どういう冗談がいつ求められているのか。誰にどのくらい自分をさらけ出せばいいのか。ぼくは失敗を重ねながら、少しずつ答えを集めていった。

沈黙に逃げ帰るようなことはしなかったが、ぼくは数週間のうちに快適な居場所を見つけた。口数が少なく、気楽につきあえるオーストラリア人のジム、ジョン、ジェイク――見事に頭韻を踏んでいる――と仲良くなったのだ。クラスではやる気満々の活発な子たちは、自分の良さをわかってもらおうと、興奮気味にひたすらしゃべっていたが、Jたちは自然体で過ごしているように見えた。放課後は、オーストラリアのテイクアウトの定番であるケバブの店で揚げたてのポテトを買って、言葉少なにいっしょに食べた。

Jたちには言わなかったことがある。この学校を選んだ理由だ。それはディベートチームに参加するためだった。五年生のときにはじめて競技ディベートを経験したが、それ以降は参加する機会はほとんどなかった。しかし、ディベート文化はシドニーの中学、高校に定着していて、そういう学校にはたいてい毎週リーグ戦に参加するチームがあった。学校生活のなかでディベートはちょっと変わった位置づけにあった。チェスやクイズボウル〔チーム対抗の競技クイズ〕と同じように、運動系ではない生徒の戦いの場ではあるが、ほかのインドア競技と違って、卒業生が大成するという定評があるために一目置かれているところがあったのだ。

バーカーでは、毎週水曜日の午後、誰でもディベートのトレーニングを受けることができたが、金曜の夜に開催される地元のリーグ戦に学校代表として出られるのは、毎年一チーム四人だけだった。このチームに入るためにはオーディションを受けなければならない。二月最初の週にあるオーディションに先立って、ぼくは「このディベートとかってどうかな?」とまわりに探りを入れたが、興味を示した者はほとんどいなかった。これならきっと楽勝だろう。運動部やほかの部があってよかったと思った。

だが、甘かった。木曜日の午後四時から始まるオーディションには、三〇人以上が集まった。イングリッシュ棟の最上階にある白い壁に囲まれた部屋は冷蔵庫のなかみたいだった。一人あるいは連れ立って部屋に入ってきた生徒たちは、暑い外に合わせて薄着だったため、みんな震えていた。オーディションを統括していたのは、学年主任のミス・ティルマンで、感情を表に出さない歴史の先生だった。

ティルマン先生の説明によれば、オーディションは通しでは行なわないということだった。その代わりに、生徒はそれぞれ論題と立場（肯定側か否定側か）を与えられ、三〇分で意見を二つ述べるスピーチを書く。小学校では、週単位の時間をかけて、先生やインターネットの力も借りながら準備したが、ここでは短い時間内に一人でのぞまなければならなかった。ティルマン先生は言った。「このやり方では、私もほかの審判もすべてはわかりません。でも、あなたたちの反応の良し悪しはわかるでしょう」

控室ではほかの発見もあった。受けに来ていた生徒のなかには、自信満々の子もいたのだ。三年生からバーカーに来ていた生徒たちは、一二歳らしいやり方で、自分たちはジュニア部門で優秀なディベーターだったから、続けられると思っていることを伝えた。いわく「ぼくたちはジュニア部門で優秀だったから、続けられると思う」。一人はそう言って、みんながちゃんと理解しているかどうか見回した。

どこからかティルマン先生がぼくの名前を呼ぶ声が聞こえた。追加の指示かはげましの言葉がもらえるかなとぼんやりと思ったが、先生はそんなことは言わず、封筒を差し出した。なかには一枚の紙が入っていて、手書きでこう書かれていた。「われわれは徴兵制を採用すべきである。肯定」

最後の言葉を見てから、すべてが勢いよく動き出した。封筒をもらうまえは、目的を求める意識や解放されるのを待つ緊張感などすべてが位置エネルギーを持っていたが、控室の隣の窓のないその場所に来てそれが弾けた。ぼくは準備しながら、不思議な解放感を味わっていた。論題によってぼくは新しい場所に移動し、新しいアイデンティティを得た。自分が何を信じているのかも、まわりから何を期待されているかもよくわかっていない一二歳の子供から、どこかの審議会で何かを提唱する人物になったかのようだった。

これから主張することについて何の決定権も持たないという事実は、逆にこの解放感につながった。言行一致や信念を求められることなく（肯定か否定は自分で選んだわけではないから）、気を楽にしてあれこれ考えることができるし、議論を呼ぶ問題の暗い側面も存分に探究できる（自分で論題を選んだわけではないから）。ディベートでは、論題《トピック》はモーションとも言う。この三〇分でぼくが体験したのは、まさに移動《モーション》だった。

ティルマン先生がドアをノックし、ぼくは現実に戻された。オーディションの部屋には、長い机の向こうに三人の先生がすわっていた。一人はオリエンテーションのときに見た丸々とした生物の先生で、顔には優しそうな表情を貼りつけていたが、ほかの二人は次から次へと生徒の話を聴いて疲れたようで表情がなかった。

ぼくは部屋の中央に場所を取り、先生二人のあいだに視線を定めた――アイコンタクトの代用で、これでやる気が伝わることを願った。それから話しはじめた。「人は皆、国の安全を守る義務があります。一人一人が徴兵制によってその義務を果たせば、もっと団結した社会、もっと良い軍隊、もっと幸せな生活が実現できます」。緊張とやる気が相まって、声はどんどん大きくなっていった。ほとんど叫んでいる状態になって、それから声を落とした。

ぼくの主張のポイントは二つあった。国民全員が兵役につく義務があるということ、そしてそれが安全な国につながるということ。実際のところ、それはちゃんとしたディベートのスピーチというよりは、やみくもに熱をこめて訴えているといったものだった。「皆さんが同胞のために何をしなければならないか、自分の心に問いかけてください」。ぼくはさらにうっとうしくたたみかけた。だが、徴兵制が国の安全保障に貢献するというぼくの論点は審判の先生に届いたような気がした。政治指導者がもっと直接的に軍事行動に関与することの重要性を訴えたとき、疲れ果てていた先生の一人がぱっと表情が変わったのだ。ぼくと同じ時間にスピーチをしたほかの生徒たちは皆良かったが、飛びぬけて良かったというほどでもなかった。チャンスはあると思った。

翌日、休み時間に入ってすぐに、食堂近くの掲示板に結果が発表された。「ディベートチーム――

七年生」。ぼくの名前は最後にあり、その下には、コーチによる最初のトレーニングは水曜日の午後四時からで、それに出席するようにと書かれていた。論題と同じように、その案内はどこか新しい場所へのチケットのように感じた。

＊＊＊

七年生のコーチは、サイモンという名のひょろりとした大学生で、バーカー在学中は学年でもっとも優れたディベーターだったらしいが、とてもそうは見えなかった。部屋の前方に立ったサイモンは、ザクロの種の色――むらのある葡萄酒色――をしていた。自信がなさそうに話し、声はときどき上ずった。

オーディションからほぼ一週間たった水曜日の午後四時、一〇人あまりの生徒が、同じようにエアコンの効いた、選考が行なわれた部屋に集まった。チームに選ばれた四人――スチュアート、マックス、ネイサン、ぼく――は固まってすわったが、あいさつしただけで、それ以上の話はしなかった。チームのなかでぼくはネイサンに興味を持った。神経質な子で博物学者を思わせた。あと二週間でリーグ戦が始まるという恐ろしい事実は、誰も知らなかった。

講習が始まり、ぼくは変身を目の当たりにした。サイモンはホワイトボードの前に立ってディベートについて語りはじめると別人になった。内から湧く力が体からあふれ、言葉がふくらんでいった。顔色は変わらなかったが、生き生きとした赤みがさしている。マーカーのキャップを取り、ホワイトボードに向かって一言書いた。「論題」

「いちばん最近にした議論を思い出してほしい」とサイモンは言った。「そのときのことをできるだけ詳しく思い出すんだ。そのときの状況、議論、主張、場合によっては侮蔑でも」

「それからこの質問に答えてほしい。それはいったい何についての意見の相違だったのか」

ぼくはブッシュスクールの友達で、遠くの中学校に進んだ友達とのちょっとしたけんかを思い出した。そのときの会話は鮮明に覚えていたが、サイモンの質問に答えるのは難しかった。議論のなかには、なぜそうなったのかまったく思い出せないものもある。悪夢と同じように、中身はきれいに消え去り、その影響だけが残る。よく覚えている議論もある。つまらないことから言い争いが始まり、ほかの問題、ばかにされたという感覚、過去からの積み残しなど、意見の相違が積み重なっていく。そのどれもが議論の論点だと言える。

「そこが問題なんだ。議論のテーマを把握できなければ、何を言って何を言わないか、どの論点を追求してどれを放っておくか、そもそも議論をしたいのかどうか、どうやって決めればいいと思う？」

サイモンは、人は論題に限定して話すよりも、そのときの「論題に関連して」話すほうがうまいという、社会学者と言語学者の研究結果を紹介した。つまり、ぼくたちは「その点については」などと言って、いかにも関係がある話をしているように見せかけながら、少しずつテーマを変えているのである。ほとんどの人は軽やかに流れる会話を好むので、わざわざ時間を取って自分たちが何について話しているか熟慮したりはしない。「だから、話は漂流しがちで、範囲は広がるが、答えからはどんどん遠ざかっていくことになる」とサイモンは言った。

「だけど、ディベーターは逆を行く。一試合ごとに論題がある。ぼくたちディベーターが、準備室でリーガルパッドなりホワイトボードなりに最初に書くのは論題だ。それによって、ぼくたちは意見の相違を明確にし、それとともにそこに集まった目的を明確にする」

その後二時間かけて、サイモンは論題についてたっぷり教えてくれた。それはぼくの想像をはるかに超えていた。

サイモンによれば、論題とは二人以上の人の意見が一致しない主な論点を文章にしたものだ。

ジェーンは信頼できない友人だ。
政府は大銀行を救済すべきではない。

それが論題として適当かどうかは、反対の意味の文章を書いてみればわかる。

ジェーンは信頼できない友人ではない。
政府は大銀行を救済すべきだ。

議論をするどちらの側も、自分と相手が信じることを表現する文章だと言えなければならない。ディベートの論題がほかと違うのは、二つの立場を考慮したものになっているという点だ。だから、「経済」や「ヘルスケア」といった一般的なテーマはディベートの論題になりえない。論点を特定できないからだ。純粋に主観的なものも論題にならない。たとえば「私は寒い」という主張は、他方が「いや、あなたは寒くない」と主張できないので論題にはならない。

大まかに言って、意見が対立するときの論点には事実、判断、対応の三種類があり、それに伴いディベートの形も異なってくる。

事実に対する意見の相違は、物事の現状についての主張が中心になる。「XはYである」という形式を取り、この場合XもYも経験的に観察できるものとなる。

ラゴスは巨大都市である。

二〇一四年のパリの犯罪発生率は、二〇一六年より低かった。

規範に関する対立では、世の中についての主観的な判断——自分の考えではこうなっている、あるいはこうあるべきだという物事のありかた——が問われる。この場合、「AはBだと考えるべきだ」あるいは「AがBだと考える十分な理由がある」といった形を取る。

嘘をつくのは人の道に反する（と考えるべきだ）。

未来は良くなるだろう（と考える十分な理由がある）。

対応の議論では、ぼくたちがすべきことが論点となる。多くの場合、「CはDをすべきだ」という形を取り、Ｃが行為者、Ｄが行動となる。

うちの家族はジムの会員になるべきだ。

政府は言論の自由に制限を課すべきではない。

説明は面白かったが、講習が終わりに近づくにつれて、ぼくはがっかりもした。秘密の戦略や必殺技を教わる代わりに、ぼくたちが得たのは分類法で、自分たちのスキルを磨くことなく、ただひたすらノートを取っていた。ぼくはぼんやりと考えた。競技ディベートはチェスなどの高い技能が要求されるゲームのように、実生活を超越した難解な世界なのだろうか。

だが、その日の夜、この疑問にふたたび向きあうきっかけとなる出来事があった。

オーストラリアに暮らしはじめて最初の数年間は、両親が言い争うことも、両親とぼくが言い争うこともめったになかった。意見が食い違うことはたくさんあったが、母も父も目の前に仕事が山積みという状況のなかで、いちいちけんかをしている場合ではないと思っていたようだ。次第におおっぴらに口論するようになってきたものの、まだできるだけ避けようとしていた。たいていはそれでうまく収まったが、誰かが一人でも切れると収拾がつかないけんかになった。

二〇〇七年の春、シドニーに来てから四年ほどたち、ぼくたち家族はオーストラリアに帰化することを考えはじめていた。これには税金などの現実的な問題に対処するという側面もあった。しかし、父にとっては、象徴的な意味合いもあった。父は家族のなかで何かにつけて、文化のルーツを維持する重要性を訴えた。父にとって「国籍」という言葉には重みがあった。

ある日、夕食をすませたあと、父の声が聞こえた。下におりてきて、韓国の親戚との電話に出るようにということだった。コンピューターゲームとメッセージのやりとりで忙しかったぼくは、父の言葉を無視して机から離れなかった。父は電話を切ったあと、ぼくの部屋に飛びこんできた。浅く不規則な息が聞こえて、ぼくは動きをとめた。

「なんで無視するんだ？　おばさんはおまえと電話したくてわざわざ起きていたんだぞ。それなのにおまえはたった五分の時間も取れないのか。おまえ、親戚のみんなと全然話をしていないじゃないか」

最後の言い分は事実ではなく、公正な言い分とは思えなかった。この一カ月を振りかえっても、ぼくは何度も親戚とメッセージのやりとりをしていた。確かに、この夜は別のことに夢中になっていたが、だからといって怒られて当然とは思えなかった。

だから、ぼくは言い返した。「何言ってるんだよ。みんなとはしょっちゅう話をしてるじゃないか」。ぼくは韓国語で話しはじめ、途中で英語に切り替えた。こうすれば簡単に相手に負荷をかけられる。「友達づきあいは放っておけってこと？　ぼくになじんでもらいたいんじゃないの？」ぼくの顔をもっと四角くして、自信を追加したような父の顔はみるみるうちに赤くなり、ぶるぶると震えはじめた。

もう一度繰り返すまえに、ぼくは別のことを訊いた。「ちょっと待って。話の論点は何？」間違いなく対応についての議論はしていなかった。親戚に電話をすべきだということについては皆が同意するだろう。ぼくたちが言い争っていたのは、ぼくが何回連絡を取ったかという重要とは思えない事実についてだったが、なんだか的外れな論点のように感じた。

その後の数分で、ぼくたち二人はこの議論が判断の違いから生じていることを確認した。父の認識では、ぼくは韓国とのつながりを維持したいという気持ちを失っている、電話に出ないのは無関心のあらわれである、というのだった。

意見の相違が特定されたことで、ぼくたちの会話の論点は新しく明確になった。ぼくたちは夜中まで話をしたうえで、さらにもう一度話し合うことを約束したが、二人ともどういう状況にあるのか理解してその日を終えた。父が途中で「本当にこんなことまで説明しないといけないのか？」と訊いた。ぼくは気づいた。答えはイエス、最初からそうだったのだ。

ディベートはこんな世界の片隅を明るく照らしてぼくに見せてくれた。その夜ベッドにもぐりこみながらぼくは思った。ほかの場所も照らして見せてくれるだろうか。

＊＊＊

一方、学校では競争のあり方を知った。バーカーは校内で上位を目指して競うことも奨励したが、基本的には長年のライバル校との戦いにエネルギーを向けるよう仕向けた。誰もがラグビーやクリケットのチームに誇りを持っていたが、母校の勝利ならなんでも祝った。全校集会では、数学チャンピオンやオーボエ奏者もたたえられた。

こうした姿勢にぼくは大いなる希望を見出した。シドニーに来て最初のころは、とにかくみんなに認めてもらうことを目指していたが、競技で勝てばそれ以上のものが手に入るかもしれない。認められるだけではなく、賞賛されるかもしれない。それはこの先に始まるディベートシーズンに向けてプレッシャーとなり、ぼくは準備をする自分たちのレベルが気になって仕方がなかった。

ただ一人まったく気にしていないように見えたのがサイモンだった。講習の二回目、彼はホワイトボードの脇に中途半端な方角を向いて立ち、ぼくたちが席に着くのを待った。その表情同様、落ちついた声には切羽詰まったところはまったくなかった。

「先週は、事実、規範、対応という三種類の論題と、それらが引き起こす意見の不一致について話をした。だけど、たぶん気づいているように、それはあまりにもきっちりしているし、単純すぎる」

「実際には、たくさんの意見の対立が同時に起きる。ぼくたちは事実と判断と対応でぶつかり合う。ときにはそれが一文のなかで起きる。だからぼくたちが取り組むのは、議論のテーマを特定するという簡単な作業じゃない。絡まった意見の相違の糸をほぐして、そのうちのいくつかを解決する道筋を示すんだ」

サイモンはホワイトボードに向かって論題を一つ書いた。

私たちは親として、子供を地元の公立校に入学させるべきだ。

「じゃあ、議論を起こす言葉、つまり二者のあいだで意見が分かれるかもしれないところを丸で囲んでみて。それから説明して」

ぼくはノートに文章を書き写して、「入学させる」に丸をした。答えは明らかだ。これは何をすべきかという、対応についての議論だ。

私たちは親として、子供を地元の公立校に**入学させる**べきだ。

みんな同じ答えになったが、サイモンは不満そうだった。「ほかにない？　二人の人がこの文章を見たときのことを想像してみて。見解が分かれる言葉があるはずだよ。どれだと思う？」

しばらく沈黙が流れた。やがてひらめいて、みんなが答えを言いはじめた。両者は「地元の公立校」で意見が分かれるかもしれない。どういう学校か（先生の数など）という事実情報で異なるかもしれないし、学校の目的（学業の達成度を重視するのか、地元社会への帰属性を重視するのか）で判断が対立するかもしれない。さらには「子供」のニーズ、性格、希望で見解が異なるかもしれないし、「親」の責任や義務で意見が食い違うかもしれない。

私たちは**親**として、**子供**を**地元の公立校**に**入学させる**べきだ。

サイモンによれば、論題分析として知られるこの作業を行なえば、議論が層になっているのがわかるという。一つのことについて議論しているように見えても、実は複数の論点があり、それを見落と

詳細だけ異なる場合	理由だけ異なる場合	方法だけ異なる場合
事実に不同意。	事実に同意。	事実に同意。
判断に同意。	判断に不同意。	判断に同意。
対応に同意。	対応に同意。	対応に不同意。
「学校に基本的な設備はそろっていない。しかし、私たちにはそれを改善する責務がある。だから子供をそこに入学させるべきだ」	「学校には基本的な設備がある。それを改善する責務は私たちにはないが、いずれにしても子供はそこに入学させるべきだ。それが子供のためになるだろうから」	「学校には基本的な設備がある。私たちにはそれを改善する責務がある。しかし、子供をそこに入学させなくても、改善する方法を見つけられるはずだ」

詳細だけ合意がある場合	判断だけに合意がある場合	結果だけに合意がある場合
事実に同意。	事実に不同意。	事実に不同意。
判断に不同意。	判断に同意。	判断に不同意。
対応に不同意。	対応に不同意。	対応に同意。
「学校には基本的な設備がある。それを改善する責務はないし、そこに子供を入学させるべきではない」	「学校に基本的な設備はそろっていない。それを改善する責務はあるが、それでもそこに子供を入学させるべきではない」	「学校に基本的な設備はそろっていない。それを改善する責務はないが、子供はそこに入学させるべきだ。それが子供のためになるだろうから」

せば話がかみ合わなくなる。「双方が違う議論をしていたら、前に進めないだろ？」

論題分析は、意見の相違の層を明らかにするためのものであり、二つの点で役に立つ。

一つ目。論題分析によって、議論の核心、すなわちほかの議論の派生元である根本的な対立を把握できる。たとえば、学校入学の議論の核心は、子供や地域社会に対する親の責務をどのようにとらえるかということかもしれない。この点について意見がまとまれば、行き詰まりは打開できるだろう。対応をめぐる議論に見えて、実は判断にかかる議論だったということになる。

二つ目。論題分析によって戦いを選択できる。つまり、勝たなければならない議論と、負けてもいい議論を区別できる。ある親は学校には基本的な設備がすべてあり（事実）、親には公立の学校システムを改善する責任があり（判断）、そこに子供を入れるべきだ（対応）と考える。これに完全に同意する、あるいは完全に反対する親もいるかもしれない。しかし、たいていはその中間に位置するのではないか。このグレーゾーンはたとえば前ページの表のように区分できる。

普通の議論が目指すのは、ほとんどの場合、意見の相違の排除ではなく、それを受け入れ可能なレベルに近づけることなので、全面的な戦いにいたることはめったにない。聴衆に自分たちの対応を売りこむのを主目的とする競技ディベーターなら、方法だけでも同意してもらえれば、全面的な同意と同じ成果を得たと言えるかもしれない。市民としての責務を果たすことを主目的としている親の場合は、方法だけの違いであれば、地域社会に貢献するほかの手段があるなら受け入れられるかもしれない。論題分析は、全面的な同意か不同意ではなく、そのあいだにある妥協の可能性を探る手段となる。

この日の午後は、ホワイトボードに貼られた過去の長い論題リストから一つ一つ検討した。ぼくは果敢に反駁《はんばく》について訊こうとした——「それで、相手を倒すにはどうすればいいのか」——が、サイモンはそっけない答えしかくれず、すぐに元の作業に戻された。六時になり、この日は解散となった。サイモンはこう言ってぼくたちを送り出した。「じゃあ、次は金曜のディベート大会で！」

＊＊＊

金曜日の最後は、実験室で行なわれた化学の授業で、つまらない結論が披露されていた。先生がもったいぶった口調で「これが滴定だ」と言いながら、作業台でビーカーに入った液体をピンク色にした。ぼくは興味があるふりすらしなかった。心は完全に別のところにあったからだ。ぼくの携帯電話は午後のあいだ、ディベートチームのみんなからのメッセージで震えっぱなしだった。「ぶちかまそうぜ！」背が高いやつと低いやつ、うるさいやつと静かなやつと、ぼくたちはおかしな四人組だったが、チームの自覚が芽生えはじめたところで、その意識を保つための言葉を求めていた。

三時一五分にベルが鳴ると、ぼくは急いでケバブの店に行ってチームに合流した。お腹が空いている者はいなかったが、二時間もしないうちに始まる試合に備えて何か食べたほうがいいのはわかっていた。テーブルについてみんなを見ていると、自分たちには見た目の明らかな違いの下に何か同じものが流れているのに気づいた。スチュアートは椅子に浅く腰かけ、反論されそうな意見を機関銃のようにまくしたてるが、冷静さと合理性を持ったマックスによくされるように、誰かに言い返されるとうれしそうにしている。ネイサンは朗らかで穏やかな笑みを浮かべているが、彼も自分の意見を言うときにはひるまない。三人のJのことは相変わらずいちばんの仲良しだと思っていたが、仲間を見つけたという感覚は振りはらえなかった。

オーストラリアでは、ディベートナイトはおなじみのイベントだ。中学校と高校のリーグがたくさんあり、それぞれが大会を行なっているが、週に一度、午後五時から九時のあいだに開催されるものが多い。シドニーにあるぼくたちが所属するリーグでは、二校が組み合わされて、毎週金曜日に、七年生から一二年生の各校のチームが対戦することになっていた。

ぼくたち四人が論題発表を待つ控室にいると、先輩たちが次々にやってきてはアドバイスをしていった。たくましい体をした一一年生――ラグビーとディベートを掛け持ちするめずらしい生徒だった――がぼくを引き寄せて、相手の急所を狙えよ、と言ってきた。この日の対戦相手、近くのカトリックの女子高ブリッジディンの生徒は、五〇メートルほど離れた水飲み場あたりでうろうろしていた。タータンチェックのスカートにえび茶色のブレザーという、シドニーの私立高によくある制服を着た彼女たちはとてもあか抜けて見えた。きれいなほうのシャツを着てくればよかった、と思った。

ぼくたちの学年主任のティルマン先生とブリッジディンの先生が論題を発表することになっていた。両校のディベート仲間が、モンタギュー家とキャピュレット家さながらに見守るなか、ブリッジディンのチームとぼくたち四人は部屋の中央に集まった。ぼくたちは小道具も衣装もないまま、そこで一瞬顔を合わせた。ぼくのいちばん近くに立った女の子の顔には、不安と決意が同量ずつ浮かんでいた。

ティルマン先生はぼくたちに封筒を渡してから、みんなに見えるようにストップウォッチを掲げた。「今からスタートします……始め！」ぼくは論題を読みあげ、みんなで準備室に走った。「発展途上国は経済発展より環境の持続可能性を優先すべきである。肯定、ブリッジディン。否定、バーカー」。ほかの三人といっしょに階段を駆け上がり、足音が目の前の道を切りひらいていくなかで、ぼくはふたたび何かが動く感覚を味わっていた。

ふだんは物置に使われているほこりっぽい準備室で、ぼくたちは急に勢いを失った。最初の二〇分は何も決まらないまま過ぎていった。ホワイトボードに思いつくことを書きなぐって真っ黒にしたが、使えそうな意見は出てこなかった。どうすればいいのかわからなくなり、当然ながらぼくたちは途方に暮れた。気候変動をテーマにしたドキュメンタリー「不都合な真実」が数カ月前に公開されており、ぼくの頭のなかには、アル・ゴアがこの様子を見てがっかりしている図が浮かんできた。

そのとき、準備に入ってから妙に静かにしていたマックスがひらめいた。ホワイトボードに急いで歩みより、真ん中を消して小さなスペースをつくった。それからこう書いた。

発展途上国は経済発展より環境の持続可能性を優先すべきである。

「論題分析をしよう。これは実際には何についてのディベートなのか」

四人の答えは一致した。もちろん、この議論の主軸は対応だ――「優先」すべきものは何か。しかし、「持続可能性」と「発展」の意味や規範的価値について意見を戦わせることもできるだろう。「発展途上国」の条件についても議論できそうだ。さらには、その権利と責任についても。

発展途上国は経済**発展**より環境の**持続可能性**を**優先**すべきである。

複数の論点を並べたうえで、ぼくたちは最後の論点を選択した。つまり、発展途上国の権利と責任に焦点を当て、これらの国に気候行動のコストを負わせるべきではないと主張する。北半球の先進国は、持続可能性と発展のトレードオフの解消に貢献できる——それは望ましい行動だ——が、そこには選択があるのだから、発展途上国には後者を選択する権利があるはずだ。反論の余地が大きい戦略だが、ぼくもほかのみんなも書きかけのスピーチ原稿を持って準備室をあとにしたときには、とりあえず道が見えたことでほっとしていた。

ディベート会場は、蛍光灯の光に満たされた新しい教室で、観客の親たちが集まっていた。父と母はよそ行きの服を着て二列目にすわり、ぼくが手を振りかえすまで手を振り続けた。ブリッジディンのチームはすでに席についていた。ぼくは席に腰をおろしながら、準備の時間を経ても相手チームの制服はきれいなままであることに気づいた。

次に聞こえてきたのは、司会者の声だった。「七年生の第一回戦にようこそ。携帯電話は鳴らさないようにお願いします。さあ、ディベート開始です。肯定側の一人目のスピーカー、どうぞ」

ブリッジディンの第一スピーカーは、緊張を見せないように険しい顔をして中央に立ち、たっぷり一分間黙っていた。待っているうちに緊張が高まったのか、聴衆が前のめりになり始めたとき、なめらかに流れるスピーチが始まった。

「気候変動は人類が直面するもっとも大きな問題で、今日の私たちの暮らしのあらゆる面に脅威を与えています。発展途上国は地球規模排出量のなかで大きな割合を占めているだけではなく、環境の激変にも悪影響をおよぼしています」

自分に割り当てられた立場を無視すれば、説得されてもおかしくなかった。彼女のスピーチには力強さと情熱が伴っていた。彼女が主張する、私たちは収益性よりも持続可能性を優先すべきであり、発展途上国は実際に気候変動の悪影響の抑制に貢献できる、という二つのポイントには文句のつけようがなかった。だが、ぼくは勝機はあると思った。こちらのチームはディベートに勝つために、そのポイントのどちらも問題にするつもりはなかったからだ。

最初のスピーカー、ネイサンは中央に行くときにテーブルに足をぶつけた。けがをしたのではないかと聴衆が見守るなか、ネイサンは態勢を立て直し、所定の位置につくと呼吸も整えた。それから、静かに話しはじめた。「一つ誤解があると思います。気候変動が問題であることも、発展途上国が排出問題に貢献できることもわかっています。最初のスピーカーが言ったことにはほとんど賛成です。でも、ぼくたちが問いかけたいことはちょっと違います。それは、緑豊かな世界をもたらすための多大な経済的、人的コストを誰が負担すべきか、ということです」。ネイサンがここで間を置いたとき、聴衆がはっとしたのがわかった。

ネイサンの残りのスピーチは完璧には程遠かった。ぼくたちは適切に議論する方法も反駁の進め方も知らなかった。講習では論題の先のことはまだやっていなかったからだ。それでも、自分たちのほうが優勢だという感覚が拭えなかった。向こう側にいる相手チームは途方に暮れているように見えた。観客席の二列目にいる両親は互いに顔を見合わせ、それからサイモンを見た。サイモンはぼくたちを見て、訳知り顔でにやりとした。

＊＊＊

この夜をきっかけに、ぼくは完全にはまった。勝利に満足し、翌週の学校集会で盛大な拍手をもらい、認められたことに満足した。しかし、その週のあいだぼくの頭から離れなかったのは、準備室でひらめいた瞬間、聴衆とのつながり、追うか追われるかという動物的なスリルのほうだった。このころぼくにわかっていたのは、自分のディベートへの情熱はたくさんのきっかけが重なった結果ということだけだった。

それから数カ月、チームはリーグ戦を通じて成長し、ぼくは自分がこの活動の何に価値を見出しているのかわかってきた。ディベートは意見の相違を理解可能なものにし、そうすることでぼくたちに世界を見せてくれるのだ。リーグ戦では、ある週にはオリンピックについて、別の週には税制改革について議論し、それぞれのテーマに強い意見を持つ人間になりきる。その過程で、ぼくたちはその場所から離れることなく世界を旅する。

そうした状況に似ていると思ったテレビ番組が一つあった。当時好んで見ていた「ザ・ヴュー」だ。一九九七年に、テレビ局のアンカー、バーバラ・ウォルターズが立ちあげた番組で、四、五人のレギュラー出演者の女性たちがその日の話題、「ホット・トピックス」について議論し、ゲストにインタビューするという内容だった。番組では多様な意見が飛びかう。出演者はさまざまな経歴や職歴のほか、幅広い世代から集められた。

ぼくの耳には、共同ホストたちの話は信じられないくらいの説得力を持って聞こえた。もちろん、誰でも歴史の授業でゲティスバーグ演説やネルソン・マンデラの演説を読んだり聴いたりしている。「ザ・ヴュー」の女性たちの話はそういう演説とは違った。しかし、番組は独自のやり方で目覚ましい成果をあげているように思えた。政治からセレブのゴシップ情報まで、幅広いトピックについてリアルタイムで意見をぶつけあい、みんなが毎日見たいと思う番組をつくっていたのだ。

さらに、番組の共同ホストたちの置かれた状況は、基本的にディベーターとしての自分に似ているように思えた。もちろん彼女たちはテレビ出演者として経験豊富で、その背後にはスタッフもいる。しかし、撮影は一年中ニューヨークの同じスタジオ——ABCテレビジョン・スタジオ二三——で行なっている。世界を旅し、日の目を見ない世界の片隅に光を当てようとするなら、事前の調査、対話する力、厳選した「ホット・トピックス」に頼るしかない。

ぼくの中学校生活——二〇〇七年から二〇〇九年——はディベートの年間スケジュールに沿って流れていった。両親も先生も「いろいろやってみたほうがいい」と言って、ぼくを学校のバンドや弱小スポーツチームに入れたが、ぼくの気持ちは揺るがなかった。水曜午後のディベート練習の時間から金曜の夜の対戦までの約五〇時間がもっとも充実しているように感じた。

三年間の中学校時代に、ぼくたちのチームが完全な勝利《サクセス》を達成することはなかった。ディベートでは「良い《グッド》」という言葉にはたくさんの意味があるが、「勝利《サクセス》」と言えば一つしかない。相手を倒すということだ。ぼくたちはたいてい勝ったが、運は準決勝あたりで尽きることが多かった。どれだけがっかりしても、やめることは考えなかった。リーグ内では、誰もが他校の選手を知っていて、その動向——昇格、降格、戦力外——を注視していた。戦力外となって試合に出られなくなるのは耐えがたいつらさだっただろう。

中途半端な勝利は、一五歳の自尊心と相性が悪かった。ぼくたちには、たいていの試合で優勢に立てるくらいの議論のスキルはあったが、ディベート会場でひらめいた直感を自信を持って押し進める力はなかった。だから、自分たちの議論を振りかえり、相手を出し抜く方法を考えるのに膨大な時間を費やした。こうした姿勢は二〇〇九年の競技シーズンの終わりに最高潮に達し、ぼくたちは準備の時間に危険な問いを立てるまでになっていた。すなわち、論題を分析するだけではなく、自分たちに有利になるように操作できるとしたら？

八月に行なわれた、いちばんのライバル校ノックス・グラマーとの対戦は、第一人者の注意を引いたことで忘れられないものになった。フッド先生は、バーカーのディベート・プログラムの責任者で、百科事典並みの知識を備えた英語の先生で、穏やかで聡明な人物だった。ディベートには長年かかわっていた。コーチ陣が個別の試合を導いてくれるのに対して、フッド先生はディベートの傾向や基本、長いディベート人生について語ってくれた。

先生はバーカーでの仕事のほかに、リーグの論題委員会にも籍を置いていた。ベテランの先生や関係者が集まって、毎シーズンの論題をつくる委員会である。この年のはじめに先生からその作業過程を説明してもらったとき、ぼくは心を奪われた。

先生によれば、ディベートにおける良い論題についてはさまざまな見解があるという。しかし、いくつかの基本的な要素についてはおおむね意見は一致している。論題はバランスが取れたもので（一方に偏っていてはだめ）、深みがあり（少なくとも三つか四つの議論につながるもの）、取り組みやすく（専門的知識を必要としない）、面白いもの（新しく議論のしがいがある）でなければならない。

「簡単そうに聞こえるだろうが、実際に決めようとするといくつもの落とし穴がある」とフッド先生は言った。

「たとえば、経済における働きすぎの問題について議論してもらおうとする。どういう論題にすればいいか。『人々は働きすぎである』というのが最初のとっかかりになると思うが、あまりにも漠然としていて的をしぼりにくい。それで少し手を入れて『働きすぎを称賛する文化は益より害が大きい』としてみる。すると、入れたいと思っていた政策にかかる議論の余地がないことに気づく。どんな議論にでもつながるような論題――『資本主義は破綻している』――には魅かれるが、慎重に退けなければならない。最終的には、考えに考え、修正を繰り返し、ちょっとしたひらめきがあってこうなる。『週四日労働制を導入すべきである』」

「この作業には丸一日かかることもある。多くのことがこれがうまくできるかどうかにかかっているからだ。ディベーターとコーチは、論題が『不正に操作された』として、競技結果を受け入れないことがある。だから、そのようなことが起こらない論題にしなければならない」

ぼくはこの説明を聞いて感動した。日々の生活のなかで、人は深く考えることなく議論を始める。意見の相違の元が何なのかを気にすることはないし、ましてそれが公正で生産的な対話につながるかどうかなんて考えもしない。しかし、競技ディベートの世界では、しっかりした土台の上で議論が行なわれるように、第一人者が時間をかけて論題を選定しているのだ。

その金曜の夜、ぼくたちは論題の発表から問題を抱えることになった。ノックスのガラス張りのアトリウムで、ぼくは相手チームの一人――お父さんのような髪型で大きな腕時計をしたフランクリンという名の少年――と向かいあって立ち、論題発表を待った。このように向きあうのは、ボクシングの試合開始に似ている。相手の気持ちを知るチャンスだ。この夜のぼくは、どういうわけかまばたきをして、フランクリンから目をそらしてしまった。論題が入った封筒はざらざらしているように感じ、中身を見たときには気持ちが沈んだ。「快楽のための薬物は合法化すべきである。肯定、バーカー。否定、ノックス」

タイミングが悪かった。九年生の保健の授業で、ちょうど違法薬物について習ったところだったのだ。自分の体験談を語ってくれる元受刑者が学校に来て、真っ当に生きるようにという話をしてくれた――というか警告してくれた。期末試験では、薬物の名前とそれによって悪くなる体の部位の絵を結びつけた。しゃべると声が響くほど広い準備室で、ぼくたちは重々しい空気のなかすわりこんだ。

三〇分ほどして、ぼくたちはこのディベートは勝てないという結論に達した。州の保健省の公共広告がサウンドトラックのようにぼくたちの頭のなかで流れ、自由な発想にふたをしていた。準備開始から四〇分たったころ、ぼくはひらめいた。「快楽のための薬物を全部合法化するのではなく、しぼったらどうだろう？　危なくないものだけ合法にするっていうのは？」チームのみんなは半信半疑だったが、ぼくはほかに手はないと説得した。というわけで、ぼくたちは「快楽のための薬物」を処方薬と大麻だけにして、ＬＳＤやエクスタシーといった深刻な副作用をもたらすものは除くことにした。

ディベート会場では、こちら側の最初のスピーカー、スチュアートが、チームの軸となる主張を堂々と述べた。「ぼくたちは定義によって、自由と公衆衛生のあいだに正しい線引きをします。これは専門家の意見に一致したものです」。続いて「快楽のための薬物」の定義について述べたとき、対戦チームはざわめき、抗議の声を上げた。この反応に観客は最初は戸惑っていたが、ぼくたちの戦略が意味することを理解すると、同じように否定的な視線をぼくたちに向けた。ノックスの親たちは舌打ちをし、文句を言った。いちばん前の列にいたフッド先生は縁なし眼鏡を外し、ウールのセーターを整え、ぼくたちの後ろのレンガの壁を見つめた。

ただ一人、ぼくたちの背徳行為に気づかなかったのが審判だった。大きな目をした素直そうな童顔の大学生は、何も疑っていない様子で、スチュアートの話を最初から書きとめていた。対戦相手が「バーカーの定義はめちゃくちゃだ。失格になってしかるべきだ」と言ったときには、その大げさな物言いに顔を引きつらせ、ぼくたちに同情の目を向けた。三人目のマックスが締めくくりに入ったときには、ぼくはちっともうれしくない事実に直面していた。ぼくたちの勝ちだ。

勝利に終わった試合のあと、ぼくたちはフッド先生から講評を受けた。何を言われるか内心びくびくしていたが、近づいてみると先生は狼狽しているというより、くたびれているように見えた。肩と頬のあたりに余計な重力がかかっているかのようだった。先生は落ちついた静かな声で、ぼくたちはディベートで「スクワラル（squirrel）」を行なったと言った。「要するに、自分たちが試合で優位に立つために、論題の定義や解釈を曲解した」

先生は「スクワラル」と論題の設定者は敵同士だと言う。この行為によって笑えるような定義も生まれる。アメリカ政府がイラクに介入すべきかどうかというディベートで、あるチームは「介入」を強い言葉による非難と定義したという。それから先生は、たいていは当然の報いを受けるとも言った。「自分でねじまげてこんがらがってしまい、審判にハンマーを振りおろされることになる」

しかし、ぼくたちのように勝つこともある。だから、論題の設定者はこの手法が使われないように考える。曖昧な言葉を使わず、はっきりするように言葉を追加する。それでも、できることには限りがある。「人は誠意を頼りにする。われわれも例外ではない」。そう言って先生はため息をついた。

先生が使いこんだ革のかばんに荷物をまとめ、ぼくたちに「お疲れさま」と言った。ぼくはノートに書き加えた。「スクワラル」はぼくたちの内側にある。それは怯えのあらわれだ。

＊＊＊

このときぼくは知らなかったが、気をつけて見れば、世間ではいたるところで「スクワラル」が行なわれていることがわかる。バーカーの生徒にとって、九年生から一〇年生に上がるのは重大事件だった。中学校は男子校、高校は共学になっていたので、一〇年生の最初の数日間——ぼくたちの場合は二〇一〇年一月——は、「転換」期となる。思春期真っ只中の一五歳にとって、この変化は恐ろしいものに思えた。皆準備に余念がなく、汗とにおい対策にオールドスパイスを使いはじめたりした。

高校の初日の午前中は、蒸し暑さのなかに緊張感が漂い、妙に静かだった。一部の社交的な者や目立ちたがり屋を除けば、ほとんどの生徒は性別によって分かれ、まばたきしながら目を合わせないように互いをうかがっていた。フランス語のバートン先生は面白がって、それを隠すこともなく、教室の左側を指して、それから右側を指した。「こっちが男《ル・ギャルソン》子で、こっちが女《ル・フィーユ》子なのね！」

午後には暑さが頂点に達し、それに伴って何かがはじけたようだった。食堂前の長い列や、競技場近くの緑色のベンチでみんなが会話を始めたのだ。冗談を言い合い、自分のことを話した――一つ一つがお互いをつなぐ役割を果たし、決して聞き逃すことができないものだった。学校はすぐに喧噪《けんそう》に包まれた。金曜日の午後には三組のカップルが誕生していた。

女の子の登場は校内の文化を変容させた。中学校では言葉少なに話すぶっきらぼうなオージー男が賞賛されたが、高校では自分の意見をしっかり持って「腹を割って」会話する、感度良好で言葉数の多い人が尊敬された。かつては原始的な競争の場だった校庭は、自己開示の場所になりつつあった。Jたちや運動に明け暮れていた子たちはこの流れに適応しようと必死になり、その変身ぶりには驚かされた。

この文化の変容は、ぼくたちの成長に伴い、校庭に政治をもたらした。全体としては、まだまわりの影響を受けやすい時期だった。クラスの一部の生徒に感化されて、みんなで集まってオランウータン保護を訴えたこともある。しかし、次第に政治や文化、宗教について自分の意見を言うようになっていった。口の立つ生徒は、うらやましいほどの自信を持って、「不当」や「不公平」について語った。

二〇一〇年のオーストラリアで盛んに議論されていたのが、「政治的正しさ（ポリティカル・コレクトネス）」の行き過ぎ問題だった。この言葉は、人を不快にさせる発言を減らすための行動を婉曲的にばかにして言ったものだ。その影響は正式な検閲から社会的制裁まで多岐におよんだため、政治的正しさに強い関心を持つ人々からすれば、怒りの炎にくべる薪が足りなくなる心配はなかった。この議論は、テレビの討論会や新聞の特集記事から始まり、車のなかや夕食の席での家族の話題を通じて、果ては学校の校庭まで流れていった。

ぼくにとって、この抽象的な議論に具体的な形を与えたのは友達のジムだった。ぶっきらぼうで頭が切れ、軍の青年プログラムでリーダーを務めるジムは、中学校では生き生きとしていた。そこでは、あからさまに人種やジェンダーをネタにしながら、傷ついた気持ちを公言させないような冗談が受け入れられていた。ぼくは簡潔で皮肉が効いていてズバッと切りこむ彼のユーモアのほうが、アメリカのありがちなホームコメディや、賢さを鼻にかけたＢＢＣの特別番組で見られるユーモアよりもいいと思った。それでも、彼の冗談を受け入れるには内心の妥協が必要だった。

高校では、ジムは孤立するようになった。友人たちは、彼の話は攻撃的で不快だとして、「そんなこと言うなよ」とたしなめた。そんなときジムは背筋を伸ばして、相手に向かっていつも同じことを言った。「なあ、そんなの単なる政治的正しさだろ」

オーストラリアで、この言葉はたくさんの問題を抱えていた。最初は、極右政治家ポーリン・ハンソンが一九九六年に議会ではじめて行なった演説で、この国は「アジア人にのみこまれてしまう」という主張とともに世に出てきた(1)。その後「政治的正しさ」は、国は植民地だった過去をどうとらえるべきかという、二〇〇〇年代初期の歴史論争に不可欠な要素となった。こうした歴史のなかで、この言葉は多層的な意味を持つようになり、このときには事実、判断、対応それぞれにかかる主張があった。自由な発言を制限しようとする動きがあり、それは自由主義に反するという非難があり、反撃されてしかるべきだという声があった。

　学校の友達のあいだで意見の対立が続くなかで、ぼくは思った。対立を招くこんなセンスのない言葉をめぐって、なぜぼくたちは議論しているのだろう。ただ「政治的正しさ」と言うだけで、まるでそれが呪文のように、人々の意見は割れ、怒りが生まれる。やがて、ぼくは気づいた。「政治的正しさ」という言葉は、そもそも中立なものではないのだ。「政治的正しさ」という文化に不安を感じる人々は、そういう文化が本当にあって悪いものだと思いこんで使う。そういう人は有利な立場を不当に手に入れるために、この言葉を利用していたのである。つまり、「スクワラル」を行なっていたのだ。

　戦略としては邪悪に感じるが、ジムがこの言葉を使うとき、悪意は感じなかった。代わりに感じたのは、自信と論理、両方の欠如だった。自分が相手の考えを変えられるとも、相手が誠実に対応するとも思えないとき、人は議論の条件を自分に有利に設定したくなるものだ。鼻息荒く持論をぶつけるジムの口調からは、その身構えた姿勢の理由も感じられた。

　しかし、「スクワラル」を行なおうとする努力は、自滅につながることがほとんどだ。しばらくすれば、今度は相手がその言葉を自分の有利になるように主張しなおす。「政治的正しさ」を擁護していた人たちは、今度はそれを「思いやり」という意味に定義しなおした。それによって、相手を「思いやりのない」人々という立場に追いこんだのだ。二〇〇二年、労働党のマーク・レイサムは「新しい政治的正しさ」と言い出した[2]。「それは、政治的な論争で礼儀を求めるこの国の保守層が、偽善的に要求するものである」と述べた。要するに、「政治的正しさ」という言葉自体が分極化され、同時に分極化をもたらすものとなったのである。

一〇年生の第一学期が終わろうとしていた四月のある日の午後、学校で進展があった。昼食を取りながら、ジムが最近の政治的正しさに関する武勇伝を自慢げに話していたとき、まじめではっきりものを言うブルネットのエリーが口をはさんだ。ぼくは息をのんだ。でも、エリーは非難も反論もしなかった。その代わりにいくつか質問した。「あなたの言う『政治的正しさ』って何を意味しているの？　っていうか、何が争点なの？」ジムは予想外の質問に面食らっていたが、どもりながら答えた。

「悪気のない冗談を責めることだよ」

その後一〇分ほどかけて、二人は議論の核心にたどり着いた。二人は、言論を法で規制するのはほとんどの場合望ましくない、それから、包括的な学校をつくることに関心を持つのはいいことだ、といった意見で一致した。意見が合わなかったのは、冗談の題材だった。それから、冗談に対する見方を決めるのは話し手の意図か、聞き手の経験かという点も。議論のなかの言葉を自分に有利に定義したいという誘惑をはねのけ、両者が受け入れられる形で意見の相違を明らかにしても、根底にある緊張感はなくならなかった。しかし、わかりやすくスムーズな議論になった。

ぼくはエリーとジムの話を聞きながら、「スクワラル」の最大の罪は、目の前の意見の相違を衝動的に避けようとするところ、つまり相手が議論する余地をなくすことで、事前に結果を確定させようとするところにあるのではないかと思った。とりあえず勝てるかもしれないが、本当の意味での意見交換の機会を締め出すことにもなる。

第二次世界大戦中、イギリス議会は新しい下院本会議場のデザインについて討論していた。ウィンストン・チャーチルは対立する雰囲気を出すために長方形のこぢんまりとした部屋を希望したが、初の女性議員となったナンシー・アスターは、合理的な時代にふさわしい円形の部屋を主張した。「私は現職の大臣も元大臣も、つながれた犬のように対峙する形で席につくのはやめたほうがいいのではないかと常々思っていました。議論も暴力的にならずにすむでしょう」[3]。両者が一致したのは、意見の相違の舞台設定が重要だということだった。チャーチルによれば、「われわれが建物を形作り、そのあとは建物がわれわれを形作る」ということだった[4]。

日々の議論の成り立ちは、物理的な建付けよりも対話のトピックに関係している。しかし、アスターのもっと合理的な形をつくろうという考え——意見の相違を排除せず、それをもっと良い形で表明できるよう模索する——は目指す価値があるように思えた。トピック（topic）という言葉の語源は、古代ギリシャ語の場所を意味するtoposにある。この場所を開かれた場所として皆で共有していっしょに探すか、狭い戦場として敵意を持って罠をしかけるか。ぼくたちはどちらかを選ばなければならないようだ。

学期が終わろうとするある日、ぼくはフッド先生に呼ばれて、何か書かれた紙を一枚渡された。ひんやりしたきれいな紙は、論題発表でもらう封筒を思わせた。「州のディベートチームの選抜試験の招待状だ。チームは毎年、全国大会に出場する。挑戦してみたらどうだね」

第2章

立論

主張する

シドニー・ガールズ・ハイスクールの二階、カビくさい空気が漂う薄暗い教室で、ぼくはほかの五人が黙りこんですわっているのを眺めていた。知った顔は一人だけだった。デブラだ。ぼくより二つ上の一七歳ながら、地元では凄腕のディベーターとして評判だった。コーチ陣は彼女を攻略する戦略を立てたが、彼女の進撃はとまらなかった。二〇一〇年五月、さわやかな秋の朝に、デブラは窓際の席にすわり、太陽に照らされて大きく見えた。日の光が縮れ毛に入りこんで輝き、あくびをしたときに歯列矯正器が光った。

ニューサウスウェールズ州のディベートチームに入るための選抜試験は、単純な算式に従って行なわれた。応募者一〇〇人はほとんど落とされて、一二人が州のディベート団を結成する。この一二人は二カ月間いっしょにオーストラリア最高のコーチ陣から厳しい指導を受け、その後、ふたたびふるいにかけられ半分になる。残った六人──四人がメンバーで二人が控え──は、オーストラリアでもっとも人口の多いニューサウスウェールズの代表となり、春に開かれる全国大会に出場する。

そんな狭き門に挑む理由をぼくに訊く人は待合室にはいなかった。幸いだった。訊かれても答えはわからなかったから。過去五年間、ぼくにとってディベートは生き残りの手段だった。ぼくに声を与えてくれるものであり、複雑な世界を理解するための手立てだった。情熱まで感じるようになっていた。しかし、笑顔の人が一人もいない小さな寒い部屋で、ぼくは別の種類の欲望にとらわれていた。

オーストラリアに来るまえは本当の野心というものを持ったことがなかったし、取りつかれたこともなかった。飛びぬけて良かったわけではないにしても、それなりにいい成績を収め、結果よりも参加することに意義がある課外活動を選んでいた。二〇〇三年初頭、ソウルで小学三年生だったぼくは学級委員長になろうとはせず、代わりに書記として管理の仕事を担った。その年の後半にシドニーへの引っ越しが決まり、子供時代には学校でスーパースターだった両親は、野心の遺伝子が受け継がれなかったのではないかと心配しはじめた。

しかし、オーストラリアで何かが変わった。というより、自ら変わった。一〇歳、四年生になって、ぼくは学校で文法に取り組み、スケジュールをこなし、地元の地理を覚えた。こうした知識が自分の成長に必要な要素だと思ったからだ。夜遅くまで起きて取り組み、週末も返上した。その結果、五年生ではじめて一つの科目でいちばんの成績を取った。そのとき頭のなかで声が響きはじめた。「全部の科目で目指せば？　学校でいちばんになろうよ」

思いかえせば一〇年生のときには、そうした野心は自虐的な冗談を言ったり、はぐらかしたりして隠していた。背の高いケシの花――オーストラリアではまわりが求める均衡を無視して、自分の野心や向上心を追求する人をこう言う――は刈り取られるのを知っていたからだ。この日の朝、選抜試験に意識を向けながら、自分の仮面ははがれかけているかもしれないと思った。

開始予定の一〇時を二〇分過ぎ、緊張のなかでいらだつ人が出てきた。ダイソンは、細身の体にベストを着た落ちつきのない生徒で、遅れていることに文句を言いはじめた。部屋の後ろでは、ゆったりしたワンピースを着た背の高いシエナが自分の世界に入って歩き回っていた。デブラとぼくだけがじっとしていた。といっても、彼女は恐怖で固まっていたわけではないと思う。

ダイソンが話の勢いで指を一本あげたとき、背後のドアが開き、黒ずくめの大学生が一人、冷たい風とともに教室に入ってきた。女性はアシスタントコーチの一人だと自己紹介した。おそらく二十代前半で、そんなに年は変わらないはずなのに、堂々としていて威厳があった。「午前中のディベートの話す順番を発表します。肯定側一人目、ボー・ソ。否定側一人目、デブラ・フリーマン。肯定側二人目……」

アシスタントコーチは名前を読みあげると、論題を発表した。「死刑は決して正当化されない」

＊＊＊

高校のパーラメンタリー・ディベートでは、準備時間は基本的に六〇分取る。主な目的は議論を立てることだ。自分たちの立場に沿う主張を四つか五つ考える。この主張はディベートのなかで第一と第二のスピーカーが伝え、第三スピーカーは反駁《はんばく》に専念する。準備はだいたい次のような流れとなる。

進行表

・〇—五分　ブレインストーミングをする。メンバーはそれぞれ論題について自分の考えを書き出す。

・五—一五分　共有する。各メンバーがグループのみんなに自分の考えを発表する。

・一五—四〇分　議論を構築する。強い主張を四つか五つ選んで、さらにふくらませる。

・四〇—五五分　スピーチを書く。各メンバーがそれぞれのスピーチを書く。

・五五—六〇分　最後の確認を行なう。ディベートに入るまえに最後に戦略の要点を確認する。

準備室では熱力学の第二法則が見られることが多い。閉ざされたシステムのなかでエントロピーは時間とともに増大する。共同で作業するメリットは、時間制限のあるなかでは十分に発揮されない。それに、チームの主張を全員が支持しなければならないのは、別の意味でプレッシャーになる。準備室ではテクノロジーや外部資料は使えないので、原始的なツール——原理原則、おおざっぱな経験則、あやふやな事実関係——でなんとかするしかない。結果として、摩擦で過熱した軸受のようになり、ときには発火することもある。

ところが、シドニー・ガールズ・ハイスクールの、ふだんは教員のラウンジらしい風通しのよい広い準備室では、逆の問題が生じていた。部屋の真ん中に置かれた大きな机を囲んでぼくたち三人――ダイソンと、落ちついたラグビー選手のベンとぼく――は、不安な思いで互いを見ていた。共有する意見一つにつき、五つは保留にしていた。「思うんだけど、ぼくたちがすべきなのは……」「たぶんいちばん大事なのは……」そう言いかけては、言葉に詰まった。準備ではグループの協力がものを言うのに、選考は個人単位で行なわれる。いくら慈悲深い心を持っていたとしても、このミスマッチは乗りこえられなかった。

ベンとぼくがいくつかの意見を交換しているあいだ、ダイソンは自分のノートに大量のメモを取っていた。一五分経過したところで、ぼくたちは盛りあがらない話し合いを中断し、それぞれ部屋のすみに行って、自分のスピーチ原稿を書いた。ぼくは問題なかった。論題で割り当てられた立場を実際にも信じていたし、知識もあった――ディベートではめったに起こらない組み合わせだ。だから、自分が何を言いたいのかよくわかっていた。

一一時三〇分、一時間の準備時間が終了し、ぼくたちは黙ってメモをかき集め、階段をのぼってディベート会場に向かった。三階の廊下に出ると、大勢の人の話し声が聞こえてきた。両親に教えてもらったとおり、足の震えをとめるためにかかとの内側に力を入れた。そうしてぼくは喧噪《けんそう》に向かって歩いていき、やがて完全に包まれた。深緑色のカーペットが敷きつめられた大きな教室には、一〇人ほどの選考委員――コーチや今は二十代から三十代の元メンバー――がいて、二列に並べられた椅子にばらばらにすわっていた。ぼくたちが入っていくと、小さく声を上げてぼくたちを見た。

ぼくは前列にすわろうと向かったが、選考委員の一人――たくましい体に革の上着を着た赤いあごひげの男――が直接中央に行くように促した。このとき観客が、まるでかみ合わないパーカッションのように机を叩きはじめ、教室のすみずみまで響かせた。熱いものが背骨を通って上がっていくのがわかった。誰かの食べかけのパンのラードとフェンネルシードのにおいに吐き気を感じた。

ぼくは部屋を見渡して、安心して目線を置けそうな場所を探した。ジーンズのジャケットをペアで着ているおしゃれなカップルはだめだ。鋭い目をして静かにすわっている女性もだめ。あれは確か元世界チャンピオンだ。結局、一列目の二人の頭のあいだに見えるカーペットの色あせた部分に視線を定めた。それから深く深呼吸し、最初の言葉を思い出した。

「死刑は国が行なう殺人です。恣意性、不条理、哀れな人に向けられる敵意という刑事司法制度の悪しき部分が、取り返しのつかない代償を強いるのを認めているのです」

スピーカーが沈黙を破るこの瞬間、多くのことが明らかになる。話し手には、静かな水面下で抵抗する力と魅了する力がせめぎ合っているのがわかる。聞き手の眉の動きやペンの走らせ方など、見てわかるものもあるが、それより頼りにするのは直感だ。それは人の根源にある感覚で、「自分の話は通じているか」という質問に対する答えをもたらす。

「ぼくが最初に立論したいのは、死刑は残酷で異常だということです。もっとも人間らしい形式を取ったという死刑は、実際にはどのように行なわれるでしょうか。受刑者は、なかには冤罪の人もいると思いますが、差し迫った死の恐怖に常にさらされながら一〇年以上を過ごします。その後、想像しうるなかでもっとも恐ろしいことが待っています。ゆっくりと一歩一歩階段をのぼり、自らの死が執行されるのです」

ぼくの主張に納得した聴衆がいるのがわかった。最初はおざなりにうなずいていたのが、深くうなずくようになり、厳しい視線を送っていた目が共感で和らいだ。大いに元気づけられたぼくの声は次第に大きく、自信に満ちたものになっていった。ぼくは聴衆を見つめ、自分の考えをしっかり伝えようと目で訴えた。最初の主張について修辞法を駆使して長々と述べてしまったので、二つ目の主張が急ぎ足になってしまい、正確に伝えられていない可能性はあったが、なんとか二〇秒を残して結論までこぎつけた。

「このような非人道的な行為は公正な社会にあってはなりません。制度が存在するかぎり、ぼくたち一人一人が貶められているのです。どうかこの論題に賛成してください」

聴衆からは拍手が起こり、ぼくはちらりと相手チームを見た。緊張のあまり青ざめて固まっている二人のスピーカー——二本の大理石の柱のようだった——のあいだで、デブラは髪をゆるく一つにまとめていた。カバンのなかからメタルフレームの眼鏡を取り出してかけると、顔立ちがさらにはっきりした。ぼくが席に戻るやいなや、デブラはぼくが立っていた位置についた。彼女の声は最初からぼくのよりも鋭く、はっきりしていた。

「皆さんが今聞いたのは、根拠のある主張《アーギュメント》ではありません。根拠のない主張《アサーション》です。彼は、述べたことを信じる理由を一切言いませんでした。自分が信じることを語っただけで、情緒に訴える言葉を多用しました。残念ながら、それはディベートでは意味がありません」

「皆さん、ご自身が書きとったメモを見てください。ご自身に問いかけてください。たとえ向こうの意見に賛成でも、というより向こうの意見に賛成ならなおさらです。それは結論に対して説得力のある議論になっていますか」

頬がかっと熱くなった。最初はわけがわからず、怒りがこみあげた。いったい何を言っているのだろう。何様のつもりなのか。それから、小さな声が恐ろしいことを訊いてきた。彼女が正しいのでは？　ぼくは自分のノートに手を伸ばしかけたが、観客がデブラとぼくを交互に見ていることに気づいた。それで動きをとめて、無表情を装った。デブラはぼくの間違いを分類して酷評した。

「理由も証拠もない主張（「死刑は純粋に忌まわしい制度である」）は主張《アサーション》です。証拠のない主張（「論理的に考えれば、死刑は犯罪を抑止する」）は推論です。証拠だけに頼る主張（「ジョージアでこの手続きに失敗したのは、死刑がまったく当てにならないことを示している」）は一般化です」

こうした用語は知っていた。中学校でディベートを始めるときに議論の基本として学んだ。以来、ぼくは競技や日々の生活においてたくさんの議論をしてきた。自分が間違えた可能性はあるだろうか。デブラは「主張《アサーション》」や「一般化」といった専門用語をとげとげしく発音したので、まるで罵り言葉のように聞こえた。ぼくは自分が彼女の歯列矯正器に巻きこまれたような気がした――奥歯に殴られ、金属に引っかかれる。噛みつかれるとはまさにこのことだった。

＊＊＊

数日後の夜、ぼくは両親と地元のベトナム料理の店で夕食を取った。狭い店で、客は身を寄せ合ってきしむテーブルを囲み、あたりには出汁と油のにおいが漂っていた。一時間もしないうちに州の選抜試験の結果が出ることになっていたぼくには、喧噪と湿気と強いにおいがありがたかった。そちらに気を取られて、いろいろ考えずにすんだからだ。

厨房近くのテーブルで、ぼくは両親に試験の失敗を説明しようとしていた。「あなたの主張は正しいように聞こえるけど」と母は肩をすくめた。「審判は真実を見抜いたはずだ」と父はゆでたエビの殻をむき、うなずきながら言った。「結局、大事なのはそこなんだから」。二人の声ににじみ出る揺らぐことのない純粋な気持ちに、ぼくはいらだちを覚えた。

両親から格言を引き出すのに「真実」ほどいいテーマはない。二人は「真実はすべてに勝つ」という信念を持ってぼくを育てた。それはキリスト教の教義に沿っていたし、でたらめに対する嫌悪感のあらわれでもあった。二人にとって、真実を曖昧にする行為は怪しいだけではなく、失敗を運命づけるものでもあった。朝、太陽がのぼるように、真実も必ず姿を見せる。

家族でお気に入りの映画の一つが、一九九二年の「セント・オブ・ウーマン／夢の香り」だ。このなかでアル・パチーノは崖っぷちに追いつめられた老齢の退役軍人フランク・スレードを演じている。老人は盲目で大酒飲みで気が短い。そのため家族は、感謝祭の休暇中に面倒を見てもらおうと、チャーリー・シムズという奨学金で名門ベアード校に通う学生を雇う。

映画は男同士の友情の物語として展開する。スレードはチャーリーに男になることを教える。チャーリーはスレードにもう一度生きるよう説得する。ニューヨークで二人は、オーク・ルームで食事をし、タンゴを踊り、車をぶっ飛ばす。しかし、チャーリーの頭上には暗い雲がかかっている。ひどいいたずらをしたクラスメートの名を告げ口するのを拒否したため、懲戒委員会に呼ばれており、退学になる可能性があったのだ。

懲戒委員会で、チャーリーは追いつめられる。ほかの目撃者は嘘をついて難を逃れたが、チャーリーは嘘をつくことを拒絶し、怒った校長はすぐに退学処分にするよう求める。そこでスレードが立ちあがる。彼は五分にわたって、勇気、リーダーシップ、男らしさについて演説する。話の構成のまずさや論理性の欠陥は心が補った。「私は裁判官でも陪審員でもないが、これだけは言える。彼は自分の得のために人を売るようなことはしない！　それが人間の高潔さというものだ」(1)。スレードとチャーリーは勝者として全校生徒の拍手のなか委員会をあとにする。

映画には両親の見方が表現されている。真実はアル・パチーノの声にあらわれているというものだ。洗練されているとはとても言えず、ぶっきらぼうで荒々しく、だからこそ純粋さが感じられる。ニューイングランドの名門校のような日和見主義的な場所でも、そういう声は無視されない。虚偽と争わなければならない場所では、真実が必ず勝つ。子供のころはこの映画を観て大いに慰められたが、ある程度大きくなってからは、大酒のみの退役軍人が、アメリカ北東部で裁かれる場面で本当にこんなにうまくやれるだろうか、と疑問に思った。

それに二〇一〇年半ばのこのとき、世界は変わりつつあるように見えた。アメリカでは数年前から「バーセリズム（birtherism）」が話題になっていた。バラク・オバマ大統領はケニアで生まれたと間違った主張をするメディア関係者や論客、ソーシャルメディアのユーザーによる運動だった。陰謀論は昔からあるが、この話は大きな広がりを見せた。バーセリズムは主要メディアで定期的に取りあげられるようになったのである。三月のある世論調査では、回答者の四分の一もの人が、オバマはアメリカ国外で生まれたので大統領になる法的な資格を欠いていると考えていた[2]。

ワシントンDCから地球半周くらい離れた、ぼくが通う高校の校庭でも、フェイスブックでこの話の証拠文書を見たことがあると言うクラスメートがいた。ぼくたちは笑い飛ばして終わりにしたが、ぼくは彼がこの話を主張するわけでも否定するわけでもなく、「面白い」ものとして語ったことにもやもやした。

NBCニュースのインタビューで、アメリカ大統領は皆と同じように困惑していた。大統領は「この新たなメディアの時代には、誤った情報のネットワークのしくみがあって、そういった情報を常に大量に世に送り出している」と認識していた。それから、アメリカ人はたわ言を見抜く見識を持っているとも述べた。「どんなうわさが世間に流れようと、それほど心配していない」。しかし、ぴしゃりと言った次の言葉のほうが本音なのだろう。「二四時間、出生証明書を額に貼りつけて過ごすわけにはいかない。事実は事実だ[3]」。一文一文は正しく、全体としてはほんの少しの矛盾があった。

夕食の席で、湯気がたちのぼるフォーを食べながら、ぼくはデブラとの対戦を思い出していた。あの試合でのぼくの状況――自分が信じる真実を主張する立場にありながら、説得力のある議論ができなかった――は、今の時代と同じだと思った。異議が唱えられて真実がいとも簡単に曖昧にされるとき、真実が本来持つ、相手をねじ伏せる力に頼ることはできないのではないか。そういう時代に、ぼくたちは真実の獲得から、真実をほかの人に伝えるための技術や知恵、昔ながらの地道な作業に目を移さなければならないのではないだろうか。

ニュースはデザートといっしょにやってきた。タピオカのなかにスプーンを入れたとき、ポケットのなかの携帯電話が鳴った。メールが読みこまれるまで数秒かかった。母はお茶を飲みながら、別のことに気を取られている体を装っていた。父はほとんど電話をひったくらんばかりに身を寄せてきた。メールにはこう書いてあった。「ニューサウスウェールズ州選抜チームに選ばれたことをお知らせします」

＊＊＊

五月最後の日曜日に予定された最初のミーティングまで、ぼくは平静を装おうとした。ぼくが選ばれたというニュースは静かに、しかし確実に学校で広まった。友達も先生も州代表のディベートチームというのがどういうものか、実際にはよくわかっていなかったが、とにかく驚いた。「州の代表チーム！　すごいじゃないか！」ぼくはこうした反応に困惑した。チームに選ばれたからといってぼくの能力が変わったわけではないのだから。一週間前に選抜試験を受けにいって、打ちのめされた一五歳のままだ。一方で、両親や先生、友達からの期待は日々、現実から離れていった。金曜日の夜、ぼくは自分の今の実力と期待される実力の差を思って、ベッドのなかで悶々とした。

曇り空の乾燥したシドニーの朝九時に、シドニー・ガールズ・ハイスクールの玄関に集まった一二人の集団を見て、何の集まりか当てるのは難しかっただろう。ぼくもきっとわからなかったと思う。ぼくたちはこんな感じだった。試合から駆けつけたサッカー部のキャプテン、クラシック音楽とミュージカルを愛する朗らかなオタク、ほかのみんなのことをすでに把握しているらしい社交家、そしてデブラとぼく。コーチがドアを開けて、この答えを教えてくれた。「州代表チームのみんな、ようこそ！」

ぼくたちは先週試験が行なわれた三階の教室に案内された。蛍光灯が光る広々とした部屋で、ぼくたち一二人は直角に並べられた緑のプラスチック椅子についた。最初は変な感じだった。それまでは、チーム単位あるいは学校単位で戦うグループ活動としてのディベートしか知らなかった。ところが、まわりの会話に聞き耳を立てていると、この上級レベルのディベートでは、個人の出来がものを言うらしい。メンバーはそれぞれディベーターとして有名で、因縁のライバルもいるようだった。コーチはぼくたちのことをオールスターと言ったが、ぼくが思い浮かべたのは星座だった。一つ一つ輝く星が外部の目にはまとまって見える。

数分後、選抜試験のときにもいて、この日は特大サイズのフランネルのシャツを着た赤ひげの堂々とした男性が、大またで歩いて黒板に向かった。名前はブルース、シドニー大学の法学部の学生で、州代表チームのメインコーチ二人のうちの一人だと自己紹介し、もう一人のコーチであるほっそりした年上のマークを紹介した。ブルースは意外にも、オーストラリアのトレードマークとも言えるざっくばらんでのんびりした態度を絶対に取らなかった。その声は潜在的な力を秘めて響き、立ちどまらない人という印象を与えた。

「まずはフィードバックから始めたい。君たちの多くが正しい議論の仕方を習っていないか、忘れている。君たちはディベーターなのだから、これは大問題だ。議論とは、何かの列挙でもスローガンでも激励の演説でも自分の正直な思いを表明するものでもない。君たちの考えを漠然と支持するものでは話にならない。ではいったいなんなのか。議論とは、メインの主張とそれを裏づける理由と証拠によって正当化される、物事の現状、あるいはあるべき姿についての結論を提示するものである」

ブルースは黒板に向かって基本的な流れを書きはじめた。

立論するにあたっては、まず結論から始める――聞き手に受け入れてもらいたい事実、判断、対応である。

〈結論〉ボブはいい人ではない。

次にこの結論に、「なぜなら」を追加して文章をつくる。これがメインの主張となる。議論が証明しなければならない論点である。

〈結論〉ボブはいい人ではない。
〈メインの主張〉なぜなら、彼はほかの人の感情に配慮しないからだ。

第三段階として、このメインの主張に「なぜなら」を追加して文章をつくる。これが理由――主張を支える考え――である。

〈メインの主張〉ボブは配慮しない。

〈理由〉なぜなら、彼は友達も含めたいろいろな人にしょっちゅうひどいことをするからだ。

第四段階として、この理由を証拠——現実世界の情報や事実——で裏づける。

〈証拠〉先週の金曜日の夕食の席で、彼はシェリルの仕事について暴言を吐いた。

立論には改善の余地が無限にある。スピーカーは常にもっとたくさんの理由や証拠を出せるし、それぞれもっと良いものにもできる。そうすればもっとたくさんの、もっと良い主張を並べて議論を組み立てられるだろう。しかし、重要なのは、こうした要素がなければ立論は成り立たないということだ。

「というわけで、これで終わりかな？」ブルースが訊いた。「結論はメインの主張とそれを支える理由と証拠によって正当化される。以上？」ぼくがうなずき始めたとたん、ブルースが大声を上げた。

「違う！」

「欠けているのは何か。われわれはまだメインの主張が結論を正当化することを示していない。だから、そう、ボブがほかの人の感情に配慮しないことは示したが、これで彼がいい人ではない、単に空気が読めないだけの人ではないと結論づけていいのか」

ブルースは黒板に向き直り、最後の第五段階を書いた。メインの主張と結論を別の理由によってつなぐ。

〈つなぎ〉ボブが配慮しないという事実は、彼がいい人ではないことを意味する。なぜなら、彼の意図にかかわらず、彼は人を嫌な気持ちにさせるからだ。

この最後のステップは、ブルースが言う議論の「二つの立証責任」、つまり、聞き手を説得するチャンスを得るまえに証明しなければならない二つのものを示す。この責任は人々が日々直面するほぼすべての議論に適用され、「真実」と「重要性」の条件として知られている。

真実　メインの主張は事実に照らして正しい、もしくは信じられる。
重要性　メインの主張は結論を裏づける。

前述の議論――ボブはいい人ではない。なぜなら、彼はほかの人の感情に配慮しないからだ――の場合、立証責任は次のようになる。

真実　ボブは、実際に、ほかの人の感情に配慮しない。
重要性　もしボブが配慮しない人であれば、私たちは彼がいい人ではないと結論づけるべきだ。

立論には両方の脚が必要だ。スピーカーがメインの主張が真実だと示せなければ、すべてが論じるだけ無駄になる。もしそれが重要だと示せなければ、聞き手は当然肩をすくめるだろう（それって議論する意味ある？）。

二つの責任のあいだで、忘れられやすいのは重要性のほうだ。理由や証拠を積み重ねようと躍起になっているうちに、気がつけば、なぜそれが重要なのかを説明する時間がなくなってしまう。これは問題だ。真実で、かつ重要ではない議論が、聞き手の行動を促したり、考えを変えさせたりすることはめったにないからだ。

立証責任を果たしたからといって、聞き手の考えを変えられる保証はないが、責任をどちらかでも果たさなければ、間違いなく失敗する。それはギリシャ神話のカッサンドラを思わせた。彼女は正しく、そして説得力がなかった。

こうした話は抽象的に聞こえたが、ブルースがさらに具体例を黒板に書いて検証していったとき、ぼくは学校であったある議論を思い出していた。数カ月前、社会問題に対する意識が友達のなかでいちばん高いジョアンナが、みんなにベジタリアンになるように説得を試みた。彼女は肉や乳製品について、統計や動画を利用しながら、動物虐待の恐ろしい話を延々と語った。「何を食べているの？」昼食時にはよく訊かれた。ぼくははぐらかそうとして「サンドイッチだよ」などと答えた。しかし、ジョアンナは肉が入っているのを目ざとく見つけ、時を移さず七面鳥取引の残酷さをたっぷりと語ってくれた。

ジョアンナの働きかけは効果があった。ぼくは次第に返す言葉を失い、ベジタリアンになることにした。母は最初の数日は豆腐を工夫して調理してくれたが、やがてタンパク質の代用は固ゆで卵ということになった。ぼくは放し飼いの鶏の卵を二パック消費するまえに、ベジタリアンをやめた。

ブルースの二つの立証責任の理論は、この出来事に新しい視点を与えてくれた。ジョアンナは、工業化された農業は動物たちに多大な苦痛を与えるから、ぼくは肉を食べるのをやめるべきだと主張した。この議論が正しいと信じるに足る理由や証拠を示し、ぼくは受け入れた。しかし、完全に納得したわけではなかった。そうした苦痛によって、なぜぼくがベジタリアンにならなければならないのか。意識して食材を選んだり、肉を食べる回数を減らしたりするのではだめなのか。ぼくはジョアンナの議論は真実だと思っていたが、その重要性には納得していなかったのだ。

シドニー・ガールズ・ハイスクールの教室では、一一時近くになり、ブルースが講義の終わりを告げた。「議論は一つ一つがディベートの基本的な構成要素となる。突きつめれば、すべてはそこにたどり着く。ディベーターは議論をつくり、破壊するのが仕事なんだ」。ブルースはこの先八週間の幸運を祈り、ぼくたちは外に出た。午前が終わるまであと少し、太陽は雲間から顔をのぞかせていた。

＊＊＊

一カ月がたったころ、幸運はまだ形にならず、屈辱ばかりが積みあがっていた。自由貿易についてのディベートでは、一二年生の心優しい生徒がぼくのために「比較優位」の議論で出てきた単語をすべて書き出してくれた。メディアの独占に関する試合で対戦した相手は、「ボーの雑な指摘が意味していたと思われること」を三通り示し、それから全部つぶした。そうした記憶は、気が滅入る音楽しか流さないジュークボックスみたいになっていった。

ぼくは少しずつ腕を上げていったが、一、二歳年上のほかの生徒との経験の差はいかんともしがたかった。たとえば週に平均四つの議論に取り組んだら、一年で一六〇の議論を経験することになる。議論の基本理論は皆と同じように理解したが、皆が積み重ねた経験を自分のものにすることはできない。

メンバーの組み合わせは最初はランダムだったが、コーチは次第に最終メンバー四人をしぼり始めていて、気がつくとぼくは有力候補のメンバーより、講習を何度か休んだメンバーと組むことが多くなっていた。もうあとはなかった。

そしてある日、予想外の場所で打開策を見つけた。

普通の学生として、古代史の授業はいつもつまらないと思っていた。授業で習う古代の社会はあまりにも遠い世界で、それにどの壺も同じに見えた。ところが、六月の最後の金曜日、冬の午後、古代ギリシャの男子教育を取りあげた授業にぼくは衝撃を受けた。

それは、自由民の息子たちには「予備演習（progymnasmata）」として知られているもので、詳細に描写する方法（ekphrasis）から儀礼的な賛辞表現（encomium）にいたるまで、修辞法を習得するための一四種類の演習が含まれていた。この書く訓練は、教養人にとって重要なスキルとされていた長い演説をできるようにするためのものだった。

ぼくたちに歴史を教える、頭脳明晰で辛辣なイングランド人のグレゴリー先生は、「修辞学の森」と題したウェブサイトから引用した、儀礼的な賛辞表現の成り立ちについてのプリントを回した。(4)

・その人物の出自を述べる（民族、国、先祖、両親）。
・その人物の育ちを述べる（教育、人文科学の知識）。
・その人物の行ないを述べる。彼もしくは彼女の心、身体、運が優れていたからその行動を取ったと述べる。
・称賛が高まるようにほかの誰かと比較する。
・聞き手にその人物を見習うよう強く勧めるか、祈りの言葉をもって話を終える。

退屈な内容に、教室では不満の声が漏れた。このような古代史の授業はときに新しい見識を掘り起こすことがあり、この子音だらけの「予備演習（progymnasmata）」はその可能性が高そうだった。しかし、もっとも熱心な生徒でさえ、実践するのはあまりにも形式的で退屈だと認めざるを得なかった——昔ながらのチェックボックス形式のほうがまだましだろう。

しかし、グレゴリー先生はひるまなかった。腰に手を当て意味ありげな笑みを浮かべながら、予備演習は退屈だろうと言った。「これは特別な人が特別なときに使う特別な秘密ではない。これを音階だと思ってみたまえ。何度も繰り返すことで徐々に成果が明らかになる」

古代ギリシャには独自のたとえがあった。一部の修辞学者は予備演習をクロトンのミロの努力にたとえた。[5] 成長する子牛を毎日持ちあげ、最終的には大人になった雄牛を持ちあげられるようになったレスリングの選手だ。当時の教科書にはこう書いてある。

アペレスやプロトゲネスやアンティフィルスのような絵を描きたいと言いながら、自ら絵筆を取らない人を手助けすることはできないように、修辞学を学ぼうとしても、毎日自分で書く訓練をしなければ、昔の作家の言葉、多様な思想、その言語の本質が役立つことはない。[6]

どういうことかといえば、要するに市民でいるのは大変だったということだ。演説の舞台も、他者の貢献を評価する資格も自ら手に入れなければならなかった。そのためには、思いつきや才能よりも不断の努力が必要とされたのだ。

グレゴリー先生によれば、こうした努力はある種の芸術的才能を生み出したという。古代の終焉から千年後のルネサンス期に、イタリアの出版業者アルドゥス・マヌティウスは予備演習をよみがえらせた。彼が刷った古代ギリシャの修辞学の教科書はヨーロッパ中に広まり、ジョン・ミルトンやウィリアム・シェイクスピアの独創的な作品の土台になったとも言われている。[7]

グレゴリー先生が解説していたとき、ぼくは予備演習にかすかな希望の光を見た。この本質的な取引——困難な仕事を繰り返して熟練した技能を手に入れる——によって、自分はディベートチームのなかで優位に立てるのではないか。経験不足が問題だとしても、努力で時間を埋めあわせられるのではないか。

小さな音も響く狭い教室の後ろで、ぼくはできるだけ静かにノートを一枚やぶった。そして、自分なりの修辞学演習の計画を書きはじめた。ディベートの議論をもっとも単純な形にそぎ落とし、四つのW（what, why, when, who cares?）を軸に構成することにした。

論点は**何か**。
なぜそれが正しいのか。
いつ実際に起きたか。
誰が気にするか。

構成は単純だったが、良い議論に必要不可欠な要素を含んでいた。たとえば、「陪審裁判は廃止すべきである」という論題で肯定側であれば、次のようになる。

論点は**何か**。　私たちは陪審裁判を廃止すべきだ。なぜなら陪審裁判により、受け入れがたい数の間違った評決が下っているから。
なぜそれが正しいのか。　陪審は法的根拠を理解していない。その見解はメディアに大きく左右され、その人が属する社会に固有の偏見にも影響される。
いつ実際に起きたか。　テレビ番組が陪審の法医学的証拠の理解をゆがめる状況をあらわした「CSI効果」を指摘するアメリカの弁護士は大勢いる。

誰が気にするか。　間違った評決は、被害者、被告人、社会全体にとって司法の失敗を意味する。刑事裁判制度の信頼も損ねる。

四つのWは日常で起こる議論にも当てはめられる。論点を事前に設定することはできなくても、ほかの要素はすぐにわかる。たとえば、ある五人家族の長女が、犬を飼おうという両親の提案に反対するとき、四つのWを押さえた議論で自分の立場を強化することができる。

論点は**何か**。　うちでは犬を飼うべきではない。なぜなら、誰も散歩に行かないだろうから。
なぜそれが正しいのか。　みんな忙しい。水曜日は夜の八時まで留守になる。
いつ実際に起きたか。　前回店で買ってきた金魚は誰も世話をしなくて死んだ。
誰が気にするか。　毎日散歩に連れて行ってもらえない犬はかわいそうだし、家族みんなでこの仕事をめぐって言い争うことになるだろう。

＊＊＊

ぼくは部屋の温度が上がるのを感じた。教室の隅にあるガスストーブは相変わらず機能していなかったのに。この熱に促されて、ぼくは四週間で一〇〇の議論を検証すると決意した。奇跡でも起きなければ達成できないくらいの、普通なら考えられない数だった。

最初の数日は、両親にも見せないようにして自宅の机で四つのWに取り組んだ。しかし、すぐに二四時間体制でやらないと終わらない量だと気づいた。そこで朝学校に行く電車のなかや、休憩時間に図書館でもやり始めた。「相続税の税率は一〇〇パーセントにすべきである」という論題を肯定する二つの議論を書いた。それから、「感染症のワクチンは義務化すべきである」という論題には、肯定、否定それぞれに一つずつ書いた。こうして時間は過ぎていった。

友達はぼくを怪訝《けげん》な目で見た。Jたちはぼくが学校の勉強をやっているのだと思って冷たい視線を送ってきたが、説明すると今度は困惑して、心配してくれた。「おまえ、大丈夫か」。ディベートの仲間でさえ、ぼくが深刻になりすぎているのではないかと言った。「代表チームじゃ何が出てくるかわからないから、気にしないって自分で言ってたじゃないか。忘れたのか」

ぼくは予備演習に楽しみながら取り組んだ。それ以外の場で議論することはめったになかったからだ。十代の子供を相手に真剣な質問をして答えを待つ大人はほとんどいなかった。学校の授業――たとえば国語や歴史――で作文を書かされることはあったが、ほとんどは丸暗記して詰めこめばいい点を取れた。教室の外、運動場というジャングルでは道理よりも力と人気のほうがものを言った。

この議論不足は、十代の子供に限った話ではないようだった。子供も大人として扱われる商取引において、質問が投げかけられることはほとんどなく、理由が示されることはもっとなかった。テレビでは、大企業が水着や腹筋の映像を使って、炭酸飲料や保険を売ろうとしていた。インターンシップに行った年上の友人たちは、指示に従い、チェックボックスを埋める日々を語った。

政治もそうだった。二〇一〇年代半ばのオーストラリアでは、ひどい連邦総選挙が展開されていた。中道左派である労働党のジュリア・ギラード首相と、保守の自由党党首トニー・アボットは、個人的な敵意をむき出しにしてほとんど議論をしなかった。どちらも市場調査のための消費者グループや何かの委員会のように、少数の論点にこだわり、「前進しよう」「オーストラリアのために立ちあがろう」といったスローガンを掲げていた。

専門家はこのように停滞した社会の原因を探した。真っ先に非難の矛先が向けられたのは、目先の当選しか頭にない政治家や、選挙で選ばれる議員よりも世論調査や役人に権限を与えた政治文化だった。しかし、メディアもいっしょになって非難するうちに、偽善も見えはじめた。アクセス数を重視するジャーナリズムや極端な発言をエネルギー源とする二四時間体制のニュースの世界で、紙面やテレビ・ラジオは本物の議論のための場所を確保できるだろうか。

この卵が先か鶏が先かといった不毛な議論は、国民にとってもっと差し迫った問題を無視しているように見えた。顔はすでに卵で汚れている。どういうわけか、ぼくたちは根拠のない主張《アサーション》、当てこすり、スローガンをエネルギーとして存続する分別のない国をつくりあげてしまったのだ。

競技ディベートの世界は、こうした問題から逃れる手段を与えてくれたが、厄介な作業も必要だった。主張《アサーション》なら、心に浮かんだまとまりのない考えをそのまま口にすればいいが、正しい議論をするには、古い考えを問いただし、新しい考えをつくりあげなければならない。四つのWを探し、二つの立証責任を満たそうと格闘していると、次第にぐちゃぐちゃだった思考から、まとまったものが生み出せるようになっていった。ノートにまとめた議論を見ながら、「これがぼくの考えだ」と思うことが増えた。

いちばんよかったのは、効果があったことだ。

ぼくは代表チームのディベートで良い結果を出しはじめた。自主練習のおかげで、自由に使える考えが増え、制限時間が何分であろうともっとできるという自信を得た。ディベートではすぐに満足感が得られた。芸術家は高い理想を目指して長年修行するが、ぼくたちディベーターは毎週、もっとわかりやすいスリル——驚いた相手の沈黙、コーチのうなずき、数秒間の拍手——を追いかけていた。

この報酬サイクルにはわずかな毒が含まれていた。ディベートはスピーチと思考という二つの機能から成り立つスポーツで、その人がどういう人間であるかを声高に主張することになる。結果として、ディベーターは競技者としての成功と自分の人間としての価値を容易に同一視してしまうのだ。

土曜の午前に行なわれたトレーニング期間中、ぼくは次第にほかのメンバーに一目置かれるようになり、会話や作戦会議に加わるようになった。ヒエラルキーに組みこまれることに躊躇《ちゅうちょ》する気持ちもあったが、その高さと険しさには目をつむって登ってみたい気持ちの方が強かった。

＊＊＊

最終日は七月下旬の穏やかな冬の日だった。ディベートの開始予定時刻は午後六時。最初の選抜試験のときに待合室として使われた風通しの悪い部屋に集まり、ぼくたち六人はなんとなく輪になって立ち、とりとめのない会話をしていた。冗談や虚勢の裏に隠してはいたものの、そのとがった声にはしていた。

緊張感がにじみ出ていた。みんなから少し離れたところにいたデブラですら、不規則に足を踏み鳴らしていた。

五時ごろブルースが部屋に入ってきた。髪の毛はくしゃくしゃで、腕をきつく組んだ彼は、厳しい決断を迫られているように見えた。「みんな、ここまで来られたのはすばらしいことだと知ってもらいたい。一人一人が州の代表として申し分ない実力を備えている。だが、全員を連れてはいけない」

ブルースは濃紺のジーンズの左のポケットに手を入れ、折りたたまれた一枚の紙を取り出した。「そろそろ始めようか」。読みあげられた順番は、ぼくが肯定側の一番手で、同じチームとしてデブラが二番手、それから内気な二年生のマイカが三番手だった。三人が互いに少し距離を詰めたとき、ブルースが論題を発表した。「エコタージュは倫理的に正当化される」

予想外の言葉の組み合わせに、ぼくは思わずうろたえた。エコタージュについて何も知らなかったし、となりで固まって大きく息をしているマイカがこのテーマに詳しいかどうかもわからなかった。デブラに目をやろうとしたが、彼女はすでに部屋を出ており、ぼくは自分のかばんを持ち、マイカをひっぱって運命を決める準備のために廊下に出た。

大きさも雰囲気も掃除道具入れのような準備室で、デブラはすでに机の上座についていた。ぼくとマイカがつまずきながらも椅子にすわると、デブラは戦時の将軍さながらに身を乗り出してきた。「あなたたち、エコタージュって知ってるよね？」ぼくは言葉につまって、マイカを見ると、その顔は急速に色を失っていった。デブラはあきれ顔で天を仰いだ。「環境に悪影響を与えるプロジェクトを遅らせたりとめたりするために、破壊行為をしたり、物的損害をもたらしたり、妨害することよ」

そこから一〇分間、デブラはエコタージュについて訊くぼくたちの質問に答えてくれた。「たとえば、チェーンソーや伐採用の道具が傷つくように、木にくぎを埋めこんだりする」。「人を傷つけることは意図していないけど、可能性は除外できない」。こうして、ぼくたちの混乱が収まると、ぼくとマイカは使えそうな議論や戦略を話し合った。互いに競争心を持っているのはわかっていたが、チームとして取り組まないわけにはいかなかった。

四〇分が経過した時点で、ぼくたちはそれぞれ部屋のすみに散って自分のスピーチを書きはじめた。ぼくは主張を二つ書くことになっていた。一つはエコタージュは環境にとってプラスである、そしてもう一つは、効果がありそうなエコタージュの代替策は存在しない。それぞれに二つの立証責任を示し、それから急いで理由や事例を書いた。一つ目の主張については、エコタージュが環境に害をもたらすプロジェクトを事実上の停止に追いこもうとする理由を六つあげ、それから環境保護が資産の保護よりも優先度が高い理由を三つあげた。ぼくの作業は早かった。何週間もの訓練のおかげで手はなめらかに動いた。

二つ目の論点にとりかかったとき、残り時間は八分あり、ぼくは部屋を見回した。マイカはヤドカリみたいな恰好でノートに覆いかぶさり、勢いに乗って作業していた。遠くにいるデブラはすでにペンを置き、窓の外の空っぽの駐車場を眺めていた。ぼくは彼女に向かって「もう書くことはないの?」と訊いた。デブラはゆっくり振りかえり、邪魔されたことに顔をしかめながら、冷ややかな声で言った。「状況次第」。そうして視線を元に戻した。

三階のディベート会場にはブルースを含めて大人が四人いて、とってつけたような笑みを浮かべてぼくたちを迎えてくれた。なじみのある部屋は、この日は遅い時間で違って見えた。オレンジ色の街灯が冬の暗がりのなかで弱々しく光り、壁に奇妙な影を落としていた。ぼくは椅子に向かうようなことはしなかった。寒さに震えながら部屋の中央に向かい、いつもの方法で息を整えようとした。

みんなの視線が自分に集まるのを感じたが、このときは目をそらさなかった。代わりに表情を引き締め、メモの最初の数行を確認してから口を開いた。

「強欲な企業や日和見な政府のせいで環境破壊に直面する今、人々は厳しい決断をくださなければなりません。あきらめるか、闘うか、です。肯定側にいるぼくたちは破壊活動家ではありませんし、そうした行動を合法化すべきだというつもりもありません。このディベートでぼくたちが求めるのは、こうした切羽詰まった抵抗活動を倫理的な側面から正しく説明することです」

理由と証拠を一気に述べながら二つの主張を展開しているとき、ぼくは審判がメモを取るべく懸命にペンを走らせているのに気づいた。後ろでは相手チームが息をのむのがわかり、小声で言いあっているのが聞こえてきた。「どうするんだよ？」議論の範囲と複雑さで聞き手を圧倒するという計画は奏功したようだった。それでぼくはますますペースを上げた。「政治的な代替策が機能しそうもない五つ目の理由は、環境政策に企業献金が影響を与えているからです。六つ目は……」

一瞬にも永遠にも感じた八分間が過ぎ、ぼくは結論に達した。「ハードウエアの破壊か環境の破壊かで問われるなら、ぼくたちは地球の味方になるべきです」。ぼくの声はすでになめらかさを欠き、かすれていた。審判が一斉に拍手をし、ぼくは席によろよろと戻り、静かに息をした。疲れ果てながらも、十分にやったという危ない考えが浮かび、体内にアドレナリンが走った。

次のスピーカーは、外向的で威勢のいいシュリーアという名の子で、同じような戦略を取った。胸を張って腕組みをするという対立の姿勢を取り、公正さの分析を全面に押し出して一気にまくしたてた。「相手チームは完全に無視しています。エコタージュが、こうしたプロジェクトを遂行する労働者にどれだけの危険をおよぼしているかを。けがが発生する可能性はいったん置いておきましょう。経済的な不安はどうでしょうか。定期的に仕事が中断されたら避けられないのではないでしょうか」

ぼくの左側にいたマイカは落ちつかない様子で、反駁のアイデアを赤と緑のインクで書きこんだ、破り取られたノートのページやべたべたになったメモの山をあさっていた。しかし、右側にいたデブラはディベートに集中しているようには見えなかった。冷静な青い目は審判を見据え、たまにペンを手に取って自分のノートに印をつけている。ぼくは何度か反駁のアイデアを伝えようとしたが、デブラは断わり、自分の世界に戻った。「見きわめないと」

そして彼女の番になった。デブラは椅子から立ちあがり、ゆっくりと大またで中央に歩いていった。所定の位置につくと、観客の目線までかがみこむようにして、静かな声でスピーチを始めた。「このディベートではここまでにたくさんの主張がなされました。議論が熱を帯びるのはいいことです。ですが、いくつかについてはもう少し細かく検討すべきだと思います」

デブラは、審判に届く主張とそうではない主張を意識しながら話をしているように見えた。シュリーアやぼくの話で抽象的すぎたところは掘りさげた。「〝暴力〟や〝惨事〟といった言葉や、こちら側で言えば〝妨害〟や〝抵抗〟という言葉は忘れてください。これはこの地球をこれ以上壊さないようにするために、夜中に建設現場を壊したり、木にくぎを打ったりすることについての議論です」。

こちらが公正に証明できたところは強調した。「これが重要である理由はここにあります。現行の法のもとで環境の大規模な破壊行為が合法だというなら、それをくいとめるのが私たちの責務です」

デブラとぼくは同じ手法をたくさん使っていた。しかし、観客より優位に立って同意を引き出そうとするぼくに対して、デブラは同じ手法を使って観客の自然な好奇心に焦点を当て、それを満たしていた。彼女が四つのWを問うときには、「なぜか」と「誰が気にするか」に関心を寄せる聞き手の気持ちで語った。彼女は別の人間を自分のアイデアの共同執筆者にしていたのだ。

こうした比較はぼくにとってうれしくないものだった。聞き手がぼくから何を聞くべきかと考えたことは一度もなく、圧倒するにはどうしたらいいのかばかりを気にしていた。節操のない政治家や専門家のように、ぼくは疑念に答えるというより疑念を枯渇させるために、スピーチをしていた。説得するより圧倒しようとし、共感より賞賛を得ようとしていた。人に向かって語りかけるというより、まくしたてた。

デブラの話を聞きながら、ぼくは第二次世界大戦の終わりごろのある話を思い出していた。一九四四年、デンマークの物理学者ニールス・ボーア——原子の物理的なモデルをはじめて考案した人物——は世界が危機的な状況にあると確信していた。マンハッタン計画の本拠地である砂漠地帯、ニューメキシコ州のロスアラモスを数回訪ね、破滅を招く軍拡競争をとめる唯一の方法は、アメリカが原子爆弾をつくっていることをソ連に知らせることだと考えた。この年、ボーアは関係者に働きかけて、ウィンストン・チャーチルとフランクリン・D・ルーズヴェルトに会うことができた。

面会は最悪な結果に終わった。チャーチルは、側近が言うボーアの哲学的で「漠然とした表現」と

「もごもごと小声でしゃべる」態度にうんざりして、早々に面会を切りあげた。のちに側近に「君が紹介したときから気に入らなかった。髪がふさふさだったからね」と言ったという。科学者の話がわかるだろうかと、面会前に心配していたルーズヴェルトはもう少し礼儀正しく接した。しかし、関係者はのちに「大統領が本当にすべてを理解したとは思えない」と述べている。[8]

ボーアのドン・キホーテさながらのミッションは最初から失敗する運命にあったようだ。連合国側のソ連に対する不信感は根深く、それは外国生まれの科学者に対しても同様だった。

しかし、哲学者カール・ポパーが書いたボーアとの論争について読んで――「誰ともまともに話ができんかった。四六時中、一人で話し続け、他人が二言三言しゃべったかと思うと、すぐに割って入ってしまうんだ」[9]――もしも、と考えずにはいられなかった。聞き手が疑問に思ったり、理解できないところに配慮する余裕がボーアにあったなら、世界はどのようになっていただろうか。

三階の教室では、デブラが制限時間いっぱいを使って話し終え、ぼくの隣の席に戻ってきた。体温と香水にかすかに汗のにおいも混じっていて、ぼくは圧倒された。教室の後ろにいる四人の審判たちはうれしそうにも感心したようにも見えなかった。ただ、ついに話を聞いてもらった人の安堵感が顔に出ていた。

＊＊＊

ぼくは州代表チームの選手には選ばれなかったが、控えとなり、二〇一〇年八月の全国大会に同行して、憧れのユニホーム――紺色のブレザーで、胸のポケットに州花の真っ赤なワラタがあしらわれている――を着られることになった。

そこから時の流れは速かった。一年後の二〇一一年、ぼくはニューサウスウェールズ州の代表として、パースで開かれた全国大会に出場した。チームはトーナメントを勝ち抜き、ぼくはオーストラリア代表チームの五人のメンバーの一人に選ばれた。そうして翌年にはスコットランドのダンディーと南アフリカのケープタウンに行き、ワールド・スクールズ・ディベーティング・チャンピオンシップに参加、チームは決勝まで行って敗退した。

一六歳から一七歳にかけて目が回るような日々を送るなかで、ぼくは、ディベートというのは競技レベルにかかわらず、結局のところは議論なのだと知って安心した。以前は、一人の人間の才能が生み出す最高傑作を目指すべきだと思っていたが、次第に影響力を持つたくさんのもの――チームメイトの貢献、聞き手が期待するもの、愛する人たちの価値観――の集合体を理想とするようになった。

そういう議論は真実に対して大胆に切りこんでいく。しかし、キルトのような構成は、真実を一枚岩ではなく共有される現実として見せてくれるように思えた。それは一人の人間のスピーチから生まれるものではなく、会話のやりとりから生まれるものだ。

二〇一二年八月の最後の金曜日、一八歳の誕生日の数週間前、ぼくはタスマニア島で開催された全国大会でオーストラリア代表チームのキャプテンに選ばれた。ブルースはコーチに就任した。父と母は発表されたときに観客として来ていて、ぼくにとって最後となるワールド・スクールズ・ディベーティング・チャンピオンシップを観戦しに、一月にトルコのアンタリヤまで行くと言った。その夜、ぼくはベッドに横になりながら、オーストラリアに来てからの九年を振りかえり、議論は次にどこに連れていってくれるのだろうと考えた。

第3章

反駁

言い返す

「ありえない、ありえない、ありえない」。部屋の後ろから声が響いた。

二〇一〇年秋に州代表を決める選抜試験でブルースと出会ってから三年、ぼくは彼の表情を読めるようになっていた。一八〇センチを超える長身にラグビー選手の体格は、常に戦う姿勢を感じさせ、口から出てくるのは冗談か非難だった。めったなことでは表情を変えないカントリーボーイだったが、目じりのしわや口角といった隠せない部分の動きで、本当は賛成しているのか、関心を持っているのか、共感しているのか、ぼくにはわかるようになっていた。

二〇一三年一月二六日、トルコのイスタンブールのどんよりした土曜日の夕暮れ時に、ぼくはそれまで見たことのないブルースの別の顔をはじめて見た。本物の怒りが顔にあらわれていた。頬から薄くなった生え際まで赤紫に染まっている。

「ええと、あれは単に……」

ウィーーーン！

遠くでアラームが鳴りはじめ、すぐに大音量の音楽が始まった。それはぼくたちが借りていた三階の部屋の薄い壁を突きやぶり、濃厚な液体のように狭い場所を満たした。六時三六分、イスラム教徒の日没の祈り、マグレブの時間だ。ブルースはため息をついて椅子にすわりこんだ。噴火を遅らせるよう頼まれた火山みたいだった。

ぼくたち八人――オーストラリア代表チームのメンバー五人とブルース、それから二人のアシスタントコーチ――は、一週間前からトルコにいた。到着した夜、アパートメントの屋上からは街のシルエットが蜃気楼のように揺らいで見え、現実の光景とは思えなかった。このときはあと数時間で、ワールド・スクールズ・ディベーティング・チャンピオンシップが開催されるアンタリヤの近くの町に向かう飛行機に乗りこむことになっていた。空は曇っていて、暗くどんよりとした夜の下地をつくっていた。

この一週間、ぼくたちは過密なスケジュールをひたすらこなした。一日に三時間（準備、ディベート、フィードバックにそれぞれ一時間ずつ）のセッションを行ない、その合間に練習問題に取り組み、講義を聞き、調査をした。二万枚のタイルが使われているブルーモスクと、第一次世界大戦でオーストリアと連合軍が大敗したガリポリにある墓地に行ったほかは、あとで後悔しないように懸命に取り組んだ。

それにもかかわらず、ぼくたちはなかなか進歩しなかった。五人がチームとして顔をそろえたのは、五カ月前にホバートで開かれた全国大会のときだけだった。ぼくたち――ニック、ティロン、ゾーイ、ジェームズ、ぼく――はまだお互いをよく知らなかった。

ぼくたちはある程度の水準には達していたが、勝てるレベルではなかった。ぼくはキャプテンとしてチームをまとめるのに苦労し、チームとしての実力が一人一人の実力の総和に満たないのではないかと不安を感じていた。プレッシャーが減る要素はなかった。ニックとティロンとぼくの三人は大学進学を控えていたので、この大会が最後になる。ブルースもそうだった。ナショナルチームのコーチとしての契約は、この大会の終了とともに終わることになっていた。

話を部屋に戻すと、平伏の呼びかけが響くなか、ブルースは口を開いた。沈痛な声で、さっきとは違った緊迫感があった。「君たちはディベートを放棄している。まじめな話、どの試合もまともに戦ってないじゃないか。反駁《はんばく》はどこに行った?」

ブルースは二人のアシスタントコーチ——長身で穏やかに話をするメルボルン出身のクリスと、本好きで辛辣なブリズベン出身のクリステン——を示した。彼らの仕事は練習試合でぼくたちを倒すことだ。「そんなんじゃ二人が人を殺しても言い逃れさせてしまうぞ」。二人は同情するような視線をぼくたちに向けた。

批判はもっともだった。直近の試合は、芸術分野への助成金のメリットについてだったが、ぼくのチームは相手の主張に屈し、それをよしとしてしまったのだ。ぼくたちは直接反駁する代わりに、相手の言うことを前提に対抗する議論を探した。「そのとおりです。ですが……」。ブルースはこの一週間を通して何度かこの傾向を指摘し、ついに絶対に問題を片付けようと決意したようだった。

「これからはこうする。相手が何か新しい主張をしたら、必ず『ありえない』と思え。それからなんとかしてその理由をしぼり出すんだ」

ブルースはいくつか例を示してくれた。

「相手はこの政策は核戦争の可能性を高めるだろうと言う。そこでこちらは言う……」

「相手はこの法律は集団の自由を侵害すると言う。そこでこちらは言う……」

「相手は反対するのは理不尽だと言う。そこでこちらは言う……」

この繰り返し文句には、よくある掛け合いのような音楽性があった。

「実際に次の試合で試してみよう。心のなかで思う代わりに、声に出して言うんだ」

ぼくたちは順番に言った。その言葉はそれぞれ違って聞こえたが、ぼくの言い方は明らかに変だった。最初はおずおずと、それから勢いをつけて、最後は中途半端に着地した。「あ、ありえ、ない……」ブルースはノートパソコンを見つめて顔を上げなかったが、耳を傾けている先は一つだった。この練習がぼくのために行なわれているのはわかっていた。

＊＊＊

ぼくはそれまでずっと対立を恐れて生きてきた。

ソウルのブルータリズム建築の小学校の裏には、赤茶色の地面がむき出しの場所があった。大人の目が届かないそこで、年かさの子供たちは自分のこぶしで体格差を学んだ。取っ組み合いは数分にわたって繰り広げられた。二人の子供が円を描くように対峙し、勇気を奮い起こしてその軌道を崩すと、まわりの子供たちは動物的な声を上げてはやし立てた。優勢劣勢が入れ替わるなかで、敗者を決めるのは力ではなかった。最初に折れるのは心だった。

ぼくは一年生のときにこれを見て、暴力に近づくと自分の胃が反応することを知った。すっぱいものがこみあげ、喉までせりあがってきた。みんなに混じって見ている分には安全だったが、ぼくは観客と当事者の境界線の曖昧さを本能的に感じていた。それで庭の隅や駐車場など、校舎の反対側にいるようにして、制服を汚さないようにした。

だが、両親の考えは違った。自分の息子は過酷な世の中でやっていくための準備ができていないのではないかと心配し、子供の内気な性格を矯正するのに韓国人がよく取る方法を採用することにした。テコンドーを習わせたのである。道場はプールの地階で湿っていた。塩素のにおいとべたべたしたビニール製のマットにはどうしても慣れることができなかった。だが、テコンドー自体は好きになった。最初はバレエのように、ストレッチと型の繰り返しに終始した。

三年後、ぼくは黒帯を取るためにソウルにあるテコンドーの世界本部、国技院に行った。ある意味、聖地のような場所だと聞いていたが、行ってみればそれは一九七〇年代に建てられた巨大な体育館だった。観客席に囲まれた競技場で、一〇〇人の子供が型を披露し、一段高く設けた席にすわった一二人の審判が間違った動きをした子供を番号で呼んで脱落させていく。

後半は組手を行なう。ぼくは何週間もかけて準備をした。しかし、練習と本番はまるで違った。雌鹿を思わせる対戦相手の目をじっと見据えた。近づいてお辞儀をする。向こうが最初のパンチを繰り出し、鈍い音とともにぼくの胸にあたった。いったん下がり、態勢を整えてから、相手の脇腹、肋骨の数センチ下を蹴った。

糊のきいた白い道着のなかの肋骨に囲まれた内臓に何か感じるものがあった。ぼくはやはりこれが嫌いなんだとわかった。黒帯を取ってすぐ、ぼくはテコンドーをやめた。

その後の一〇年で、ぼくはこの本能で感じたことを発展させ、自分の価値観として確立した。世の中をどうやって渡っていくかという処世訓である。日々の生活のなかで、ぼくは口論を避け、論争を無視し、逃げた。巧みに答えを避け、冗談でかわす腕を磨いた。ひたすら避け続けて得たのは好感だった。友人たちはつまらないけんかに明け暮れたが、ぼくは波風の立たないつきあいを楽しんだ。

ライフハックとして争いを避けるという考え方には長い歴史がある。礼儀、親切心、同調性、マナーという形を取っていたるところにあり、古くは古代エジプトのパピルスに書かれている（「沈黙すれば相手より優位に立てる。相手が悪口を言って、役人の心証を悪くしているあいだ、あなたの名前は良いものとして心に刻まれるだろう」(1)）。現代では、トレーナーで競技ディベーターでもあったデール・カーネギーの名著『人を動かす』に見られる（「議論において最善の成果を得る方法は、この世にたった一つしかないという結論に達しました。その方法とは、議論を避けることです」(2)）。

こうした助言が示す見識は、二一世紀には自明の事実のように思える。現代の一つの特徴がまともな議論の不在だとすれば、もう一つの特徴は、政敵間の悪意や憎悪の高まりだろう（どちらの現象も「不合理」という言葉がぴったりだ）。

二〇一〇年の最悪の選挙戦は、あるジャーナリストが「オーストラリア政治の新たな溝《トラフ》」と表現したように、徹底的に敵対する党派の時代を生み出した。[3] そうした時代を象徴するかのように、二〇一二年、首相のジュリア・ギラードは国会の演説で、一五分にわたって野党党首をミソジニストとして批判した。特に「あの魔女を放り出せ」と書かれたプラカードの前で集会を行なったことを責めた。

この演説は瞬く間に世界に広まったが、オーストラリア国内の反応は、賛否両論で党派によって二分した。野党の党首は「ジェンダーカードを切るのはやめろ」と政府に要求し、大手新聞社数社もこのフレーズを使った。まともに議論されることはなく、人々はこの演説への反応にもとづいて相手をミソジニストあるいはミサンドリストと攻撃した。

政治や文化の激しい闘いが繰り広げられるこの時代において、矛盾した立場を取るのは賢明な人生の選択というだけではなく、美徳でもあるように思えた。ぼくが政治的な争いを避けるのは、無関心や無知、恐れからではなかった。それはイタリアの哲学者ノルベルト・ボッビオが「温和（mitezza）」という言葉で表現した、「目的の不毛さにいらいらして人生が破壊されるのを拒絶する」姿勢に似ていた。[4] さらにこの姿勢が聖書にも書かれていることを発見した。もう一方の頬を向けよ、というのは愚かさでも弱さでもない。分別だ。

そういうわけで、ぼくは矛盾した人生を生きていた。競技ディベートで上位になっても、日常生活のなかではあくまでも争いを避けた。ディベートを観戦しに来た友達はぼくの変身ぶりに驚いた。両親にはジキル博士とハイド氏みたいだとからかわれた。でも、自分ではうまくいっていると思っていた。

議論は愚か者と狂信者の娯楽と化していた。ぼくはそのあいだで口を閉ざし、争いを無視する生き方に満足していた。

＊＊＊

机のまわりには緊張感が漂っていた。トレーニングのときにはたいていブルースが指示を出し、ぼくたちはそれを書きとる。プロの厨房と同じように、ぼくたちが求めたのは実際にどうするかであって、なぜそうするのかという理由ではなかった。だが、このときは違った。「ありえない」と言うのは、対戦相手に敬意を持ってのぞむようにというそれまでの教えのすべてに反するように思えた。フォースの暗黒面みたいだと思った。

ブルースはぼくたちを見回した。眼鏡を直し、あごひげに手を入れた。食べかけのシミット——ゴマつきの噛み応えのあるパン——を置いて話を続けた。「単に相手に勝つためにやれと言ってるんじゃない。今、君たちは相手の主張を真剣に聞かずに同意するのが基本になっている。相手の言い分をちゃんと聞くという、もっと基本的な礼儀を欠いたまま相手の意見を肯定しているんだ」

ぼくは自分のノートをちらりと見た。相手の主張の欄のメモはまばらだった。いくつかの単語と短い文章が星座のように散らばっていた。とりあえず相手の主張に賛成するのがいい戦略ではないのはわかっていた。一方で、それが一種の自己欺瞞であることもうすうす感じていた。相手の実績やレベルが実際に自分たちより上であるとき、相手の主張は強力だからと言い訳をしているのだ。

「それに、実際、相手の主張には賛成していないだろ？」ブルースの声は次第に大きくなっていった。「だろ？　君たちはただ黙っている。それは臆病っていうもんだ。『それは興味深いですね』とか言って、自分の考えを言わないのと同じだよ」

「相手への反駁は、自分たちのためだけにするもんじゃない。ディベーターとしての基本的な義務の一つだ。われわれには相手の主張に適切に反応し、それによってより良い議論にするという、相手に対する義務がある。観客に対しては、ストーリーの別の面を見せる義務がある」

ブルースが話せば話すほど、ぼくにはそれが楽観的なものの見方であるように感じた。反駁は自分だけではなく、相手への信頼の証でもある。そして、誠意を持って接する価値が相手にはあり、相手はそれを品位を持って受け入れてくれるという判断がそこにはある。「ありえない」と言う前提には、ぼくたちは意見の相違から前向きなものを生み出せるという確信がある。

対照的に、争いを避ける姿勢には悲観的な前提があるように思える。意見の相違は不和や破滅をもたらすとまでは言わないまでも、無駄ではないか。それは人間に対する後ろ向きの見方からしか生まれない。つまり、ぼくたちは相手が正しいことをすると互いに信じることはできないとする見方だ。

どちらの見方が正しいのか、ぼくにはわからなかったが、ブルースがレッスンを終えたとき、ぼくは正しい質問にたどり着いたような気がした。反駁は、意見が対立するなかで破壊する以外の力を持つのだろうか。

＊＊＊

アンタリヤの海岸線をネックレス状に彩る巨大なリゾート施設は、冬には輝きを潜めていた。施設まわりの照明はディナーが終わると消され、プールサイドのバーは「冬期休業」という看板とともに閉まっていた。日曜の夜、トーナメント会場となるデルフィン・インペリアルという名の華やかな大規模ホテルに到着したときには、ほとんどのチームがすでにいた。

ワールド・スクールズ・ディベーティング・チャンピオンシップは、高校生のディベート競技のオリンピックだ。一九九八年に、カナダ、イングランド、香港、ニュージーランド、オーストラリア、アメリカの六カ国を招いて始まり、やがて年に一回、モンゴルやバルバドスまで含めた六〇カ国ものチームが競い合う二週間の大会となった。二年前の二〇一一年、スコットランドのダンディーで開催された大会の開会式にはじめて出たときには、さまざまな民族衣装とアクセントが一堂に会していて驚いた。シドニーも多様性に富んだ場所だが、ルーマニア人とマレー人がいっしょにスコットランドの歌とダンスを習うような多様性はない。

このような世界各国の代表の集いでは、世界中の人がどのように議論するかがうかがえる。その多くがはじめて国外に出たという一六歳から一八歳の集団は、代表チームによってディベートスタイルが全然違うことに困惑する。シンガポールチームは技術に強いスピーカーが完璧で複雑な議論をする。東ヨーロッパのチームはマルクスや有名理論家に言及し、カナダチームはにっこり笑って、正面から切りこんでくる。

だが、新しいものを見て受けた衝撃はすぐに引っこみ、表面的な違いの下には共通するものがあることに気づく。トーナメントに参加するほぼすべての学生が、理由と証拠と立証責任の観点から話をする。同じような修辞学の文献をよりどころにする。特別に選ばれた本好きの学生たちは、良い議論の語彙や構文を基礎に、説得という世界共通の言葉に向かって手探りで進もうとしているように見える。

大会の歴史の大半は、英語を母国語とする富裕な国に占められていた。そのなかでもオーストラリアはトップで、八回優勝している（次がスコットランドとニュージーランドで四回ずつ）。しかし、競争は年々激しくなり、韓国やスロベニアやアラブ首長国連邦といった国は、毎回決勝戦まで勝ち進むようになった。オーストラリアが前回優勝したのは七年前の二〇〇六年だった。

大会の概要は単純だ。各チームは予選ラウンドを八回戦い、上位一六チームが勝ち抜き形式のラウンドに進む（優勝するためには一二回勝ち抜くことになる）。どの対戦でも負けるのは相手の議論に観客が納得したときだけで、各チームは一試合ごとに平均四つの主張をする。トーナメントを勝ち抜くには、四八回相手の議論を破る必要があった。

チェックインをすませ、ぼくたちはロフトと強い暖房がついたバロック風のインテリアの続き部屋を、作戦ルームに変えた。ブルースはソファや置物を動かして、大きなテーブルと背のかたい椅子を置くスペースをつくった。ぼくたちは、ベッドの上をニュースの要約や論題をまとめた書類で埋め、ノートパソコン用のコンセントの割り当てを調整し、テレビはＢＢＣをつけた。それから作業にかかった。

最後の準備時間は、それぞれが不安に思っているところがあらわれていた。大会の準備にあと二時間あるとしたら、皆さんならその時間をどう使うだろうか。チームメイトのなかには立論の練習をする者もいれば、考えられる論題をあげて作戦を練る者もいた。ぼくがしなければならないのはただ一つ、反駁の練習だった。

反駁とは対立する意見を倒す技術であり、理論的には難しくない。ブルースが昔説明してくれたように、議論には二つの立証責任がある。メインの主張は正しく、それが結論を裏づけることを示す。

〈結論〉私たちはマリファナを違法にするべきだ。
〈メインの主張〉なぜなら、マリファナは健康に悪いからだ。

真実　マリファナは実際に健康に悪い。
重要性　もしマリファナが健康に悪いのであれば、違法にするべきだ。

二つの立証責任を満たさずに勝てる議論はない。つまり、それが真実ではない、あるいは重要ではない、もしくはその両方が示せれば、議論を倒せることになる。

真実ではない　マリファナは、実際には健康に悪くない。
重要性はない　たとえマリファナが健康に悪かったとしても、違法にすべきではない。

この洞察は、大小さまざまな論点についてすべての反駁の基礎をつくる。

〈結論〉私たちは新しい車を買うべきだ。

〈メインの主張〉なぜなら、今乗っている古い車は流行遅れだからだ。

真実ではない　今乗っている古い車は、実際には流行遅れではない。

重要性はない　たとえ今乗っている古い車が流行遅れだったとしても、私たちは新しい車を買うべきではない。

ある議論が立証責任を満たしていないことを示す方法はいくつかある。

真実について反駁するときには、その議論には不適切な情報が含まれていることを示す。内容は**事実として間違っている**かもしれない（「いいえ、最近ハッチバックを買う人は減っています」）。あるいは、**証拠を欠いている**かもしれない（「人々の好みが変わってきていると信じるに足る理由が示されていませんね」）。**論点をあやふやにする**相反する情報を出してもいい（「そうです、カーズ・デイリー誌はそう言っています。しかし、モーター・マニア誌には別の見解が出ています」）。

重要性について反駁する方法は二つある。一つは、その議論は**重要ではない**と言う──つまり、その結論を支持する理由を示していないと言うのである。**論理に飛躍**があるかもしれないし、議論の**妥**

当性を見誤っているかもしれない（「流行の車に乗らなければならないと誰が言うのですか」）。

二つ目は、その議論より**重要な考え**があると言う――つまり、確かにそれは結論を支持しているが、それでも結論を否定する正当な理由があると言うのである。**もっと良い選択肢**があるかもしれない（「そうですね。確かに流行の車に乗るべきです。しかし、古い車を改造して新しくすればいいんじゃないですか」）。あるいは、**対抗する考え**を示す（「そうですね。確かに流行の車に乗るべきです。しかし、私たちは収入の範囲で暮らすことも考えなければなりません」）。

もちろん、実践するのは難しい。

仏教の経典のなかで、サッチャカという論争好きの男はブッダと口論してのっぴきならない状況に追いこまれる。ブッダはサッチャカに、一つの質問を三回訊かれても答えられなければ、頭は七つの破片に砕かれるだろう、と警告した。(5) ぼくが反駁の準備をしているときの感覚はまさにこれだった。プレッシャーに押しつぶされそうになりながら、ものになるかどうかわからない答えを探していた。

＊＊＊

その夜遅く、チームメイトが寝てから、ぼくはホテルの敷地をぶらぶらと歩いて、ひとけのないプールサイドにあったプラスチックの椅子に腰をおろした。近くの建物の上階の開いた窓から、ほかのチームが練習する声が聞こえてくる。一人の女性の張りのある豊かな声が際立っていた。その議論は展開が速く、中身も濃かった。一つの考えを理解しようとしているうちに、次の論点に移っていき、ぼくは途方に暮れた。胸が苦しくなった。恐怖を感じていた。ぼくはチャンスを逃し、完敗するかもしれない。

＊＊＊

大会初日の月曜日は朝七時から朝食だった。二階にあるシャンデリアが下がった大きな会場は、見たところありふれたものだった。着なれないスーツに身を包んだ数百人の高校生がビュッフェのテーブルを行き来している。だが、会場に足を踏み入れたとたん、耳には音が飛びこんできた。いたるところで――長テーブルのまわりで、ぬるくなった保温鍋の隣で――みんなが喧々囂々《けんけんごうごう》と議論をしていた。

ぼくはディベート大会でいつもこれを不思議に思う。ハードな大会のまえに、合間に、そして終わったあとに、さらに議論をするエネルギーがどこにあるのか。きっと大会をもっと大きくしたい人もいれば、自由練習を楽しんでいる人もいるのだろう。何も疑問に思わない人もいるだろう。これが彼らにとっては自然なのだ。とにかくディベーターでいっぱいの会場に一人で入っていけば、話しかけられる可能性は高い。

ペルー人とチリ人がスペイン語で議論しているテーブルで朝食を食べていると、こちらに向かってくる人が見えた。黒いスーツを着た背の高い痩せた男が、細長い三角形の形になって視界の隅に入った。ぼくは自分の右側の空いた席をちらりと見て、それから皿の上の冷えて固まったスクランブルエッグに向かった。「ここ、空いてる?」彼が腰をおろしたとき、ぼくの視界には、降下するカラスの羽根のように分かれた髪の毛が映った。「ゲイブリエルだ、フィリピンから来た」。そう言って彼は黒いアーモンド型の目でぼくを見つめた。

「利他主義なんてまやかしだ。そうだろ?」すぐに降参すればそれ以上話をしなくてすむだろうが、ゲイブリエルの威勢のいい甲高い声が、ぼくのプライドを引っかいた。「完璧な説明がある。ぼくたちの祖先は、進んで他人に協力した人のほうがしなかった人より生きのびたんだ。単純な話だ。世界のためになることをしたいって? ばかばかしい」。ぼくは口をはさみたい衝動でうずうずし始めた。

この大会のディベート形式の特徴の一つに質疑応答(POI)がある。八分間のスピーチの最初と最後の一分は「守られている」が、それ以外の時間は、対戦相手は起立して質疑応答を申し出ることができ、スピーカーは受けるか拒否するか選択できる。スピーカーが受けた場合(少なくとも一回は受けなければならない)、相手は質問する。慣習により、質問のふりをして反駁することもある(「利他主義が進化の産物であるなら、生きのびた今、なぜ私たちはそれを無効にしないのか」)。この制度は、イギリス議会の口頭での質問という伝統から生まれた。なかには、伝統を守って左手を頭の上に載せたまま右手を上げる者もいる。立ちあがるときにカツラがずれないように押さえていなければならなかった当時の国会議員に敬意を表しているのである。

質疑応答を許可するしくみにはさまざまな理由づけがされていて、スピーカーの説明を促すというものから、瞬時に判断する能力を鍛えるというものまである。しかし、ぼくは常々いちばんの目的はディベートに見せ場を加えるためだと思っていた。効果的な質疑応答はスピーカーを脱線させ、質問者を優位に、あるいは手ごわそうに見せる。一方、いい質問に鋭い返しができれば、スピーカーは無敵に見え、観客の支持が得られる。

話すのは強いことで、聞くのは弱いことであると刷りこまれた社会では、遮るのは大きな力を持つ。家族、社会的集団、職場で、誰が誰の話を遮るかによって、偽装されてきたヒエラルキーまで明らかになる。また、女性が聞き手にまわったり、対等に話すと不利な扱いと受けるといった性差別など、醜い偏見も明らかになる。日常生活のなかで話が白熱しているとき、タイミングよく遮れば、会話の流れを変えることができる。

二〇一二年一〇月一六日に開催されたアメリカ大統領選の第二回討論会では、礼儀正しい候補者として記憶に残るバラク・オバマとミット・ロムニーは、一分間に平均一・四回相手を遮って発言した（九〇分では一二六回）。途中、オバマは表情を変えずに「私は話を遮られるのに慣れている」と言った。[6] 二人には証明しなければならないことがあった。挑戦者として、ロムニーはアメリカ大統領と互角に戦えることを示さなければならなかった。オバマは第一回討論会で精彩を欠いたところが放映されて散々な結果に終わり、劣勢にあった。両者はそれぞれの問題に同じ解決策でのぞむことにしたようだった。相手の話を遮ったのである。

メディアにはこの決意を評価したかに見える見出しが並んだ。「オバマ、第二回討論会でロムニーに反撃」[7]。「両者、再試合は素手で殴りあう」[8]。しかし、ある政治学者は、討論会で二人が相手の話を遮った回数を数え、そこにちらつく別の危険性を指摘した。「オバマ大統領は攻撃的なスタイルを採用して、短期的には利を得たかもしれない。しかし、相手の話を遮るのも度を越せば、政治討論にお

ける礼儀の境界線を押しのけることになる」(9)

朝食のテーブルで、ぼくは心のなかでゲイブリエルへの反論を考えながら、口をはさみたいという本能について思案した。このやりとりは公開イベントではない。テーブルの向かいで話に飽きたペルー人一人しか見ていないのだから。なのに、なぜぼくは公開イベントのように考えているのだろう。日常の会話で相手の話の腰を折るのは、望ましいこととは思えなかった。

まず、反応を間違えるかもしれない。議論の始まりは、終わりに関係ないとよく言われる。大事なことを最初に言わない人もいるし、核心から目をそらさせようとおとりを使う者もいる。

さらに、口をはさむ人が攻撃を仕掛けているのは議論ではなく、結論ということもある。どんな論題のどんな結論であれ、たいていは少なくとも一つは説得力のある論点があるはずだが、相手がそうした論点を完璧に理解できるという保証はない。

話を遮ると、相手に話の流れを変えるチャンスを与えることにもなる。自分たちの結論に合う新しい議論に方向転換できるかもしれないし(「それなら進化の話は置いておこう。私たちは他人を助ける。なぜなら将来、他人の助けを必要とするかもしれないからだ」)、元の議論のゴールポストを動かすかもしれない(「というより、ある行為が利他主義によるものだったかどうかは断言できないじゃないか」)。

最後に、話を中断すれば、相手は自分の話をきちんと聞いてもらっていないと感じるかもしれない。そうなれば、残りの会話はなおざりにされるか、抗議されることになる(「それじゃこっちが割りこめないんだけど。なぜそんなにむきになっているんだ？」）。何度も中断させれば、相手の考えを変える可能性を排除してしまう。

では、なぜ口をはさむのか。一つは、相手に対する力の行使のためだ。とはいえ、このときぼくがどの程度そう思っていたかはよくわからない。支配したいという本能の下の土台はもろかったからだ。ゲイブリエルの演説の結果をぼくは内心恐れていた。聞いている人を説得してしまうかもしれないし、ぼくが何も言えなくなってしまうかもしれない。守勢のなかで、ぼくには口をはさむ人がしている駆け引きの本質が見えた。最悪でも負けないように、勝つチャンスを放棄しているのだ。

ぼくがこの一〇年前の二〇〇三年にディベートを始めたとき、いちばん気に入ったのは絶対に途中で口をはさまれない点だった。だから、自分の言葉を見つけて埋めなければならない。しかし、スピーカーを遮るのを禁止するルールには別の効果もあった。とにかくよく聞くことになるのだ。すぐに反論の声を上げるわけにはいかないので、それ以外でいちばん効果的なことをする。注意深く聞いて、もっとも効果的な反駁を用意するのである。だから、ぼくたちは毎回「フローシート」を埋める。決まった形式の用紙に対戦相手が言ったことをすべて書きこむのだ。

それから、七年生のときのコーチのサイモンからは、単に記録するのではなく、相手の議論に反応するまえに、その議論を強化するよう教わった。もし相手が具体例や肝心な理由をあげていなければ、それを考えて言うのである。「相手チームはこういうことを言いたかったのではないでしょうか……」。ぼくたちはそれではオウンゴールではないかと思った。だが、サイモンは可能なかぎりハードルを上げた議論に対抗すれば、観客を説得できる可能性が高まり、場合によっては相手チームまで納得させられるだろうと言った。ディベートのレベルを底上げし、相手チームの議論を真剣に受けとめることが求められた。良いスピーカーは相手のミスをほくそ笑むが、偉大なディベーターは相手のミスをまず修正する。

質疑応答は、聞くというディベートの精神を損なうものだった。かつては時間をかけて考えたすえに「ありえない」と言っていたものを、反射的な反応に変えてしまったのである。こうした変化の利点――積極的な関与や説明責任――は、本物の説得を犠牲にして成り立っていた。

＊＊＊

朝食の会場では、ゲイブリエルが利他主義のもとになった進化について講義を終えようとしていた。最後の蟻の巣の研究についてのくだりは、聞いていて特に苦痛だった。最初は興味があるふりをしていたほかの人たちも、最後は退屈そうにしていた。「というわけで、ぼくの言っていることはだいたい証明されたかな。利他主義は結局、利己主義ってこと。証明終わり」

君は何も証明していないし、主張は穴だらけで、疑似科学でごまかしただけじゃないか、と言いたかった。だが、その代わりにこう言った。「いったん進化は置いておこう。何十億という人の命を救うために、すばらしい活動をしている慈善団体についてはどう思っている？」

ゲイブリエルはネクタイを直し、ジュースを一口飲んだ。彼の頭のなかが蟻塚から現代に移動しているのが見てわかった。「それは……」彼は一息ついた。「慈善団体に寄付する一方で、労働者を搾取する企業を経営する大金持ちは偽善者だと思う」。誇張された雑な主張だった。それでも、どこか説得力があると認めざるを得なかった。ゲイブリエルが「反論ある？」と訊いた。ぼくは言葉につまった。

競技ディベートでも日々の議論でも、相手の話をよく聞いたからといって勝てるとは限らない。それどころか、優れた主張にさらされ、説得されてしまう危険がある。それでも、ぼくたちはそうした話をよく聞けば相手を説得できる可能性が高まるかもしれないし、単なる勝利以上の豊かな学びがあるかもしれない。

このとき五年生のときの遠い記憶がよみがえった。二〇〇五年の冬、ぼくたちはクラスで首都キャンベラに行った。そこでぼくたちはきちんとしたウールのジャケットを着た年配の女性から話を聞いた。議会の進行を一言一句書き起こして記録する議事録の作成の担当者だった。

当時の年齢でも、政治家が議論しているニュースを見ることがあった。そういう二〇秒程度のニュース動画に対するぼくたちの反応は極端に走りがちだった。話がうまい人は無敵で、普通の人にはおよばない知恵を持っているのだろう。それ以外の人は退屈で、わかりやすい、と。

しかし、このときぼくたちの前にいたのは、議論という議論を全部そのまま記録してきた議事録係だ。この国で最高の聞き手と言ってもいい女性だった。クラスの一人が、長いキャリアのなかで学んだことを訊いた。彼女は指を二本立てた。

ほとんどの議論はあなたたちが思っているより良いものである。

完璧な議論は存在しない。

＊＊＊

朝食のあと、ぼくはチームメイトと車体に何も書かれていないバスに乗りこみ、急な坂の上にある絵画のなかの建物のような学校に行った。標高の高い場所から見る地中海沿岸の美しさには、何もなければ息をのんでいただろう。しかし、学校の敷地に足を踏み入れたときには、不安のあまりすでに息が切れていた。

第一試合は一〇時から一二時までで、ぼくたちはドイツに余裕で勝利を収めた。ドイツチームはよく調べていたが、経験が足りなかった。ぼくたちは気を緩めて切れの悪い反駁で及第点ぎりぎりのスピーチをした。試合後、ブルースには怒られた。「あれじゃ甘すぎる。練習じゃないんだぞ。向こうの論点は一つ残らず拾っていかなければだめだ。あれじゃ次の試合では勝てない。気合を入れていけ」

ブルースが言っていることはよくわかった。次の対戦相手のメキシコは、同じリーグ内でもっとも攻撃的で手ごわいチームと評判だった。「ちょっとでもすきを見せたらやられるぞ」。昼食の列に並んでいるとき、デンマーク人に小声で言われた。ぼくはひき肉の詰まった分厚いパイ、ブレクに集中しようとした。だが、食堂の後方を気にせずにはいられなかった。黒っぽい制服に赤いネクタイをしたメキシコチームが集まって、水で空腹を満たしていた。

第二試合の開始まで、ぼくは廊下をうろうろしながら、エミネムの「ルーズ・ユアセルフ」を大音量で聴いていた。それまでエミネムを選曲したことはなかったし、それを言うなら、みんながいるところで歩きまわったこともなかった。いつもは部屋の隅で一人になり、深呼吸をする。しかし、この日の午後は、人間が本来持っているはずの攻撃性を引き出したかった。だから、我を忘れて没頭しろ《ルーズ・ユアセルフ》。

第二試合は三時からだった。会場は木の壁に囲まれた広々とした講堂で、二〇〇人が収容できた。入場したとき、窓がふさがれていることに気づいた。暖かい空気は人の呼吸でよどんでいた。両チームの入場時、大勢の学生がここぞとばかりに手を叩いて歓声を上げた。

三人の審判のなかの議長——二十代前半の明るい表情をしたオランダ人女性——が場をしずめた。それから論題を読みあげ——「メディアが公人の生活に介入するのは防ぐべきである」——ぼくたちのチームの第一スピーカー、ニックを呼び、肯定側チームとしてディベートを開始するように言った。先ほど歓声を上げて興奮した観客は、制服のいちばん上のボタンを外して、これから始まる戦いに備えた。

ニックは甲高い声で始めた。「プライバシーの権利は人が意味ある人生を送る助けになります。この権利は法で認められるべきです。政治家とその家族は、節操のかけらもないメディアのしつこい攻撃から守られなければなりません」。ニックの話の途中で、相手チームは何やら声高に話しはじめた。言い争い、憤慨しているのが見えた。質疑応答ができる時間帯になると、三人が一〇秒ごとに立ちあがって質問した。ニックは平静な声を保とうとしていた。机に向かっていたぼくのなかで、先ほどつくり出そうと躍起になっていた怒りが本物になった。

否定側の第一スピーカーのパウラは、力強い個性を持った背の低い女性で、自分の名前が呼ばれるまえに演台に向かった。そこでしばらくわざとらしく紙を整えていた。二〇秒が過ぎ、三〇秒が過ぎた。聴衆がもぞもぞし始めたころ、パウラは視線を上げて話しはじめた。

「民主主義の生死は、市民が良い代表を選べるかどうかにかかっています。そして、政治家は個人的な信念や経験、人間関係にもとづいて決断をくだします」。パウラの声は最初は低くよく通っていたが、次第に高くなっていった。「情報にアクセスするのは贅沢なことではありません。私たちの権利です。個人に関することは政治にかかわり、情報には力があります」。燃えさかる炎のように、彼女の声は母音でふくらみ、子音ではじけた。

ぼくはフェルトペンを握り、パウラの主張を記した。「メディアは介入すべきである。個人の情報は市民が良い代表を選ぶのに役立つからだ」

この主張には二つの立証責任があった。

真実　個人情報は、実際に市民が良い代表を選ぶのに役立つ。

重要性　市民が良い代表を選ぶのに個人情報が役立つのであれば、メディアは介入すべきである。

ここには攻撃の糸口が三つあった。主張が真実ではない、あるいは重要ではないと言うこともできるし、もっと重要な考えを示すこともできる。

真実ではない　個人情報は市民が良い代表を選ぶ役には立たない。こうした情報の大半はゴシップやうわさ話だ。

重要性はない　個人情報は市民が良い代表を選ぶ役に立つからといって、メディアが介入していいことにはならない。候補者の自宅に監視カメラを設置すれば、その人の情報が明らかになるが、それは到底許されない。

もっと重要な考えがある　政治家の私生活に介入する正当な理由がメディア側にあったとしても、政治家の家族や愛する人たちを巻きこむことになる。

パウラは太い三つ編みにしていて、話すたびにそれが首にあたった。そのリズムに乗って彼女は勢いよく結論にいたった。「民主主義は自由ではっきりとものを言うメディアがなければ、存続できません。この意見に賛成してもらいたいと思います」。聴衆は賛成の声で沸いた。

騒然とする聴衆を前に舞台に立ち、ぼくは冷たく毅然とした自分の声に驚いた。「先方のメディアについて言ったことはでたらめです。影響力のある重要な報道一つに対して、不倫やダイエットや子供の問題行動などの本当かどうかわからない報道は無数にあります。そうした情報は世間の議論の水準を下げます。メキシコチームに賛成すべきではありません。彼らが言っているのは幻想だからです」

ぼくが目指したのは、パウラの発言すべてを「ありえない」とすることだった。勢いよく反駁しながら、次から次へと破壊していく自分に驚いた。ぼくは前提を崩し、関連性を壊し、たとえを切り離した。そのうち言葉が思考に先走る危険な領域に入ったが、それでもブレーキを踏めなかった。自信は高まり、ぼくは個人攻撃に舵を切った。その回数と種類は許容範囲を超えていた。「たわ言をつなげただけの議論とは言えないもの」「他人の苦しみを喜ぶ想像の産物」「信じられないほど愚かな論点」。相手チームは怒りを爆発させていたが、ぼくはひるまず、さらに突き進んだ。

席に戻ったときには、会場の空気はひんやりしていた。パウラとそのチームメイトは激怒していた。向こうのコーチ――世界の僻地にディベートリーグを設立しようと奮闘している勇敢で気の短い人だった――は、今にも舞台に突進してきそうに見える。聴衆は背筋を伸ばし、流血の気配に浮足立っている。ぼくはアドレナリンが噴出して震える腕を隠すために、腕を組んだ。

ディベートが終わり、ぼくたちは会場をあとにした。握手するときパウラは躊躇した。そしてそっけなく一瞬触れた。三人の審判が結論に達するまで、普通は三、四〇分かかる。不安な気持ちで待つこの時間には、苦悩から解放される瞬間もある。コーチの予想を聞くことができるのだ。

風に吹きさらされたバルコニーで、ブルースの表情は読めなかった。濃い色のサングラスをかけて、遠くを見つめながら右手で髪の毛をかきあげた。ぼくは口を開いたが「ええと……」と口ごもった。ブルースがぼくたちのほうを振りかえったが、目を合わせようとはしなかった。「よくやった。だけど、たぶん負けだ」

ぼくたちの情熱は評価できるが、相手チームをやっつけようとするなかで大事な点が欠けていたという。相手の議論の誤りを立証することと、自分たちの議論の正当性を証明することはイコールではない。

「今回のディベートで君たちがしなければならなかったのは、向こうが言っていることはたわ言だ、相手チームは悪い人たちだ、と示すことじゃない。メディアの自由を広く制限するべきだと聴衆を納得させることだ。それができたとは思えない。どれだけノーを重ねても、イエスにはならない」

ブルースは、優秀なディベーターは反駁の最後を前向きな主張で締めるという。対する主張への攻撃から、支持する主張の提案に移る。こうして、これじゃないなら、どれが正しいのか？　という問いに答える。

「メディアが公共の利益を促進するために動くのでなければ、何がメディアを動かしているのか。情報を得る権利が優先されるのが間違っているなら、何を優先すべきなのか」。ブルースは、この反駁の最後で**カウンタークレーム**、すなわち対抗する主張を出すべきだと述べた。「壊したあとには、もっといい答えを提供しなければならない」

＊＊＊

アリストテレスは、著書『弁論術』のなかで、怒りにはかすかな喜びが含まれていると言った。それは不当に扱われた人（あるいは関心の対象物）を認識することから始まる。それにより痛みを感じるが、同時に不当に扱った人に「はっきりとわかる復讐」をしたいという気持ちが湧いてくる。そういう復讐心——考えるだけで楽しい——は怒りの一部なのだ。「だから、憤怒についてはこう言われている。『ミツバチの巣よりもはるかに甘く、蜜は滴りおちて人々の心に広がっていく(10)』」

バルコニーで対戦チームを見ながら、ぼくはいかに簡単にこの喜びが議論を乗っ取るか実感した。真っ当な目的を持ってディベートを始めたのに、いつのまにかぼくの目的は相手を傷つけ、恥をかかせることに変わっていた。怒りが怒りをあおるようになったのだ。奇妙なことに、こうして行なったスピーチは、対立の回避につながった。相手の間違いをばかにし、人間性を攻撃する道を選んだとき、ぼくたちは実際に手元にある意見の相違に取り組むというもっと大きな仕事から、逃げていたのである。もし、両者が元の論点に立ちかえるというのであれば、振り出しに戻って始めなければならない。

アリストテレスによれば、怒りの対極にあるのは穏やかさで、怒りから抜け出るにはぼくたちを穏やかにしてくれるなんらかの過程を経なければならないという。たとえば笑いあう、豊かさや成功を感じる、満足するといったことである。アリストテレスはそこに「立派な希望」を持つことを含めた(11)。ぼくには、カウンタークレームはこの希望を具現化したもののように思えた。傷ついた答えの残骸のなかで、人は何か新しいものを立ちあげようとする。

＊＊＊

オランダの審判が発表した結果は、二対一でぼくたちの勝ちだった。ぼくたちは驚いて見せるほど愚かではなかったし、相手チームもその場で抗議するほど愚かではなかった。というわけで、みんな一様に無表情だった。一方、観客は予想外の結果にざわめいた。反対票を投じたインドの審判はかたく腕を組み、沈んだ表情をしていた。

このあとの一週間で、ぼくは二回パウラに出くわした。一回目は、木曜の夜に開催されたカルチャー・エキスポだった。チームごとにブースをつくって自分の国を紹介するイベントだ。ほかのチーム同様、ぼくたちも菓子類に力を入れすぎて文化は後回しになった。マカデミアナッツ・チョコレートがなくなると、オーストラリアの罵り言葉を紹介した。

この夜はうれしい節目となった。予選ラウンドの四分の三が終わり、ぼくたちは全勝で、ほぼ確実に決勝ラウンドに進めることが決まったのだ。ぼくはインドネシアのブース近くで隣にパウラがいるのに気づいた。彼女は手にミニサイズのソンブレロを抱えていたが、表情はディベートの真っ最中のように見えた。ぼくは彼女にあいさつ代わりにぎこちなくうなずいて、壁の方を向いた。

その夜遅く、ぼくはカウンタークレームについて考えた。否定から肯定への転換、つまり、相手の間違いから自分の主張への移行は、確かにディベートで役立つかもしれないが、日常生活でも重要なのではないか。否定は、事実や判断や対応の問題に際して、より良い答えを見つけるきっかけになるかもしれない。しかし、実際に答えを見つけるのは大変なことで、安全な場所から批判する姿勢を改め、間違いや拒絶を恐れずに取り組み続けなければならない。

次にパウラに会ったのは、金曜日の夜のブレーク・パーティーだった。これは、決勝ラウンドに進む《メイク・ザ・ブレーク》一六チームが出そろったときに行なわれるイベントだ。会場では、リアーナの昔の曲が大音響でかけられ、照明はハイネケンのボトルの色になっていた。夜の九時の発表を聞くためだけに制服であらわれるチームもあれば、夜中まで踊る気満々でクラブにふさわしい黒い服やカクテルドレスを着てくる者もいた。不思議なことに、みんなその場に自然になじんでいた。

ぼくたちは決勝ラウンド――ディベート界の言葉を使えば「アウトラウンド」――に進むことができた。順位は五位で、これは予選ラウンドの最後でカナダに負けたことが響いた。上々の出来だったが、最上位層には届かなかった。「気にするな。明日は別の日だ」。コーチは言った。

パーティーから戻る途中、パウラに出くわした。街灯の下でオレンジ色の光に照らされて、舞台の中央に立っているように見えた。気づかれないように通りすぎようかとも思ったが、地面を踏みしめる靴の音でばれてしまった。彼女と目があった。その目が鋭くなることはなかった。

「こんばんは」。ぼくたちはぎこちなく会話の糸口を探した。

＊＊＊

ガラス張りのディベート大会では、すべての勝利と失敗がさらされ、ニュースは野火のように急速に広まり、評判は時間を追うごとに進化する。この年はあるチームが話題を集めていた。そのチームは、アフリカ南部に位置する人口百万人のエスワティニ王国〔旧名はスワジランド王国〕から来ていた。この大会では二回目の参戦にして、予選ラウンドを二番目のハイスコアで勝ち抜いて決勝ラウンド進出を決め、スコットランド、イスラエル、ギリシャといった強豪を倒して勝ちあがっていた。

スワジランドの評判は最初のうちは、「怖いもの知らず」「果敢に攻める」「勢いがある」といったお世辞めいた言葉で表現されていた。しかし、チームが勝ち進むにつれて、まわりの興奮は高まり、うわさ話も過熱してきた。「彼らは私たちの目の前でディベートのフォーマットを書き換えた天才だ」。あるエストニア人女性はエレベーターのなかでぼくにそう言った。「すごいのはコーチだよ。ホテルのバーのあたりでよく見かけるあの人類学者。彼がすべての戦略を描いているらしい」。ホテルのプールでギリシャ人審判がそう言っていた。

スワジランドの言い分は、オンラインでディベートの動画を見て一生懸命に練習したというものだったが、誰も信じなかった。二月四日の月曜日の準決勝で、主婦の仕事に対して国が給与を払うべきかどうかが議論され、彼らがシンガポールを破ったとき、あまりの驚きに会場は酸欠状態になったという。

対して、ぼくたちのチームが決勝ラウンドを勝ちあがっても誰も驚かなかった。オーストラリアは数年間優勝を逃していたが、それでも強豪チームだと思われていたからだ。ぼくたちの勝利のニュースはときおり悔しがられる程度だった。同じ月曜日に、アイルランドを満票で下してぼくたちの決勝進出が決まったとき、決勝はゴリアテ対スワジランドのダビデの戦いのようになった。準決勝が終わってホテルにバスで戻るとき、ブルースはシートベルトを締めるように言った。「明日は、この大会始まって以来の刺激的なストーリーに戦いを挑むことになるぞ」

決勝戦が行なわれたのは、空気が冷たく月のない夜だった。それでもスワジランドチームとぼくたちが駐車場を渡って、デルフィン・インペリアル・ホテルの大広間に向かったときには、どちらも完全に闇に隠れることはできなかった。スワジランドチームは男三人で、皆シャツの袖をまくりあげて、かっちりしたブレザーを着こんだぼくたちにはない軽快さで歩いていた。だが、会場に入り、約四百人の観客の熱気に迎えられると、みんな足が固まったように見えた。

七時に皆が舞台上の席につき、九人いた審判の一人が会場を静かにさせた。審判にはディベートの経験豊かな教師やコーチのほか、元世界チャンピオンもいた。それぞれの国の衣装に身を包んだ審判たちは、重要な問題を採決する国連安全保障理事会を思わせた。ぼくは観客のなかに知っている顔を探した。ブルースがいて、その隣には両親がいた。時差ぼけと高揚した気分で視点があってないように見えた。それから舞台のスワジランドチームに目をやった。頭上の照明に照らされて、額は汗で光っていたが、その目に動揺はまったく見られなかった。ぼくはペンのキャップを外し、呼吸を整えた。

議長——大会を主催した組織の一員で、なめらかな美しい声をした年配の女性——が、論題を告げた。「決勝戦の論題です。『トルコはEUに加盟しないほうがよい』。肯定側、オーストラリア。否定側、スワジランド」

ぼくの隣にいた第一スピーカーのニックは、スピーチの出だしを何回もつぶやいていた。ぼくは震えないように机の下で太ももをきつくとじた。震えが伝われば、不安な気持ちが仲間に伝染するだろう。ニックは立ちあがり、演台に歩いていった。始めたスピーチは最初の一文で聴衆の心をつかんだ。「どんなおとぎ話にも、あいつが悪役だったとわかる瞬間が必ずあります。オーストラリアチームはその役を引き受けましょう。ですが、ヴォルデモートがハリー・ポッターに言ったようにはっきり言いましょう。トルコのEU加盟はトルコのためになりません」

ニックは、EU加盟がトルコの政治の独立性、さらには経済発展にまで悪影響をおよぼすことを、細かく丁寧に説明していった。伝統により、この大会の決勝戦は準備をしてのぞむことになっているので、事前に調査し、主張を書くことができる。理屈のうえでは気が楽になりそうなものだが、実際には逆だ。完璧に近いものを期待されるからだ。

スワジランドチームの最初の発言者ワバントゥは、落ちついたバリトンの声で、ニックの主張に猛烈に反駁しはじめた。どの論点に対しても、二つ、三つ、四つとこともなげに反論していった。聴衆は興奮した様子でこそこそと言葉を交わし、その視線はスピーカーとぼくたちの席のあいだを行ったり来たりしていた。ぼくはワバントゥが言ったことのほぼすべてに同意せず、手を動かし続けて、彼の理由の瑕疵を四つ、五つ、六つと書いていった。それから、観客を見ると、ブルースが腕を組んだままうなずいているのが見えた。ぼくは方向転換した。

ぼくの番が来た。演台に立ち、会場の視線がすべてぼくに注がれるが、ぼくからは照明でぼやけた観客のシルエットしか見えない。いつもの感覚だ。みんなの前に立ち、人目にさらされて、今まさに話しはじめようとしている。高い舞台から聴衆をじっと見ても、誰が友達で誰が敵か区別はつかなかった。

二番目に話すぼくの役割は、相手が出してきたばかりの議論に最大限のダメージを与えることだった。いつもはまえに話した人の内容をじっくり検討させないように、露骨な攻撃から始める。しかし、このときは別のアプローチを取ることにした。「今のところ両チームとも、ＥＵ加盟あるいはＥＵ非加盟による深刻な影響について主張しています。そして、どちらも最悪の結果を予言しています」。ぼくはいったん言葉を切り、咳払いをした。「ぼくはこのスピーチで、トルコがＥＵに加盟しなかった場合どうなるか、前向きな未来を描きたいと思います。もっと自由で、もっと繁栄し、もっとまとまった国です」

それから反駁するときに、反論とカウンタークレームをいっしょにして提示しようとした。「トルコがEUのなかで本物の影響力を行使できるようになるとは思えません。世界でトルコの立場を強める最良の方法は、独立した強い外交政策を維持することです」。批判から前向きな主張に移れば、反駁の興奮はそがれる。相手からすれば攻撃しやすくなる。それと引き換えにぼくは対話を前進させる満足感を得た。「EU加盟に反対、変化に反対、スワジランドチームの主張に反対。そういう投票はしないでください。この国のより良い未来に投票してください」。ぼくはそう結論を述べて、席についた。

スワジランドチームのキャプテン、ファナーレは上下黒にサスペンダーだけ白というい でたちで、ぶつぶつ言いながら演台に突進した。瘦せたごく普通の少年に見えたが、場慣れした様子でマイクに口を近づける姿を見て嫌な予感がした。「相手の挑戦を受けて立ちましょう。EUに加盟したトルコの明るい未来はどういうものか。より多くの国民に奉仕できる大きな国になります」。ファナーレは大きな声でテンポよく話したが、ときおりスピードを落とし、マイクを口にくっつけるようにして重要な意見をささやいた。それは、ぼくが二〇〇〇年代終わりにパフ・ダディのコンサートで見たパフォーマンスを連想させた。

ファナーレの反駁を聞いているとき、ぼくはあることに気づいて驚いた。ぼくのカウンタークレームに対して、彼は反論するだけではなく、さらにカウンタークレームを繰り出してきたのだ。「では、独立した外交政策について考えてみましょう。独立を考えるとき、少ない選択肢のなかから選ぶ自由があることは重要ですが、利用できる選択肢の幅も同じように重要になってきます。EU加盟はこの選択の幅を広げます」。カウンタークレームの応酬によって、ぼくたちは最初の議論から離れ、未知の領域に入っていった。単純な攻守のやりとりではなく、ぼくたちの議論は進化していた——新しい考えが生まれ、それとともに議論の境界線が移動する。ディベートは八時一五分に終わった。九人の審判が会場をあとにし、続いて観客も席を立ち、ぼくはチームのみんなと代わるがわるに抱き合った。ブルースが舞台に来て、よくやったと言ってくれた。最前列では、両親がまわりから声をかけられていた。

審判が別室で審議しているあいだ、立食の会場で観客の予想は割れていた。友達はみんな接戦だったと言った。残念だけど、君たちの負けだと思うと言ってくる見知らぬ人もいた。つまり、対戦相手を完全に仕留めたわけではなかった。それでも、この時点でぼくは別の種類の満足感を覚えていた。

＊＊＊

議会制民主主義の歴史上、野党（あるいは少数政党）であることは休暇を取るのとほぼ同義だった時代が長くあった。一八世紀のイングランドでは、野党議員は国会に出席する必要もなかったので、たいていは夏用の別荘に引きこもって傷を舐めるなり、政権復帰の計画を練るなりした。政党同士はゆるやかな協力関係にあり、内輪もめを繰り返し、規律に縛られる日々だった。

この退廃的な慣例を変えたのがエドマンド・バークだった。政治家であり学者であるアイルランド生まれの彼は、保守のホイッグ党内の自分の派閥のために「野党からも支持される一貫性のあるプログラム」をつくった[12]。このときバークをつき動かしたのは、党のあるべき姿だった。それは「連帯した努力により彼ら全員の間で一致している或る特定の原理にもとづいて、国家利益の促進のために統合する人間集団」である[13]。

政治的対立をこのように見るのは一七〇〇年代には難しかった。バークの派閥のメンバーに、ある政敵が手紙を書いている。「不毛な野党のままで国をおさめることはできない。政権を取らないかぎり国をおさめるのは不可能だろう」

しかし、世紀が変わると慣例は次第にバークの主張に近づいていった。代替政府（alternative government）や国王の忠実な野党（his majesty's loyal opposition）といった言葉が生まれ、野党は影の内閣を組織したり、国会の審議事項に影響力を持つなど、正式な権限が与えられた。

忠実な野党は政治にとって、競技および日常のディベートにとってのカウンタークレームのようなものだ。どちらも前進を共有したいという想いの土台として、論争や意見の相違を位置づけている。怒りは（対立する相手やその相手との関係を）破壊しがちだが、野党は良くも悪くも管理されるが決して一線を越えることのない競争の形を求めた。

デルフィン・インペリアル・ホテルでは、集合の合図としてハンドベルが鳴った。観客が会場に戻り、二チームが舞台の両側に集結したとき、静けさが訪れた。最前列にはブルースと両親がいて、期待する顔が見えた。

個人順位が最初に発表された。ぼくはベストスピーカーに選ばれ、ファナーレが二番だった。ぼくは舞台の反対側に向かってうなずき、向こうもうなずいたが、この瞬間を楽しむには二人とも緊張しすぎていた。そのせいか視線を合わせることもできなかった。

　それから、タータンチェックのスカートをはいた年配のスコットランド人女性がトロフィーを手に舞台に上がった。薄いシルバーのカップの存在は会場の空気を変えた。観客は前のめりになった。ぼくたちのチームは身を寄せ合いすぎて、列が崩れかけた。審判の議長——シンガポールの役人で痩せているが、鍛えた体をしていた——がマイクを口に近づけた。

「二〇一三年、ワールド・スクールズ・ディベーティング・チャンピオンシップの優勝チームは……オーストラリアです」

＊＊＊

　出発の日、朝食後のホテルのロビーで、ぼくはスワジランドのキャプテンに会った。スポーティーなシャツにスウェットパンツというういでたちのファナーレは、リラックスしているように見えた。どこの大学に行くのかと訊かれたので、八月にハーヴァードに入学すると答えた。すると、ファナーレはいきなり爆笑し、ロビーの奥にいた人まで何事かと振り向いた。自分もハーヴァードに出願して返事を待っているところだという。にやりと笑ってファナーレは言った。「もしかして、ぼくたちアメリカでチームメイトになるかもな」

第4章

修辞法《レトリック》

人を動かす

その日の午後は悪天候で始まった。雷雨のために、三時半からキャンパスで行なわれるはずだった式典は開催できず、元アメリカ大統領とその夫人を含む大物来賓の一団も足止めされた(1)。式典が始まったとき、時刻はすでに五時になっていた。数学者兼聖職者である大学長が祈りを捧げて式が始まった。次々にラテン語でスピーチが行なわれた。

やがて、数人が壇上に集まった。元アメリカ大統領を父に持つ穏やかな男――身長一七〇センチで、もうすぐ四〇歳になる――が演台につき、英語でスピーチを始めた。語った話は悲しいものだったが、その先には希望があった。

近代ヨーロッパで文字が復活したとき、「雄弁」を意味する名前の女神は千年の眠りから目覚め、すっかり変わってしまった世界を目の当たりにした(2)。状況を把握しようと努めたものの、女神は疲れ切っていた。それでも自分が好きな言語は死に絶え、自分が人々に理解されないことを知った。

それは長い、長い眠りだった。ローマ共和国が陥落するころ、女神は震えや疲労や麻痺を感じ、身体が衰えてきたことに気づいた。演説は市民を説得するためのものから、独裁者を崇拝するためのものになった。女神は抵抗したが、やがて暗黒時代に眠りについたのだった。

新しい世界をさまよいながら、女神はかつて自分が活躍した三つの場所を訪れた。

町の広場や野外劇場などの公開討論の場は空っぽだった。そうでなければ、詭弁家やペテン師が集まっていた。しかし、それ以上に醜悪な光景を目にして、女神はその場を去った。好ましく思っていた弁士キケロの頭部が石像になって、演壇に飾られていたのである。

法廷ではさらに不穏な光景が待っていた。裁判所への階段をのぼると、そこには「説得」を意味する名の我が子が、法によって鎖でつながれ、足かせがはめられた状態でいたのである。さらに、ラテン語で口ごもりながら大量の本に押しつぶされる自身の姿も見えた。

女神は議会で幸運を得た。ヨーロッパのあちこちで誕生したばかりの議会に赴き、懸命にその言葉を覚え、政治家を助けた。しかし、元の自分を取り戻すことはなかった。

これが、ジョン・クインシー・アダムズのスピーチの冒頭で語られた話だった。演説は、一八〇六年六月一二日、ハーヴァード大学のボイルストン修辞学・雄弁術講座の初代教授就任を記念して行なわれた。

一六三六年の設立以来、ハーヴァード大学では修辞学、すなわち人を説得する話し方の習得をカリキュラムに組みこんできた。授業は講義形式で行なわれ、学生は毎月スピーチを求められる。清教徒を教育するという初期の使命を反映したものだった。しかし、ボイルストン教授職の設置は重大な出来事だった。これにより修辞学教育は世代を超えて引き継がれていくことになったのだ。

アダムズはこの職に適任というわけではなかった。彼は学者ではなく政治家であり、さらに自分には話す才能がないのではないかと悩んでいたのだ。日記には、「口ごもりながらゆっくり話し、わかりにくいことも多々ある」自分の話し方を非難し、間違った言葉で文章を締める傾向があると述べている。(3)

アダムズはこの役割に政治的な目的意識を持ちこんだ。彼の父は「雄弁さ」がアメリカの政治家の特色になることを望んでいた。それはデイヴィッド・ヒュームから古代ギリシャにまでさかのぼる理想だった。(4)しかし、ジョン・クインシー・アダムズは、アメリカの次世代のリーダーに修辞学の技術を教えることを自らに課した。

アダムズは、雄弁という名の女神に希望の光を見出した。女神はヨーロッパの専制君主に虐げられ、議会で力を失った。しかし、そんな女神にふさわしい新しい土地があるかもしれない。アメリカである。「純粋な共和制政府のもとで、国民は国の出来事に深い関心を寄せている……雄弁な声が無駄になることはないだろう」とアダムズは断言した。(5)

初代ボイルストン教授は、自分の四〇歳の誕生日に講義を始め、三年後に政治の世界に戻った。彼の最後の講義は礼拝堂を満たし、のちにこの大学に入学するラルフ・ワルド・エマーソンによれば、「ケンブリッジに長く響いていた」という。(6)アダムズが辞めた翌年、一冊の本が出版され、伝統的にヨーロッパの作家によって支配されていた分野にアメリカ人として足跡を残した。

一八二五年、ジョン・クインシー・アダムズはアメリカ大統領に就任した。彼は大統領を一期務め、その後はアメリカ議会でキャリアを全うした。奴隷制反対を訴えて名をあげ、アミスタッド号事件では最高裁で八時間にわたってアフリカ人奴隷を弁護し、名声は頂点に達した。それに伴い、古代ギリシャの雄弁家イソクラテスの別名である「偉大な雄弁家」と呼ばれるようになった。

ぼくがこの偉大な雄弁家の人生について知ったのは、二〇一三年八月、シドニーからボストンに向かう二四時間の道中だった。飛行機での移動は距離、密度、空気、食事と、すべてが最悪だった。だが、アメリカの歴史の本のこの部分を読んだとき、誰かがほんの少し窓を開けてくれたような気がした。

ぼくがこれから向かう土地についてこの物語が語っていたことは、心に響いた箇所の一つだった。壮大なものに魅かれる一八歳は、アダムズのアメリカの理念に、幾層にも重なった可能性を感じた。そこには民主主義の伝統を復活させることを運命づけられた若い共和制があり、それは生まれたばかりなのに、一人の人間が未来に足跡を残せるほど開かれていた。

こうして見れば、アダムズは代弁者というより体現者という気がする。彼の伝記は、仕事や教育を通じて負け犬から咆哮するライオンになるまでの軌跡を追っていた。そこには神話的な側面もある（アメリカ大統領の息子を、自力でのぼりつめた成功者といっしょにすることはできないだろう）。しかし、これもまたアメリカのロマンの一つなのだろう。この国は世界の中心にいることを主張しながら、自分たちが外部の挑戦者であることを理解していたのだ。

ちなみにアダムズの話のテーマが雄弁だったのはたまたまで、ぼくにとってはいわば棚ぼただった。

＊＊＊

はじめて修辞学というものを知ったのは小学六年生の冬だった。ブッシュスクールの端にあった赤レンガの教室で、あぐらをかいてすわる生徒に、ギルクリスト先生——紫色の髪をしたエネルギッシュな女の先生で、ぼくがはじめて好きになった先生だった——が教えてくれた。「修辞学というのは、説得しようとして話すときに使われるすべての要素です。言葉もそうだし、話し方、ジェスチャー、話の構成もそうです。何を言うかが議論なら、どのように言うかが修辞学です」

「よく見てください。私はどのように立っていますか?」ギルクリスト先生は腕を広げたり、背中を丸めたり、いくつかのポーズを次々にとった。「では、声はどうでしょうか?」ぼくたちの目の前で、中年の先生が堂々と演説をする女性政治家に変わった。かと思えば、弱々しい声をしぼり出すように話す控えめで内気な人になった。ぼくたちは驚きのあまり、まばたきを忘れて見入った。

しかし、先生がパフォーマンスから修辞学の古い起源の説明に移ったとき、クラスのほとんどの子は興味を失った。みんなが夢中になれないのは理解できた。「ロゴス」なんて言葉を日常生活で使うことはないだろう。変なやつ、あるいは目立ちたがり屋といった烙印を押されるだけだ。

それにもかかわらず、ぼくは先生の説明の一つ一つに興味をかきたてられた。話し方によって相手の理解が変わるなんて、教えてもらうまでもなかった。この二〇〇六年ごろには、ぼくは英語を習得していたが、アクセントや発音、イディオムがちょっと違っただけでよそ者扱いされることがあった。自分の考えがまわりの子の考えに比べて面白くないとも劣っているとも思わなかったが、認められるか否かはちょっとしたことで変わるとわかっていた。

修辞学の技術は生まれつきの才能ではなく、教育を通じて養われるという話にも違和感は覚えなかった。オーストラリアに来てから、ぼくは一生懸命に勉強して英語を習得した。単語やフレーズをノートに書きため、文章をつぶやき、テープでスピーチを聞き、姿勢やジェスチャーを練習した。修辞学の能力は才能の産物だとする考え方は、ぼくには縁のない贅沢なものに思えた。

ギルクリスト先生の授業のなかで、特に印象に残った話があった。古代ギリシャのソフィストとして知られる修辞学の教師は、アテネ人ではなかったということだ。彼らは遠く離れた土地から来た学者や雄弁家だった。移民だったのだ。

その後、中学校に進み、ディベートのなかには、修辞学を技術としてとらえる部分があることに気づいた。

バーカーのコーチは崇高な主張は期待しなかったが、ずさんなパフォーマンスも許さなかった。ひたすら「癖」、たとえば演説から気をそらす口癖（「えーっと」）やジェスチャー（もじもじしたり、腕を組んだりする）を根絶する練習をぼくたちに課した。

数える　人前でどんなテーマでもいいから一分間スピーチをする。「特定の癖」を見せた回数を数えてもらう。それをゼロにするまで繰り返す。

やり直す　どんなテーマでもいいから一分間スピーチをする。「特定の癖」が出るたびに、最初からやり直す。一度もとまらずに話し終えるまで繰り返す。

罰を受ける　人前でどんなテーマでもいいから一分間スピーチをする。「特定の癖」が出るたびに、ほかの人から罰を受ける（丸めた紙を投げるとか）。罰を受けずに話し終えるまで繰り返す。

授業で修辞学について話をすると、大げさで抽象的な話になりがちだが、ディベートでは現実的なアプローチがとられた。言語や話し方を大事にするのは、それが勝利につながるからだ。言い換えるなら、退屈に思える話す練習には見返りがある。身につくのは説得力、つまり人々の足をとめ、耳を傾けるように促す技術だ。修辞学を追求した結果、世界中を訪れるだけではなく、ハーヴァード大学の入学許可までもらえるなんて、当時のぼくには知るべくもなかった――本当に自分が属していると言っていいのか確信が持てなかった場所に言葉巧みに入りこんだのは、短い人生のなかで重要な転機になった。

ぼくはギルクリスト先生の授業からの軌跡を振りかえりながら、二〇一三年八月二六日の朝、巨大なスーツケースを二つ転がしてハーヴァード・ヤードに足を踏みいれた。夏の終わりは美しく、大学のマーチングバンドもその輝きに傷をつけることはできなかった。ぼくの少し前を、デニムを着た母が箱や家具を避けながら歩き、自分がここに住みたいと言った。「私のほうがここで多くを学べると思う」。そう言って、納得いかない体を装うために眉根を寄せてみせた。

ぼくが住むことになったストラウスホールは、四階建てのコロニアル・リバイバル様式の建物で、ハーヴァード・ヤードの隅にあった。スーツケースを引きずって急な中央階段をのぼりながら、大勢の新入生にあいさつした。みんな幼さが残る顔に汗が浮かんでいた。C-31号室は木目を基調とし、塞がれた暖炉がある居心地のよさそうな部屋で、三人のルームメイトとその家族がほうきや六角レンチを持って忙しく作業していた。ぼくのなかの初対面の人たちと打ちとけようとする意欲は撤退を試みたが、これから共同生活をするという事実を前に、ぼくはなんとか笑顔をつくってあいさつした。気がつくと、ルームメイトといっしょに共同の家具を組み立てていた。

三人のルームメイトのなかで、ぼくがいちばん気になったのはジョナだった。青くて鋭い目に赤毛というはっきりした顔立ちに、運動選手らしい引き締まった体をしていたが、そのしぐさや動きに天性のやさしさがにじみ出ていた。彼が最初にかばんから出した本は、巨額な政治献金の影響力を明らかにしていた。彼の両親は、マサチューセッツ州ノーサンプトンに住む社交的で感じのいい夫婦で、母と気が合った。

家族もいっしょに皆でボーダーカフェに行って昼食を取った。テキサスとメキシコの料理を出す店で、壁はピンク色に塗られ、にぎやかな音楽が鳴り響いていた。ぼくは礼儀正しい会話に飽き、ジョナの政治論をつついてみようと思った。「アメリカのリベラル派は選挙のときに献金に熱中するよね。あらゆる手段を使って政治の大義を支えようとする。金のどこが悪いのかって言わんばかりに」。これはディベートで使ったテーマで、ぼく自身はそう思っていなかったが、議論は展開できると思った。ジョナはケサディーヤを置き、ほかの二人のルームメイトは二人の会話に逃げこんだ。「まじめに言ってる?」

その後五分間、ジョナの声は大きくも早くもならなかったが、確実に変わった。何かを抑えるような低い声で淡々と話した。彼の議論は反論というより解説に近かった。両手を広げながら、「正義」や「公平」といった言葉を皮肉のかけらもなく使って話してくれた。「だから、ぼくたちはこういうのに一生懸命になるんだよ」。話し終えるころには、彼の髪の毛は心なしか赤みを増したように見えた。

ぼくはディベートに参加したことがあるか訊いてみた。「君はきっと強いはずだ」。ジョナは一瞬考え、それから冗談っぽく言った。「ぼくの趣味《ナット・カップ・オブ・マイ・ティー》じゃないよ」。もしかしたら、ぼくをイギリス人だと思ったのかもしれない。

レストランを出て、ぼくは空港に向かう母のためにタクシーを拾った。泣いている母を見て、悲しい現実に気持ちが沈んだ。もう今年は母に会えない。次に会うのは夏休みで、それは月や年ではなく週単位で数える短い時間だ。自分はなぜこの事実を認識していなかったのだろう。両親も寂しい思いをしているとなぜ思いおよばなかったのだろう。地球の裏側にある大学を選んだ代償は自己欺瞞だったのかもしれない。そんなことを思った。母はタクシーに乗りこむまえに、バッグから石の彫刻を取り出した。トルコのアンタリヤで地元の彫刻家から買ったものだった。「お守りにして」と母は言った。

その日の午後はオリエンテーションを梯子《はしご》し、大学というのはとにかく口を開く場所だと知った。一六〇〇人あまりの新入生はみんな見た目は普通の人に見えたが、言葉の端々から賢さと頭の回転の速さが伝わってきた。とにかく自分を説明しなくては、と誰もが思っていた。

そんな環境のなかで、議論は重要な役割を担っていた。人前で自分の考えを述べ、互いを評価しあう自然な方法だった。学生たちは夕食の席でポップカルチャーについて意見を戦わせ、午後の最後のセミナーでは政治について議論した。ぼくは距離を置いていたが、内心では親近感を覚えずにはいられなかった。

　夜の一一時には疲れ果てていた。ルームメイトはみんなベッドに入っていて、ぼくはソファに横になって家にメッセージを送っていた。リビングルームの電気を消そうとしたとき、ドアをノックする音が聞こえた。「誰？」階下の学生だろうか。時間をかけて対話するのが好きだと公言していたが、この時間からは勘弁してもらいたい。

　もう一度ノックされた。「ファナーレだ」

　九カ月前はやせこけた少年だったが、このときはたくましくなって落ちついて見えた。「おお、ボー・ソだ。ボー・ソじゃないか」。今にも笑い出しそうな快活な声を響かせながら、彼はぼくをのけてリビングルームに入ってきた。

　どうやってぼくを見つけたのかは訊かなかった。そういう話も、初日に経験したことについての世間話もふさわしくないように思えた。代わりにずっと疑問に思っていたことを訊いた。「あの大会でスワジランドチームは、なんであそこまでやれたんだ？」

　ファナーレは笑った。「アフリカ人がなんで決勝まで行けたかって？」ぼくはそうじゃないと小さな声で抗議した。ファナーレは、チームみんなで何時間もディベートのビデオを見て、それから自分たちのスピーチを撮影して、判断や動き、癖やジェスチャーを研究したと言った。「練習しただけだよ。特効薬なんてないさ」。ぼくはそれはそうだと答えた。

　今度はファナーレがお願いがあると言った。「ボー、いっしょにワールド・チャンピオンシップに挑戦しよう」

ぼくが返事をする前に、向こうは議論を繰り出してきた。準備されたもの半分と即興半分で。声はどんどん大きくなり、表情は真剣味を増していった。ぼくは彼の野望のあつかましさに当惑した。自分の時間だけではなく、ぼくの時間も同じように求めているのだ。だが、適切な言葉を選ぶ彼の才能は認めざるを得なかった。「君はそういう人間だろ」

ぼくはファナーレの話を聞きながら、この場所に自分を連れてきたものは、この場所でやっていくうえでも欠かせないものなのではないか、と考えはじめていた。

＊＊＊

授業が本格的に始まり、キャンパスは様変わりした。

ハーヴァード大学では、二年生の後期までは専攻を選ぶ必要がない。いろいろ試せるように柔軟に設定されている。ぼくは哲学を勉強するつもりだった。ディベーターとして、自分に向いていると思ったからだ。それで学期が始まって二回目の火曜日、ぼくは哲学の学部の公開講義に参加した。

ぼくは哲学の学部が入っているエマーソンホールの二階にある、ほこりっぽい本が威厳たっぷりに並ぶ図書室に遅れて入った。部屋の前方では、学部の人たちが科目について、次第に抽象のレベルを上げげながら説明していた。「われわれの目的は正しい答えに行きつくことではなく、あらゆる答えの理由を掘りさげることにある」。「さらに良いのは、より良い問いをたてることだ」。「というより、こう問いかける。問いとは何か」。考え深げなつぶやきが部屋のあちこちでもれた。

そのあとでぼくはある論理学者と会話する機会を得た。ウールのベストを着た年配の男性は、出したクッキーは実はライプニッツ・ビスケットだと言った。「哲学者にちなんで」と言い、何か反応を期待しているように見えた。ぼくは水を一口飲んで、高校でディベートをやってきたと話し、哲学を学ぶにあたって役に立つでしょうかと訊いた。彼は眼鏡を直して言った。「たぶん役には立たないだろう。うちはそれに関してはゴルギアスよりもソクラテス派だから」

ぼくはこの日の午後、言われたことを調べてみた。

ゴルギアスは紀元前四八三年生まれの、修辞学教師として世を渡り歩くソフィストで、大衆に向けて「ヘレネにトロイア戦争の責任はない」[7]といったテーマで話をしたり、若者に雄弁術を教えたりしていた。六十代のときに、故郷シチリア島のレオンチニの防衛を求めてアテネを訪れ、そこで名を成した。ゴルギアスをばかにする者もいたが、人々への影響力は否定できなかった。彼は確かに人々をひきつけ、夢中にさせた。

ある夜、ゴルギアスがパーティーで弁舌をふるっていると、別の客に詰め寄られた。むさくるしい姿をしたソクラテスという名の男だった。哲学者は直に問いかけた。「あなたを何と呼べばよろしいですか。そして、あなたが教えている技術は何ですか」。ゴルギアスは答えた。「弁論術だよ、ソクラテス」[8]

最初のうちは、ゴルギアスは自信満々だった。弁論術には大衆を説得する力があり、「この言葉を発する能力があれば、医者を奴隷にも、体育教師を奴隷にもできるだろう」と言う。そこでソクラテスは質問を始める。

ソクラテスはゴルギアスに早々に認めさせる。「弁論術は……正しいことと不正なことについての信念をもたらすが、それらについての知識はもたらさない」。つまり、説得の技術は真実とは無関係で、聞き手を説き伏せるためだけの手段ということになる。ゴルギアスはこの主張を受け入れる。「ソクラテス、弁論術はほかの対戦の技術と同じように、相手を選ばず使うようなことがあってはならない。弁論家はプロボクサーと同じように、その力を目的以外に使用するようなことがあってはならないのだ」

ゴルギアスはこの段階で、まわりの人たちが退屈しているようだ、と言って議論をやめようとしたが、人々は続けるように要望した。それで哲学者は議論を再開した。

ソクラテス「実際のところ、あなたは健康に関しても、弁論家は医者より説得力を持てると言うのですね」

ゴルギアス「そうだ。大衆相手なら。そのとおり」

ソクラテス「それは知識のない人々ということですね。もし知識のある人たちが相手でしたら、弁論家は医者より大きな説得力を持つことはないでしょうから」

ゴルギアス「いかにも」

ソクラテス「しかし、医者より大きな説得力を持っているとしたら、知識を持つ者よりも説得力があるということになりませんか」

ゴルギアス「確かにそうだ」

ソクラテス「医者ではないのに」
ゴルギアス「そうだ」

こうしてソクラテスは必要な答えを得て、自分の結論に達した。弁論術は技術というより、喜びや満足感を生み出す一種のお世辞のようなものである。

「それは技術ではなく、単なる経験である。それを提供する本質を明らかにすることも、理由を述べることもできないからだ。私は理屈に合わないものを技術と呼ぶつもりはない」。ソクラテスによれば、弁論術は哲学というより、料理法のようなものだった。この後、ゴルギアスはほとんど口を開かなかった。

この結末をよそに、弁論術は数百年にわたって盛り上がった。キケロやクウィンティリアヌスのような古代ローマ人はこのギリシャの伝統をさらに向上させ、中国人やインド人は独自の理論や規範をつくりあげた。中世ヨーロッパの大学では、修辞学は算術、幾何学、天文学、音楽、文法、論理学とともに自由七科を構成した(9)。

しかし、約二〇〇〇年の年月を経て、ぼくはソクラテスが相手を説き伏せた結論から逃れられないでいた。最近では「ソフィスト」という言葉は侮蔑に使われ、「レトリック」は「単なる美辞麗句の使用」を意味する。これといって中身がないのにもったいぶって披露するスピーチを切り捨てる言葉だ。修辞学の技術に関しては、大昔の遺物あるいは政治や文化のエリートがたしなむ贅沢品と思われている。こうしてこの言葉は、「率直に語る」「はぐらかしは許さない」といったテロップとともに語る扇動政治家やテレビの司会者によって、さらに愚弄されることになった。

ハーヴァード大学でさえ、ジョン・クインシー・アダムズの演説から約二〇〇年がたち、修辞学は完全に隠居してしまったように見える。学生が経済学、コンピューター科学、統計学、生命科学といったこの大学でもっとも人気のある科目の入門過程に入ると、食堂でのとりとめのない会話は、講義の課題をめぐる議論に変わる。[10] 人文科学でも、話すことに対する消極的な姿勢が感じられる。かつては必修だった人前で話す授業は、今では選択科目となり、人数も約八〇名が上限となっている。直近のボイルストン教授二人は詩人だった。[11]

数世紀にわたって修辞学が衰退してきた背景には、重なりあって影響をおよぼした事象がいくつかあるように思える。まず、近代科学の発展が、修辞学は正確性と合理性に欠けるという見方を推進した。一七世紀のイギリスで、哲学者フランシス・ベーコンは、科学的な手法によってなしえた発見を伝えるのにふさわしい修辞法の形を求めた。「創意に富んだ形」は否定しなかったが、「演説らしく見せる飾りや、重宝される流暢さ、それから空虚さといったもの」を取り除いた簡素な形を提唱した。[12] この考え方は根強かった。

それから、印刷技術の出現と大量出版の実現が、伝達方式を口頭から文書に変えた。一八七〇年代にハーヴァード大学の新学長チャールズ・エリオットは、カリキュラムを学生共通のものから、一人一人が「適性や特別な才能」に従って選べるように、選択可能なものに変更することにした。[13] 一部の必修科目については、二三〇年あまりの歴史のなかではじめて弁論術を必修から外し、代わりにはじめてライティングの授業を必須とした。世紀が変わるころには、アメリカの多くの大学がこれになららい、「四年のあいだに履修できた修辞学をなくし、代わりに一年間の作文コースを初年度の必修とした[14]」。

さらに、多様な社会が文化的な自由度を高めるにつれて、優れた言語という伝統的な考え方が衰えた。一九二〇年代に設立されたBBCは、正しい発音を助言する著名人による諮問委員会をつくった（privacy は prive-acy と発音し、respite は respit と発音するなど[15]）。諮問委員会は第二次世界大戦後になくなり、BBCではさまざまな地域のアクセントが聞かれるようになった。最近では、シンガポールのシングリッシュなど、好ましくないと思われた言語を見直そうとする風潮もあり、優れた修辞法という普遍的な概念への興味が薄れる一因となっている。

最後に、修辞学への興味の減少は、反エリート感情の高まりと関係がある。今日の「政治に関する発言」を軽視する風潮は、政治リーダーによる嘘や言い逃れを含めた言葉のひどい扱いを思えば、当然の反応だろう。さらに、有力な人物が人々の利益に反することをしながら、その一方で熱弁をふるっているのではないかという疑惑もある。この意味で、当時ロンドン市長だったボリス・ジョンソンが、チャーチルの演説のなかの「首句反復を伴う、語の長さが徐々に短くなる三重文肢構造《トリコロン》」の話を延々としているのを聴いたときには、やはり不快だった[16]。

二〇一三年九月のはじめ、大学の前期が始まって数週間というころ、ぼくはこれまでのこうした流れのすべてが集まって今をつくっているのだろうと思った。こうして考えると、単純な問いが浮かんできた。現代においては、どのような修辞法が好ましい（あるいは可能な）のだろうか。

＊＊＊

毎週月曜日の夕方になると、ファナーレはストラウスのぼくの部屋に寄り、それから二人で、二四時間開いている、換気が十分とはいえないラモント図書館に向かった。ディベートのトレーニングは七時からだった。大学のパーラメンタリー・ディベートチーム、ハーヴァード・カレッジ・ディベーティング・ユニオン（ＨＣＤＵ）は、世界最高のチームの一つだった。しかし、オックスフォードやケンブリッジのチームと違って、専用の建物も部屋もなかった。そのため五〇名あまりのメンバーは、意見を戦わせるための会場を探していつもキャンパスを放浪していた。

大学と高校のディベートの違いはわずかだったが、その影響は大きかった。大学では一チームの人数が三名から二名になり、各人および二人の協力関係に高校時代よりプレッシャーがかかる。参加者も変わった。多くの高校でディベートは早熟な子供の避難所だったが、大学には数えきれないくらいのクラブや活動がある。だから、本当にディベートをやりたい者だけが残り、彼らは鍋底に残った砂糖のように、くっついて離れず、密度濃く、そして苦くなっていく。

ファナーレとぼくは、自分たちには十分な参加資格があると思って門をたたいた。毎年三〇名ほどの新入生が入ってくるが、数カ月のうちに約二〇名が勝てそうもないと気づいてやめていく。ぼくたちは二人で最後まで勝ち残るつもりだった。

ぼくたちをここまで強気にしたのは、互いに対する敬意だった。ほかの学生たちは学問の世界にふさわしい無味乾燥で正確な言葉を使っていたが、ぼくたちは大きな考えや派手なフレーズに飢えていて、その渇望を満たすべく午後も夜も話しつづけた。ファナーレはぼくより一歳上のわずか一九歳だったが、ぼくにはない自信を持っていた。よく響く声で政治や社会の道徳規範について主張した。冗談に笑うときには、転げまわって笑った。二人の意見が合わないとき、ぼくはよく自分のなかに矛盾を感じた。考えを変えて自分の意見に賛同してほしいと思うと同時に、そのままでいてほしいとも思った。

最初の数週間、ぼくたちはユニオンに一つだけ不満があった。月曜日のトレーニングでは実際にしゃべる機会がなかったのだ。代わりに、細身で知的な三年生のダニエルというコーチが金融危機や戦争法について真剣な講義をしてくれた。もう少し実践的なレッスンですらつまらなかった。九月第三週の月曜日、冬が近いことを思わせる肌寒い夜に行なわれた四回目のトレーニングで、ダニエルはノートを取るように言った。「今夜は〝フロー〟つまり、相手の発言中にノートを取る練習をする」。そう言って、過去のテーマやさまざまな議論を収めた灰色の分厚いフォルダーを開き、動物の倫理的扱いを求める人々の会（ＰＥＴＡ）が書いた厳格な菜食主義を支持する文章を読みはじめた。

毎年、数百億という数の動物が食用として殺され、多くが絶え間ない恐怖と苦痛にさらされている。今アメリカでは食用のために殺される動物のほぼすべてが、家族から引き離されて不潔な小屋に押しこまれ、劣悪な環境で一生を過ごしている。痛みどめも使われずに切断され、彼らにとって当然あるべき大切なものはすべて奪われる。殺される場所では、多くの動物がわかっており、逃げようとする。(17)

読者の皆さんだったらどういうメモを取るだろうか。問題はこの文章が説明的だということだ。主張はすべて著者の結論を支えるものでなければならないが、すべてが具体的な反応に値するわけではない。たとえば、小屋が不潔という主張に反論するのは、論点がずれることになるだろう。ぼくは高校でメインの主張を区別するいい方法を学んだ。相手の結論を取りあげ（「私たちはヴィーガンになるべきだ」）、そこに「なぜなら」とつけくわえて、相手がどう文章を完成させるか考えるのである。すると、文章に隠れた二つの重要な主張が明らかになる。

私たちはヴィーガンになるべきだ。なぜなら……

・動物はぞっとするような環境で飼育されているから。
・動物は受け入れがたい方法で殺されているから。

この上級篇をリアルタイムで行なうのは難しい。ダニエルがいくつもの議論を読みあげるなか、ぼくたち新入生は必死でついていった。ものすごいスピードでペンを走らせてページを埋めていく者もいた。少しずつ遅れていっても決して冷静さを失わず、もくもくと書く者もいた。秘書の技能試験を受けているかのように時間は過ぎていった。試験だったら、結果は全員不合格だったろう。「練習あるのみ」。ダニエルはそう言って部屋を出ていった。

強い風が吹くなか暗い庭を横切って寮に戻る途中、ファナーレとぼくは不満をぶちまけた。ユニオンが重視する緻密な訓練は、ぼくたちが考えるディベート――開放的で熱くてかっこいい――とは相容れないように思えた。ぼくたちはそれぞれの部屋に帰るとき、このひと月は単なるリハーサルにすぎないという事実に慰めを見出した。「練習は練習。ディベートはディベートだ」。ファナーレは言った。一年にわたって毎週、全米各地で行なわれるアメリカン・パーラメンタリーの最初のトーナメント戦が、この週末にマンハッタンのコロンビア大学で始まろうとしていた。

＊＊＊

九月二〇日の金曜日の正午ごろ、ブロードウェイを右折したファナーレとぼくは、目の前に広がる光景に思わず足をとめた。ほんの少し歩いただけで、重厚な赤レンガの建物の並びは、人が大勢いる広場に変わった。バスに五時間揺られてきたせいで、ぼくたちの髪はもつれ、服もよれよれになっていたが、そよ風にふかれて気力が戻ってくるのがわかった。

図書館本館への階段の途中で、ファナーレはイオニア式の柱と青緑色の屋根の写真を撮った。それからぼくの肩に手を回し、いよいよだぞ、と言った。

「総会議場」――競技参加者が次の試合の開始を待つ広い待合室のことを大げさにこう呼んでいる――は、緊張した空気と時間がたったコーヒーのにおいに満ちていた。全米からやってきた百名ほどの大学生は、暖かい会場のなかをぶらぶらしながらうわさ話をしたり、とりとめのないおしゃべりをしていた。ファナーレとぼくはなかに入っていくことも、外に出ることもできずに、会場後方の出入り口近くに立っていた。

一戦目は、ペンシルベニア州のリベラルアーツ・カレッジ、スワースモア大学から来た緊張した面持ちの一年生二人と対戦した。大きすぎる眼鏡をかけた小柄な男性と、何やら恐ろしそうなことをぶつぶつ言っている女性の二人が先頭に立って、別棟の指定された部屋に入った。小さなセミナールームのテーブルについたとき、ぼくはディベートではしばらく経験したことのなかった緊張感を覚えた。だが、スワースモアの最初のスピーカーが態勢を整え、軍事用ドローンの使用禁止についての意見を述べはじめると、体はいつものリズムに戻った。

ぼくたちはスワースモアをくだし、その後夕方まで、有給の育児休暇から自由貿易のマイナス面まで議論して勝ち続けた。普通に考えれば、最初のうちは自分たちの強みを隠して時機を待つのが鉄則だろうが、ぼくたちは逆を行った。身につけたスキル――四つのWに答え、鋭い質疑応答を繰り出す――をすべてさらけ出し、三人もいない観客がまるで大群衆であるかのように話しかけた。

その夜一一時ごろ、ぼくたちは安いピザとぬるい炭酸飲料でとりあえず祝った。対戦成績は四戦全勝、決勝ラウンドに進めるのは確実だった。壮大な夢と厳しい現実を語りながら、ぼくたちは混雑したレストランを出てアムステルダム・アヴェニューを歩き、ぼくたちのために寝る場所をつくってくれたファナーレの同郷の友人の寮に向かった。

どんよりとした曇り空で迎えた翌日の午前中、議論はどんどん白熱していった。ぼくたちは予選ラウンドの最後の試合で勝利し、さらに決勝ラウンドの初戦でブラウン大学の四年生からなる強豪チームをくだした。ぼくたちの快進撃は、結果を見守るトーナメントの関係者全員に衝撃を与えた。ぼくたちは試合と試合のあいだは総会議場から廊下に出て、遠くから偵察されていることを意識しつつ、音楽を聴きながら歩き回った。

午後二時ごろ、準々決勝の開始を告げるアナウンスが響いた。「準々決勝はEG〇一四教室で行ないます。肯定側、ハーヴァード。否定側、ベイツ。審判、コネリー、ヘス、ゴーシュ」。ぼくたちが荷物を取りに総会議場に入ると、群衆が分かれて道ができた。ハーヴァードの先輩たちの多くはすでに敗退していたが、ぼくたちを応援して助言をくれた。「こっちから仕掛けろ」「顔をあげるのを忘れるな」「深呼吸！」ぼくたちは地階におりた。

EG〇一四教室は、そのにおいと温度がボイラー室のようだったが、そんなことは関係なかった。そこには三〇人以上のほとんど知らない人が集まっていた。ぼくたちが入っていくと、一斉に振り向いてこちらを見た。対戦相手のベイツ大学は、メイン州にあるリベラルアーツ・カレッジで、すでに席について忙しくしていた。審判を楽しませようと、自分を卑下した冗談やお世辞から勝利宣言まで脈絡なく語っていた。二人のうち攻撃的なほうの背の高いモヒカン刈りのデイナという女性が、あくびをしながらぼくたちを迎え、「やっと来たわね」と言った。

やがて部屋は静まりかえり、ぼくは立ちあがって聴衆に向かった。論題が読みあげられた。「社会正義を求める運動は、立法より司法を通じて推進すべきである」。その多くが興奮のあまり紅潮している聴衆の顔を見て、ぼくは最初から皆を圧倒しなければならないと自分に言い聞かせた。注目されたチームが期待に応えられなければ、あっという間に攻撃の対象になる可能性があるからだ。だからぼくは厳しい表情のまま部屋を見回し、話しはじめた。
「正義の繰り延べは、正義の否定です。寄付金にひざまずき、自己保身にいそしむ臆病な政治家の手に、長年無視されてきた人々の命を託すかぎり、次の世代も拒絶と無関心の冷たさを知ることになるでしょう」

聴衆のなかに動きがあるのを感じた。最初は気のせいかと思ったが、次第にその音は大きくなっていった。「政治が極度の低温状態にあるこの時代に、司法は今も変わらず希望の砦です。民主主義に欠かせないこの安全装置を頼りにできるのはすばらしいことです」。部屋の片隅で最初は抑えていた忍び笑いが大きくなり、それから静かになった。ぼくは海に漕ぎ出していた。汗に濡れてへとへとになって足取りも怪しく席に戻ったとき、ぼくは陸に戻ったような気がした。

デイナが立ちあがってスピーチに向かった。演台に向かう彼女と目があったとき、その緑色の目を見て、彼女が重要なポイントを押さえているのがわかった。デイナはメモを置き、それから用意はいいかと笑顔で皆に訊いた。落ちついた声だったが、力強かった。「今のは何だったのでしょう？」デイナはそこで話をとめ、聴衆が身を乗り出すのを待った。「あの二人は口はよく回ります。聞こえはいいですが、大して中身はありません。単なるレトリックです」
「司法が社会に進歩的な結果をもたらすという彼らの主張について考えてみてください。正義、平等、民主主義。ええ、ええ、わかりますよ。それで彼らは理由を言いましたか。政治的に選ばれ、先例に縛られるエリートの手に、私たちの未来をゆだねても大丈夫だという理由を」

ディベートで経験することのなかで、敗戦に向かう議論を見守るのは最悪の部類に入る。ギブアップはできない。競技者および目撃者として、自分が破滅するのを見続けるしかない。対戦のあと、向こうは満足げな笑みを浮かべ、仲間たちはほめそやした。四時ごろぼくたちの負けが確定し、ファナーレとぼくは荷物をまとめて、ボストン行きの早いバスに乗ろうと乗り場に急いだ。通りを集団で黙々と歩きながら、ぼくは特に気にかけてくれた二年生の先輩を慰めた。「心配しないでください。ファナーレとぼくには次回があります」

その週末の残りは、話を聞いてくれる人全員（ジョナとファナーレしかいなかった）に、大学のディベート界に対する不満をぶちまけて過ごした。「レトリックが完全に無視されている。なんだよ、ディベートで〝口がよく回る〟って」。ぼくは寮の軽い集まりの隅で嘆いた。二人はぼくの不満に耳を傾けてくれたが、やがてそのうなずきに忍耐の影が見えはじめた。

月曜の夜のディベートのトレーニングで、一年生はまたフローの練習をした。相変わらずきつく、ダニエルの「手の筋肉を鍛えないと」という言葉にぞっとした。ダニエルが傷病手当の適切な制度についての主張を読みあげていたとき、ぼくは土曜日の準々決勝で気になることがあったのを思い出した。ぼくが最初に話しているとき、聴衆のなかの何人かがペンを出してメモを取っていたのだ。

思い出して最初は困惑したが、やがて別の問いが浮かんだ。彼らは何を書いていたのか。あのときぼくは論題に対する自分の立ち位置を示し、政治家に対してどう思っているか伝えた。また、ぼくの主張に同意することがいかに重要であるか、聴衆に語りかけた。それ以外に聞き手が記録するような内容は思いつかなかった。

それはある程度、意図したことだった。聴衆には、ぼくの主張に押されて言葉を失ってもらいたいと思っていた。しかし、結果として、聞き手をこちらに引きこむことに失敗した。ぼくが言っていることの意味を理解し、自分で検討する機会を与えられなかったのである。相手の心を動かす見ごたえのあるものを用意したつもりが、単なる見世物で終わってしまった。

話し方については、議論の助けにする以前に、まずは邪魔にならないようにしなければいけないというのはわかっていた。「数える」「やり直す」「罰を受ける」といった練習はそのためにやっていた。口癖や話し方に問題があれば、それを除かなければならない。聞き手は実際のメッセージよりもそちらを先に受けとめかねないからだ。

しかし、スピーチだけではなく言葉一つ一つも明確にするために、同じように努力したことはそれまでなかった。

トレーニングが終わったあと、ぼくは寮で机に向かって、明確にするためにどうすべきか書きはじめた。

まずは個別の言葉についてルールを決めた。

言葉		
ルール1 抽象的な言葉は使わない。	その言葉を内包する大きな概念で言いかえない。あるいは、具体的な言葉があるのに抽象的な言葉を使わない。議論を広げて大きく見せたいとき、こうした言葉を選びがちだ。しかし、それによって聞き手は話についていくのが難しくなる。	**悪い例**「われわれの教育システムは崩壊している」 **良い例**「小学校から大学までどこも資金が不足している」

それから文章について考えた。

文章		
ルール2 まぎらわしい比喩は使わない。	比喩は主張の強い香辛料のように扱わなければならない。一つ一つを明らかにして使い、決して混ぜないこと。一般的な言い回しのなかには、実際には比喩であるものがあるので注意する――「もみ殻と小麦は分けること」〔良いものと悪いものを選別するという意味〕	**悪い例**「不正は力を持ち、私たちが吸う空気に蔓延する」 **良い例**「不正は力を持ち、私たち全員を支配する」
ルール3 必要以上に条件をつけない。	条件をつけたり、例外にしたり、反論したりするのは、主要な論点が明らかになるまで待つ。完璧を目指して、メッセージを伝えるという基本的な任務がおろそかになる。	**悪い例**「生存権は、どう定義するかは難しいが、それでも私たちが持つ権利のなかで重要なものの一つである」 **良い例**「生存権はもっとも重要な権利である」

最後にパラグラフである。

パラグラフ		
ルール4 重要な部分を後回しにしない。	結論からはじめて、必要最小限の説明でそれを裏づける。そうすれば主張の向かう先がはっきりし、自分たちが軌道に乗っているかどうか確認できる。	**悪い例**「この提案は費用効果の面から見れば有効だが、広報の面でリスクがある……だから支持しない」 **良い例**「この提案を採用すべきではない。私が思うに、その代償として……」
ルール5 深く考えずに繰り返さない。	効果を考えずにメッセージを繰り返すのは避ける。一般的に同じ主張を言いかえて繰り返すとメッセージが薄まるし、聞き手がこうした形式に慣れていなければ、圧倒されるように感じる。経験上、メッセージが伝わったと八〇パーセントくらい満足できれば、次に移るとよい。	**悪い例**「子供たちは新しい学校に不満を抱えている。子供たちが満足していないのは明らかだ。学校は子供のために適切に機能していない。子供たちはひどいと言っている」 **良い例**「子供たちは明らかに新しい学校に満足していない。私たちはなんとかしなければならない」

どのルールもありふれたものだった。足し算より引き算を重視し、「中間休止《カエスーラ》」や「提喩法」といった高尚な言葉は使っていない。しかし、ぼくから見れば、これらのルールはレトリックの別の側面を体現しているように思えた。つまり、畏敬の念ではなく真実を求め、根本にある考えを補うのではなく強化しようとすれば、レトリックの力を開花させることができるのではないか。

＊＊＊

一年生が終わるまでに、ファナーレとぼくは競技ディベート界で足場を固めた。二人でトーナメントを勝ち抜いたことはなかったが、それぞれ実力をつけ、呼吸のあったパートナー同士になった。折に触れ「口が回る」やつとぼくをからかう者もいたが、真剣な批判ではなかった。その間、大学では、学問の世界の重々しい書き方や話し方を学んだ。春学期には哲学から距離を置いて、もう少し自由な政治理論や英文学を学んだが、そのまえに心の哲学の先生から、「感情に流されない冷静な文体」という無味乾燥なほめ言葉をもらった。ぼくは進歩しているのだと解釈した。しかし、身近な友人は逆方向に向かっていた。

ジョナは大学一年目に、反ディベートの道を進んでいた。彼は宗教学と英文学と社会学の講義をとっていた。もともと共感力が高い彼は、話をするときに理由や証拠と同じように感情や直感にも頻繁に触れた。きれいに整えられた口ひげは、やがて見事なあごひげになった。政治に関しては、どちらかの側につき、その成功のために活動した。ディベーターがある試合ではリバタリアニズム（自由至上主義）について主張し、次の試合で民主社会主義について議論することになじめないようだった。「それが何の役に立つんだ？」ぽかんとしたぼくを見て、彼はつけくわえた。「その、つきつめれば、ってことだけど」

ぼくがトーナメントのために毎週末、遠征しているあいだ、ジョナは根を下ろし、大学に化石燃料企業とのかかわりを断つよう要求する運動に参加するようになった。春学期の終わり、二〇一四年四月最後の水曜日、グループは大学本部がこの件について公開の会議を開くことに同意するまで、学長の部屋を包囲することにした。ジョナはぼくにも声をかけてきた。「面白いかもよ。　説得のための演説もするから」

すわりこみはどんよりと曇った夜明けに始まった。寮の自室の窓からは、通り雨のあとのもやの向こうに、参加者の鮮やかなオレンジ色のTシャツやプラカードが見えた。朝食後、ぼくはジョナのところに行った。外は驚くほど寒く、抗議する人たちの髪は雨と風でぐちゃぐちゃになっていた。ジョナは五〇人ほどいる参加者の前方に立ち、両手で大きなプラカードを持っていた。参加者たちがコーヒーと食料にシード類しか用意していないのを見て心配になったが、それを指摘するとジョナに追い払われた。

やがてみんなが半円を描き、演説者がマイクの近くに並んだ。ぼくは後ろに下がった。最初のほうのスピーチは難航した。話すときにマイクに近づきすぎていた。「みんな聞こえるか？」というゼロ地点から「われわれは大量絶滅の危機にある！」という頂上までわずか数秒という演説ばかりだった。

そこにはジレンマがあった。重要な問題なのは間違いないが、熱狂的な信奉者以外で、朝食後すぐに大量の事実を消化できる人は少ないだろう。ぼくは一つの解決策として、提案している話し合いに重きを置いて演説した方がいいのではないかと思った。つまり、気候変動の解決策ではなく、学長との公開会議を訴える。このときディベートについて追加のルールが思いうかんだ。

バランス		
ルール6 感情に走らない。	述べようとするものと口にする言葉の調子を合わせるようにする。そうしなければ感情が先走ってしまい、感情と状況がそぐわないスピーチになる。そうなったときによく見られるのが、大げさな表現や遠回しな表現である。	**悪い例**「これは大惨事だ！」 **良い例**「私にとってこれは都合が悪い」 **悪い例**「これは悔やまれるミスだ」 **良い例**「われわれのミスのせいで人々の職を奪うことになる」
ルール7 ほのめかしはしない。	表立って支持したくない結論をほのめかすようなことはしない。ほのめかしによく使われるのが犬笛〔犬を呼ぶために、人間には聞こえない周波数を使った笛〕だ。あとで否定できるように、婉曲的な言葉を使って立場を示す。議論の代わりに修辞的な質問をする方法もある。	**悪い例**「私たちの生活を守りたい」 **良い例**「移民を減らし、同化できるようにすべきだと思う」 **悪い例**「月面着陸について政府は何を隠しているのか」 **良い例**「月面着陸はでっちあげだ」

しかし、演説に立った者のなかにはすばらしい話をする者も何人かいた。少々間が抜けて見える若者はアメリカ中西部出身で、ずっと環境に関心を持たずに生きてきたのに、なぜこの運動に加わったか語った。筋金入りの活動家は、化石燃料のパイプラインが地域社会を追いやったと語った。

彼らは壮大な主張はしなかった。たくさんの論点ではなく、一つの論点について語った。理屈や抽象論ではなく、エピソードや描写を根拠にした。ディベートの観点から言えば、彼らのスピーチは効果的とは言えない。しかし、魅力があったのは否定できない。ぼくは彼らが人間的な側面をどのように説得力につなげたのか考えずにはいられなかった。

人間性		
ルール8 そこにいたる過程を明らかにする。	何を信じるか、なぜそれを信じるのかだけではなく、どのようにそれを信じるにいたったのか語る。聞き手は自分の考えを変えるのを怖がることが少なくない。話し手がどうしてそう思うようになったのかを知りたいと思う。そうすれば信頼して共感できるかもしれない。	**悪い例**「裁量の余地のない判決は重大な不当行為だ」 **良い例**「私は裁量の余地のない判決は重大な不当行為だと思うようになった。その理由は次のような経験をしたからだ」
ルール9 利害関係者を明らかにする。	利益と害はそれ自体が目的になることはめったにない。誰かにとっての益であり、誰かにとっての害なのである。聴衆にはそれが誰かを示し、なぜその利害を検討すべきなのかを明らかにする。	**悪い例**「アルコールの禁止は闇市場につながる」 **良い例**「アルコールの禁止は、依存症患者や子供を食い物にする不法な市場をつくる動機を犯罪者に与える」

スピーチはどれも数分で終わった。総じて文章に粘り強さは感じられなかった。だが、いくつかのくだりや言い回しは心に残った。それらは努力や意図が反映されたものであるのと同時に、直感の産物でもあるように感じた。話し手はただ適切な言葉を見つけたのだ。ディベートでは、このように聞き手の琴線に触れる話をアプローズラインと呼ぶ。

華やかさ		
ルール10 アプローズラインを見つける。	厳密なルールはないが、アプローズラインには大まかな特徴がある。短い、完結した考えが表現豊かに示される、冗長ではない、独創性がある、理想主義的といったものである。	**悪い例**「良い市民はただひたすら要求し続けるようなことはしない。自分なりのやり方でできる貢献を探す」 **良い例**「問うべきは、国があなたのためにできることではなく、自分が国のためにできることである」

その日の午後、ぼくはジョナを捕まえて、集会で得た教訓について話した。聴衆は調和、人間性、品格を示すレトリックを求めている。いずれも人間が持つ本能から生まれるもので、この三つすべてを行使する話し手は、合理的な議論ではできない形で人を説得できる。

ジョナはぼくの話を聞いて、そんなことは知っているという顔をした。「考えが人を動かすんじゃない。人が人を動かすんだよ」。肩をすくめてそう言った。

ソクラテスはゴルギアスに、レトリックは人の欠陥――騙されやすさ、理性の欠如、気まぐれ――を利用するから悪だと言った。だが、逆もまた真ではないか。欠陥があるからこそレトリックを必要としているのだ。

誰かを説得しようとするとき、ぼくたちは無知や不合理だけではなく、無関心、冷笑、軽視、利己性、虚栄心とも戦っている。こうした障害は集まって、「ソファから立ちあがる」ときのハードルとなる。この世の中で行動を起こすよう人を説得するのは、信じられないくらい多大なエネルギーが必要なのだ。このハードルは自分を正当化し、説得から逃れさせてくれる。それを理解しても（さらには認めても）、自分の気持ちや行動を変えるのを拒んでしまう。

こうした惰性に対して、スピーカーは自分自身の巨大な力を呼びおこさなければならない。ぼくたちの美徳——共感、同情、哀れみ、道徳的な想像力——を喚起するレトリックと悪徳を対峙させることで、勝機が生まれるのではないだろうか。

ジョン・クインシー・アダムズ、聖職者ジョゼフ・マッキーンに次いで三人目のボイルストン教授になったのは、二八歳の雑誌編集者エドワード・ティレル・チャニングだった。一八一九年の就任式で、チャニングは古典的な修辞学の死を宣言した。かつて社会は「不安定で乱れていた」が、今は組織化されて教育も整っている。弁論術は古代の人々を熱狂させることができたが、現代の人々は昔より洞察力がある。

結果として、演説する個人の力は激減した。「それはかつての有力者ではない」とチャニングは言った。「（今では）雄弁家は、共通の利益について皆で検討する大勢のなかの一人にすぎない[18]」

ぼくにはこれが大きな損失だとは思えない。もし、現代に修辞学を復活させる材料が過去の灰のなかに見つからないとしたら？　ぼくたちが何か新しいものをつくるしかないだろう。それは人々に何かを強いる話し方ではなく、人々の心をつかむ話し方である。

＊＊＊

大学では五月の終わりが一学年の終わりとなる。太陽が日増しに高くなり、湿度を増すなか、ぼくは三人のルームメイトと一年生の寮を出て、二年生用の寮に移った。ジョナとはもう一年いっしょに住むことになり、ぼくたちはこれからルームメイトになる共通の友人のジョン――ジョージア州アトランタ出身のおおらかな男で、フリスビーのチャンピオン――とともに、夏休み前の数日間で小さな箱に自分たちの荷物を詰めた。

半分ほど空になった寮の外では、管理人たちが深紅の巨大な大学旗を庭に広げ、大量の折り畳み椅子を並べていた。一年のほとんどの期間は、大学は縦割りで運営されている。しかし、卒業シーズンの短い期間だけは別だ。世界から約三万二千人が集まってくる。その目当ては卒業証書とたくさんのスピーチである。

卒業式でスピーチをするのは名誉なことで、学生には二回チャンスがある。一つは、仲間に選ばれて卒業祝賀会でするスピーチ。もう一つは大学に選ばれて卒業式でするスピーチだ。これらの選考過程は大学側に慎重に管理されている。しかし、一八〇〇年代にはクレメント・モーガンという男がこの過程を混乱させたことがある。

ハーヴァードの歴史の初期には、卒業祝賀会のスピーカーを選ぶにあたって不文律があった。「西部と南部の出身者、ユダヤ人、アイルランド人はだめ、ましてや黒人なんてとんでもない」[19]。そのためボストンの名家を意味するボストン・ブラーミンの子息が選ばれていた。しかし、一八九〇年の卒業生はこれに反旗を翻した。彼らは一票差で、奴隷の家に生まれた優秀な演説者クレメント・モーガンを選んだのである[20]。

国中の新聞がこの話を伝え、なかには卒業式の日にはボストン社交界に「黒人の洗濯女」が登場するのではないかと笑う者もいた。だが、それで終わりではなかった。一八九〇年五月、卒業式の一カ月前、大学側は卒業式で演説する六人を選ぶ、毎年恒例の選考会を実施した。卒業生のおよそ十人に一人、四四人の学生が、七人の審査員のまえで演説を競った。選ぶ側にはボイルストン修辞学・雄弁術講座の当時と未来の教授がいた。クレメント・モーガンは、奴隷制廃止運動の指導者ギャリソンについて演説し、ここでも選ばれた。しかし、このときは彼のほかにも選ばれた者がいた。実のところ、彼より評価が高く、五人の審査員が最高点をつけた。もう一人のアフリカ系アメリカ人の学生、W・E・B・デュボイスだった。

学内には二人の黒人が選ばれたのは問題だとする者もいた。学長のチャールズ・エリオットが（二人を演説者にすることに反対して）この問題に割って入り、週末に熟考した結果、委員会はモーガンの代わりに白人の学生を選んだ。法学教授のジェームズ・セイヤーは、この「すばらしい機会を却下する嘆かわしい決断」に辞意を表明し、「それを語るにふさわしい奴隷の息子である生粋の黒人が、自分の人種の大義を掲げて感銘を与えるような演説は二度と実現しないだろう」と述べた[21]。

六月二〇日の金曜日の朝、卒業生は中庭に集まり、それから祝賀会会場のサンダース劇場に移動した。空は晴れわたり、夏の暑さを和らげるさわやかな風が吹いていた。しかし、劇場内はどんよりとして湿度が高かった。中央にある約四七〇キロの巨大なシャンデリアを含むたくさんの照明が、マホガニーの椅子の列を照らしていた。

クレメント・モーガンは祝賀会のスピーチの題を、エマーソンの一句を取って「ふたたび助けることができない者を助けよ」とした。スピーチは一般的な卒業の祝いの言葉から始まった。ほろ苦い思い出を語り、母校を称賛した。しかし、途中で辛辣な比喩を持ち出した。

人前で話をするときには、もっとも遠くにいる人に声が届くように話すべきだという。いちばん遠くにいる人が聴こえるなら、ほかの人も全員聴こえるだろうからだ。では、皆さんは世界とかかわるときに、あるいは人々に奉仕するときに、最下層の人に届くように行動しているだろうか……私が言っているその人は、あなたたちのように恵まれた環境におらず、不利な闘いを強いられ、無知、無礼、みじめさの極みにいるかもしれないが、不完全な人間なりのやり方で、より高く、より良く、より高潔で、より正しいものを求めてもがいている――どうかその人に手をさしのべてほしい(22)。

こうした言葉で、モーガンは自分個人の経験から一般的な行動規範に話を広げていった。卒業生に訴えたかったのは、「民主主義を絶対に失敗させない」ために、その力をもってできることをすべてしてほしいということだった。

五日後、同じ劇場で、W・E・B・デュボイスが卒業式のスピーチに立った。そのテーマに元アメリカ連合国大統領のジェファーソン・デイヴィスを選び、彼のことを「ほかの人を自由にしない自由を得るために闘った人々の特異な英雄」と述べた。デュボイスが語ったデイヴィスは単なる一人の男ではなく、国の矛盾の体現者だった。

この国が文明化の過程にあるというのは矛盾した言い方であり、ほかの人種の荒廃を前提にある人種の勃興を目指す人類文化体制はばかげており、まやかしだ。しかし、これこそジェファーソン・デイヴィスが描いた文明なのである。[23]

このようにデュボイスはモーガンとは反対方向に向かっている。彼はアメリカ連合国のリーダーの評伝のなかの抽象的な概念を具体化してみせた。このスピーチは聴衆の心に届いた。ある教授はワシントンのある雑誌にこう書いた。「デュボイスという、卒業式のステージに立った黒人の演説者は大成功を収めた。彼が式典の主役だったことについては、私が会ったすべての人が同意している」[24]

＊＊＊

夏休み直前の晴れやかな金曜日の朝、中庭を歩いていて、ハーヴァード記念教会の近くに大きなステージが設営されているのを見て、ぼくは一八九〇年に二人の学生がなしとげたことに思いを馳せた。ステージに向かう二人は特に目をひく姿ではなかったはずだ。モーガンは身長約一六八センチで広い肩幅を持ち、デュボイスは細い体で口ひげはきれいに整えていた。劇場の後ろからは、どちらも親指ほどの大きさにしか見えなかったはずだ。その遠くの人物が話しはじめたとき、聴衆の目には次第に大きくなっていったように見えたことだろう。

二人はこのあとそれぞれキャリアを切り開いていく。クレメント・モーガンはハーヴァードのロースクールで学び、人権弁護士として、そして地元の政治家として働いた。W・E・B・デュボイスは黒人ではじめてハーヴァードで博士号を取得し、全国有色人種向上協会の設立に尽力した。

卒業式のとき、彼らはこれからキャリアを築こうとしている若者で、自分の主張で大勢の人を納得させた。二人がハーヴァード大学に入学したとき、修辞学は衰退の過程にあり、どの大学でもライティングのクラスがそれに代わりつつあった。弁論術は非難や追放の道具として使われることが多かったにもかかわらず、彼らは雄弁なスピーチによって爪痕を残そうとした。そうして、数千年にわたって批判され、ばかにされてきたにもかかわらず、決してなくならなかった修辞学の伝統をつないだのである。

数日前、ぼくはマレーシアのクアラルンプールで一二月に開かれるワールド・ユニヴァーシティズ・ディベーティング・チャンピオンシップに、ファナーレといっしょにハーヴァードのトップチームとして参加することになった。本番を考えると気おくれし、この先七カ月の厳しい特訓を思って恐怖を感じた。しかし、言葉とスピーチを真剣に受けとめ、その努力に報いるコミュニティに属していることに安心感も覚えた。

中庭の向こう、おそらく百メートルほど先では、今年の卒業スピーチのリハーサルが行なわれていた。身長一六五センチくらいの豊かな髪をおろした学部の卒業生が、記念教会の立派な柱にかかるニレの木の下に立っている。彼女が力強く澄んだ声で、中東での子供時代について語りはじめたとき、彼女とのあいだの距離が縮まったような気がした。

アラブの春に捧げた彼女のスピーチは、人は環境によってつくられるが、それに縛られないと訴えた。作家のランダ・ジャラールから引用し、ある土地に住む経験を次のようにたとえた。「裸足で走り、足の裏に砂、石、サボテン、種、草を集めて、やがて私たちは靴を履く。走りながら集めたすべてを材料にしてできた靴だ」。それから卒業生に向けて言った。これから歩いて大学の門を出て、世界に良い「足跡」を残してほしい、と。[25]

シンプルで品のあるたとえだった。それが心に残っているあいだ、ぼくには世界のなかに彼女が、そして彼女のなかに世界が見えた。

第5章

沈黙

議論すべきときを知る

世界チャンピオンになるには、金を稼がなければならない。ディベートほど金がかからない活動はなかなかない——紙とペンと新聞の購読さえあれば足りる——が、遠征の際の移動と宿泊の費用は多額になり、ユニオンはいつも資金不足に悩まされていた。二〇一四年、ワールド・ユニヴァーシティズ・ディベーティング・チャンピオンシップに向けて、ユニオンのみんなはコーチや審判、受付や引率として、地元ボストンの高校の大会で働いた。ぼくにとって、こうした大会はアメリカの高校のディベート事情を知るいい機会になった。

冷たい風が吹く一〇月のある土曜日の朝早く、ぼくはケンブリッジ・リンジ・アンド・ラテン・スクールの重いドアを押し、隙間からなかに入った。暖房の効いた本館では、あふれんばかりの音に耳をふさがれ、水中にもぐったときのような感覚に陥った。アメリカの高校生のディベート大会で最初に実感したのは、その規模の大きさだった。ナショナル・スピーチ&ディベート・アソシエーションは、毎年一五万人以上の学生とコーチのために活動し、一回の大会に全米から数千人の参加者が訪れる。[1] 数字では理解していたが、言葉が躍動する環境のなかに身を置くこの経験には、ほかでは味わえない何かがあった。自分が取るに足りない存在であることについての普遍的な理解をもたらしてくれる。

午前中の試合の審判をこなしたあと、昼食まで少し時間があったので、食堂にいちばん近い教室で行なわれている試合を見物することにした。風通しの悪い狭い教室に入って、六、七人の観客に混じったとき、スピーカーの一人で、カリフォルニア州からきた目鼻立ちの整った高校生が演台についていた。彼は一瞬笑顔を見せ、身を乗り出して言った。「皆さん、用意はいいですか？」

ぼくがうなずくまえに、彼はストップウォッチを押し、その瞬間スイッチが入ったように、人間とは思えないスピードで話し出した——前のめりになって体は一切動かさず、口だけが動いているように見える。

シリアの戦争は過去一世紀で最悪の悲劇の一つでありすべての自由国家はこれをとめるためのあらゆる手段を取る責務がありこの非人道的行為についての責任を負わせるために下院はシリアに軍事介入をする有志連合を募る決議をした。

話し手の息が切れた。溺れている人を思わせる呼吸で、ハッハッと大きく二回息を吸いこんだ。顔の輪郭あたりが青くなりはじめたのを見て、ぼくはこのまま黙って見ていていいのかとまわりを見回したが、みんな平然としていた。

＊＊＊

その日の午後、ぼくはインターネットで少し検索して、自分が見たものが「スプレッド」だと知った。「政策ディベート」として知られる形式の競技ディベートでよく見られるものだった。スプレッドとは、一分間に三五〇語から五〇〇語のスピードで話すことを指す[2]。それでも世界最速ではない[3]。その栄誉に輝いたのは、トロント生まれのショーン・シャノン（六五五語／分、一九九五年）で、電子機器のセールスマン、スティーヴ・ウッドモアの記録（六三六語／分、一九九〇年）を破って、その地位を受け継いだ[4]。それは場が最高潮に達した競売人の二倍、普通の人の普通の会話の三倍のスピードだ。

なんとなくでそんなスピードで話せるようになる人はほとんどいない。スプレッダーを目指す人たちはさまざまな特訓をする。早口言葉を大声で言う（"Peter Piper picked a peck of pickled peppers"）。単語と単語のあいだに別の単語を入れながら話す（"Lying banana is banana morally banana unacceptable banana" あるいは "My apple favorite apple pie apple is apple apple apple" といった具合に）。口にペンをはさんで話す（はっきりと発音するために）。筋金入りの競技者は世界でもっとも速く話す人のアドバイスに耳を傾ける。「息をとめる練習をするんだ……呼吸をすると一分当たりの平均単語数は確実に減る[5]」

スプレッドは危険な行為になりうる。だからプリンストン大学の政策ディベートチームは、スプレッドの練習を三〇分以上やらないようにメンバーに言っている。「喉を傷めるからだ。笑い事じゃない。十分に起こりうる」[6]。嘘か真かわからないような話もある。ふだんの生活でも早口でしかしゃべれなくなった人もいれば、喉にポリープができた人、早口を維持するためにコカイン中毒になった人もいるらしい。

スプレッドは一九六〇年代終わりのヒューストン大学で生まれたという説がある。野心的なチームが単純な算数に気づいたのだ――議論が増えれば、得点も増える[7]。もっと時代をさかのぼって別の場所に起源を求めた者もいる。なかにはその起源に哲学的な疑問を投げかける者もいる。一九六〇年代に政策ディベートで活躍していたあるディベーターは二〇一一年に、高等教育関係者に情報を提供するクロニクル・オブ・ハイヤー・エデュケーションにこう語った。「私がディベートをやっていたとき、みんな今よりもずっとゆっくり話していたが、一九四〇年代から一九五〇年代のディベーターはその多くを早口だと批判した……記憶が混乱すると言って[8]」

政策ディベートでは、競技者は事前に調査できる。これがスプレッドに結びつくと大きな成果が期待できる。腕のいいスプレッダーなら、毎分レターサイズの用紙一枚分の内容を伝えられるため、八分間のスピーチで伝えられる情報は膨大になる。そのため競技者は懸命に調査し、その結果を約二〇キロ入る箱に詰めこんで台車で運んだ。「四箱用意した相手と戦うのは普通だった。なかには六箱持ってきた者もいた」と、本人はいつも二箱だったテキサス州北部のディベーターは一九八六年に記している[9]。

アメリカの政策ディベートでは数十年のあいだ、スプレッドが主流となっていたが、真剣に反対する動きが二つあった[10]。一つ目は一九七九年に、オハイオ州シンシナティで開かれた政策ディベートの決勝戦で、ナショナル・フォレンシック・リーグの事務局長デニス・ウィンフィールドはこれは行き過ぎだと思った。

一〇億秒前、パール・ハーバーが攻撃された。一〇億分前、キリストが地球上にあらわれた。一〇億時間前、人類は存在していなかった。一〇億ドルをさかのぼれば、連邦政府の昨日の午後になる。一九七九年の決勝戦を聞いたあとでは……わずか一時間のあいだに一〇億語を聴いたような気がする。(11)

こうした結論にいたったのはウィンフィールドだけではなかった。当時このNFL（フットボールではない）の大口スポンサーだったフィリップス石油のある役員は、議論にとてもついていけないと思い、それをNFLの上層部に伝えた。《シンシナティ・エンクワイヤラー》の記者は、同じディベートを見て書いた記事で「スピーチについて一つ言えるのは、話すのに夢中になってまったく聞いていないということだ」と述べている。(12)

数カ月後、ウィンフィールドは運営委員会のほかの八人とともに、新しいフォーマットをつくることを承認した。リンカーン・ダグラス・ディベート（L・Dディベート）である。この新しい形式では、競技者は一般人の審判を説得しなければならない。「大量の証拠資料やディベートの専門用語を省略して使うのは避け」、「ゆっくりと、説得力のある形で、（できれば）聞き手を楽しませるように」話さなければならない。(13)

それでもスプレッドを封じこめるのは難しかった。L-Dディベートの競技者は、追加の材料を詰めこむために徐々に早口になっていった。やがてそれが広まったため、政策ディベートとは違う形式をつくろうとした趣旨に疑問が持たれるようになった。

約二〇年後の二〇〇二年、思わぬところから介入があった。CNNの創設者にして億万長者、そしてかつては（儲からない）ブラウン・ディベート・ユニオンの副会長だったテッド・ターナーが、新しいディベート形式を後援することになったのである。[14]新しいパブリック・フォーラム・ディベートは、政策ディベートに対するL-Dディベートのように、L-Dディベートに対して位置づけられようとした。形式としては、一般の観客を説得するために演説する。

スピードを落とそうとするもう一つの試みは、二〇〇六年、内部から起きた。カリフォルニア州のチャンピオン二人が幻滅したのがきっかけだった。ルイス・ブラックウェルとリチャード・ファンチズは、ロングビーチにある低所得者が通う公立校のアフリカ系アメリカ人の学生で、ディベートの難しい要素が、すでに不利な環境にある人々を排除していると考えるようになった。二人が批判した一つがスプレッドだった。「ディベートは実際の議論のようにやらなければならない。政策ディベートなら、議論しようじゃないか。誰が何をいちばん速く話せるか競技するんじゃなくて」[15]

政策ディベートの奇策として、競技者は自分のスピーチを利用して反論することができる。「クリティーク」と呼ばれるもので、議論の土台となる倫理上の前提――たとえば神人同形説など――に異議を述べ、この批判にもとづいて勝敗を判断するよう訴える。ブラックウェルとファンチズは、クリティークを個々の議論や主張に向けるのではなく、ディベートそのものに向けはじめた。二人はカジュアルな服装で、パウロ・フレイレの『被抑圧者の教育学』を引用しながら、合間に悪態をついた。二〇〇六年のディベートシーズンにおいて、二人は目覚ましい勝利をあげたが、毎年ケンタッキー州で開催される全米大会のトーナメント・オブ・チャンピオンシップには進めなかった。「Re-solved（論題）」というこの二人のドキュメンタリーは、最高裁判所判事サミュエル・アリート――プリンストン大学でディベーターだった――の言葉を紹介している。それはこの二人に対する一般的な反応を要約したものだった。「ディベートには決して変えるべきではない一定の特質があると思う。それを変えてしまったら、ディベートの有用性も消えてしまうだろう」

話すスピードの上昇とそれに伴う情報過多を、現代ならではの現象だとする意見がある。一九八〇年代に生まれたパーソナルコンピューティングにより、大量の事実と数字に簡単に手が届くようになった。そして、モバイル技術の出現とインターネットの高速化により、情報のアップロード、ダウンロードが常時可能になった。二〇一二年、ジェイ・キャスピアン・カンは《ワイヤード》に寄せた記事のなかで、政策ディベートを「高度に効率化され、徹底的に最適化された情報処理装置」と表現した。[16]

土曜日の夜遅く、ケンブリッジ・リンジ・アンド・ラテン・スクールの翌日のディベートの準備をしていたとき、昼に見たものを思い出した。スプレッドはばかげているとしか言いようがない。すでに十分に奇妙な活動のなかの奇妙な習慣。しかし、派手な息継ぎやたたみかけるように躍動するリズムのなかに、暗い動機が潜んでいるような気がしてならなかった。説得ではなく圧倒したいという欲望だ。

＊＊＊

ぼくはパーラメンタリー・ディベート（パーリとも言われる）という、対抗する形式として伝統あるディベートの世界に属していた。政策ディベートの競技者が自分たちを特別な訓練を受けたエリート集団と見なす向きがある一方で、パーラメンタリーの競技者は自分たちのことを普通の人だと思っている。パーラメンタリー形式でははっきりとした話し方と少々派手なパフォーマンスがものをいう。本を開かずに短い時間で準備するのは、「即興」に重きをおいているからだ。こうして行なわれる対戦は、ソクラテスの対話より本物の議論に近くなる。

パーラメンタリー・ディベートは、イギリスに一三四一年に成立した下院から着想を得ているが、実際にはロンドンの騒がしいパブやコーヒーハウスに起源がある。一六〇〇年代に当時の政治問題を議論するための即席の集まりが生まれ、やがて分裂や組織化を繰り返しながら、階級を意識した正式なディベート社会がつくられていった。[17] 一七世紀と一八世紀の啓蒙時代特有の、口角泡を飛ばして戦うディベート文化は、そのうち第二の本拠地として大学に居場所を見出した。イギリスでは、セント・アンドルーズ大学（一七九四年）、ケンブリッジ大学（一八一五年）、オックスフォード大学（一八二三年）で学生たちがディベートクラブをつくり、一八八二年にはクラブの数は一〇五までになった。[18] 海の向こうでは、ジェームズ・マディソンやアーロン・バーをはじめとした学生が先を行っていた。彼らは一七六五年にプリンストン大学にディベートクラブを設立した。[19]

今では大学のディベートクラブは世界中にあり、それを実感できるのが、ワールド・ユニヴァーシティズ・ディベーティング・チャンピオンシップ（WUDC）だ。一九八〇年に創設されて以来、WUDCは毎年開催され、六〇カ国あまりから約五〇〇チームが集まり、卒業生——小説家のサリー・ルーニー、アメリカ上院議員のテッド・クルーズ、元マッキンゼーのトップのケヴィン・スニーダーなど——を喜ばせている（あるいは悔しがらせている）。優れたスピーチは、オンラインで数十万人に視聴され、流行や傾向をつくり、マレーシア、南アフリカ、リトアニアなどの中学校のディベートクラブにまで伝わる。

一〇月と一一月、ボストンが厳しい冬に突入するなか、チャンピオンシップの準備がぼくの生活のすべてになった。ルームメイトのジョナとジョン以外で、定期的に会う人はほとんどいなくなった。恋愛への淡い関心も、ファナーレが雑誌《エコノミスト》を大量に抱えて寮の部屋に入ってくるのを見て逃げていった。もう一つの課外活動で参加していた学生新聞《クリムゾン》もやめ、ジャーナリストの夢も一時棚上げとした。人生は狭くなり、速度を上げていった。

一二月の大会までの長い道のりを通して、ファナーレは最高の相棒だった。彼が取った哲学と経済学は彼の頭をさえわたらせ、うらやむほどの会話の幅をもたらした。陽気さが重視される大学寮で、ファナーレは礼儀と責任という聖書の考えが大切だと言ってきかなかった。キャンパスでは、頭脳明晰な変わり者としてあちこちで自分の意見を言って歩いた。ぼくたちはよく互いを笑わせあった。

ファナーレの家族といっしょにドバイでクリスマスイブを過ごしたあと、ぼくたちはクリスマスにはさらに無縁な場所に向けて旅立った。降り立ったのはマレーシアのクアラルンプール。一二月二五日の早朝だった。日が昇り、その熱は和らぐことはなかった。体中に汗をかき、写真を撮ると光って見えた。ほこりっぽいタクシーでホテルに向かう途中、ぼくはパーカーを脱ぎ、格好よく勝つという考えを振り払った。

プルマンホテルは一キロ圏内にペトロナス・ツインタワーがある便利な場所にある。ホテル内には大人になりきっていない自意識過剰な若者があちこちにいた。黒づくめのマルクス主義者の集団は、回転ドア近くでタバコの煙に顔をしかめている。太鼓腹で裸足のフォールスタフ〔シェークスピアの作品に登場する陽気な騎士〕もどきの学生は、議論の相手を求めてロビーをうろついている。機能的なベストを着た未来のコンサルタントは中二階の安全な場所から、すまし顔でこうした光景を見下ろしている。高校生の世界大会で漂っていた仲間意識や高い目標はここにはなかった。あるのは競争の論理だけだった。

翌朝、最初の試合が始まる数時間前、ファナーレとぼくは目覚まし時計のアラーム音で浅い眠りから目を覚ました。歯を磨き、シャツにアイロンをかけながら、ぼくは高校時代を思い出した。夜遅くまで起きて、WUDCの試合をライブで見て、さらにそれを録画して何度も繰り返して見た。しまいにはすべての試合を空で言えるほどになった（披露すると驚かれた）。当時のぼくが知らなかったのは、時差ボケで緊張しながらカメラに向かう輝かしい人々がどんな状態だったかということだ。

エアコンが効きすぎたバスに乗って、地元の大学に向かいながら、ぼくたちは過度な期待を抑えこもうとした。「やるだけやって、来年のための糧にしよう」と言うファナーレに、ぼくは「はじめての挑戦者が勝ちあがることはめったにない。ましてや、二〇歳、二一歳の二年生なんて結果は知れてる」と答えた。しかし、バスを降りたとき、ずっと感じていた揺れがバスのせいではなかったことに気づいた。それは自分の鼓動だった。

ところが、驚いたことにぼくたちは勝ち続けた。予選ラウンドで九勝し、「シリアでインターネットの接続を無力化する」ことも、「発展途上国の都市化を奨励する」ことも納得させた。それからベスト一六、準々決勝、準決勝と勝ち進んだ──論題は「人種のパッシングの倫理」「宗教とは関係ない汎アラブ主義の衰退」「女性のための特別経済区域の創設」だった。七日間を通して、ぼくたちは自分たちの快進撃について触れなかった。意識したとたん、魔法が解けてしまうような気がしたからだ。

無視できなかったのは、二人の健康状態の悪化だった。ストレス、慣れない食事、換気の悪さ、運動不足のせいか、トーナメント中に片方が必ず具合が悪くなった。もはや時間の問題だった。プルマンホテルで朝七時から活動するのは日増しにつらくなっていった。喉の痛みがおさまるまでの時間は次第に長くなっていった。一月三日の土曜日──混雑と高い湿度のなかで行なわれる決戦の日──、ベッドから這いでると、シーツには汗の跡がついていた。一・五メートル先のベッドでは、ファナーレが無駄な抵抗としてうなり声を上げて寝返りを打った。

午後五時、ぼくたちはスーツにネクタイ姿でホテルの宴会場の舞台裏に行った。狭い空間はまさしく煉獄だった。灰色の同じ部屋を四つつなげた肌寒い空間で、ぼくは背筋を伸ばし、不安な気持ちでほかのチームに目をやった。

ＷＵＤＣはイギリス式のパーラメンタリー・ディベートで行なわれる。基本的には肯定側（与党）

の二人チームと否定側（野党）の二人チームが対戦するアメリカ式と同じ形式をとる。ただし、イギリス式の場合、それぞれの側に二人からなるチームがもう一チーム加わり、四チーム――オープニング与党、オープニング野党、クロージング与党、クロージング野党――で対戦する。つまり、各チームはほかの三チームと戦うことになる。反対の立場のチームを倒すだけではなく、同じ立場のチームよりも良い議論を展開しなければならない。準備時間は一五分、発言時間は一人七分だ。

この夜のディベートでは、ぼくたちはクロージング野党となった。これによりぼくたちは否定側となり、同じ側の先発チームは、この大会の参加資格を得るためにロンドンの営利大学BPPに入学したという、ぼくたちより年上の二人だった。肯定側は、オーストラリア出身の輝かしいローズ奨学生と頭脳明晰で辛辣な学部生からなるオックスフォード大学のチームがオープニングを行ない、ぼくと同時期に高校でディベートをやっていたシドニー大学のチームがクロージングを行なうことになった。

ぼくたちはチームごとにそれぞれのエリアにいて、視線を合わせようとはしなかった。約一〇分間、耳に入ってきたのはリノリウムの床の上を歩く足音だけだった。それからナポレオンを思わせる厳しい顔をした審判がやってきて、論題を読みあげた。参加者への気遣いは一切なく、代わりに論題を二回繰り返した。

人道主義組織は弱い立場にある一般市民に近づくためであれば、違法な武装集団に資金、資源、サービスを提供すべきであり、そうした行為は許されるべきである。

すぐ近くのドアの向こうには舞台がある控室で、ファナーレとぼくはうろたえた。二人とも文脈が理解できず、思い浮かぶ論点——違法な武装集団に資金を供与することの倫理性と、こうした組織を合法なものにしてしまうリスク——は、あまりにも当然すぎて、先発の否定チームが確実に抑えてくると思われた。真っ白なノートを見ながら、ぼくたちは十分ほど意見を出し合い、方向性を決めた——武装集団に金を払えば、慈善団体を支持する人は減る。このくらい焦点をしぼれば、対戦チームの盲点になるかもしれない。

舞台上の席からは、千人の観客はただの背景のように見えた。暗い海のような眺めで、ところどころさざ波が立ったり、きらめいたりしているが、ほとんどは得体の知れない塊だった。目で理解できない部分は耳で理解した。流れてくるため息やささやきからはさまざまな予測が伝わってきた。最初の二人が話しているあいだ、ぼくは一字一句聞き漏らすまいとしていたので、観客席から聞こえてくる音はまるでサイレンのように耳障りだった。

トラブルの兆しは、まず肯定側の二人目のスピーチのときにあらわれた。切れ者として名高いオックスフォード大学のスピーカーは、まるで鞭を鳴らすかのように右手を振って、あいさつも導入部もなしにいきなり本題に入った。三〇秒で四つの論点——武装集団の説明から貧困が紛争を長引かせる理由まで——の概略を述べ、それからすさまじいスピードで詳細を論じていった。メモを取りながら、ぼくは手の腱が切れるかと思った。

急いで反駁《はんばく》を考えていると、バリトンの声が美しい、タキシードに身を包んだ二人目のＢＰＰチームのスピーカーが演台に向かって歩いていき、思いっきり身を乗り出した。彼は、たとえ法案が通ったとしても、ＮＧＯの支援者が「そういう金を出す可能性はきわめて低いだろう」と述べた。それはぼくたちの主張そのものだった。彼の主張を聞きながら、ぼくの心臓はとまりそうになった。

ディベートのときのファナーレは原子炉を思わせる。対立する意見と彼自身の考えがぶつかり合って、本人もいちいち言葉にできない大量の考えが生まれる。この夜のファナーレは静かだった。舞台上のまぶしい照明のもとでちらりと見ると、彼の顔には恐怖が浮かんでいた。おそらくぼくの顔にも浮かんでいただろう。

「考えはあるか？」

「いや。そっちは？」

「ない」

このスピーチと次のスピーチが終わるまでぼくたちはすわっていた。吐き気を感じながら自分たちの番を待っていた。

演台までの短い距離を歩いているとき、会場の視線がぼくの歩みと姿勢に向けられた。ぼくは精神が体から離れていくのを感じ、話しはじめるころには、遠くから自分を見ていた。声はいつもより高くなり、それに合わせたジェスチャーは自分のものではないように感じた。話しはじめて九〇秒ほどたち、ぼくはスピードを上げていった。

そうです。こうした武力集団は別の資金源を探すことになるでしょうが、それでいいんです。まず、実行するには時間がかかるので、国が介入することができます。二つ目に、ダイヤモンド鉱山を引き継ぐといったことを実行できる資源を持つ組織は多くありません。三つ目として……

ぼくは早口でまくしたてながら、奇妙な安心感を覚えていた。スピードと音量を盾に強くなったような気がした。聞いている観客はぼくが何を言っているのか理解しようと必死になっているだろうが、少なくともぼくが途方に暮れているとも、無能だとも、おびえているとも思わないだろう。だからぼくは首を伸ばして大きく息を吸いながら話しつづけた。こうして守りの体制を取りながら、ぼくはスプレッドの楽しさに気づいた。

話が終わり、一斉に感覚が戻った。まぶしい照明を浴びたまま、汗が眉の上で揺れ、やがてこぼれ落ちて涙のように頬を伝った。ぼくは鼓動をしずめて、目の前の演台に置かれた紙を手にした。一瞬ののちに大きな拍手が上がった。しかし、その短い静寂のなかに、聞くべきすべてが聞こえた。ぼくたちの負けだ。

＊＊＊

決勝の翌朝、ファナーレとぼくはホテルを出て、フィリピン行きの飛行機に乗った。ぼくたちは一週間、友人のアクシャーの家で過ごし、自分たちの体重くらいの量のチキンを——フライドチキンと醤油味のチキンを日替わりで——食べて、寝て過ごした。大音量の議論のなかで十日間を過ごしたあとでは、日々の会話の静かな音（あるいは沈黙）は、「ふーん」といったディベートではありえないあやふやな同意まで含めて、音楽みたいに聞こえた。

実際のところぼくは疲れていた。クアラルンプールの大会の疲れではなく、十年間必死に取り組んできたディベート活動の疲れだった。服のどこかには必ずインクの染みがあり、ポケットにはインデックスカードか付箋が入っていた。トーナメントに出たあとには声が戻るまで数日かかったが、回復するまでの時間は次第に長くなっていた。「なんでやってるの？」ある夜、アクシャーに訊かれた。ぼくは口を開いたが、言葉は出てこなかった。

二〇一五年一月の最後の土曜日、雪が降る静かな夕方に大学に戻り、ぼくはファナーレに休養が必要だと伝えた。これまで友達づきあいをないがしろにし、パーティーにも行かず、忍耐強いルームメイトのジョンとジョナから任された鉢植えは枯らしてしまった。学業も山場に近づいていた。それに自分がこのチームにふさわしい貢献をしているのかどうか確信もなかった。ぎこちない会話は別れのシナリオに沿って進んだ。ファナーレはわかったと言ってくれた。そのがっかりした表情を見て、ぼくはあわてて、ほかの人と組んで構わないからとつけ加えた。

しかし、ぼくがディベートの世界から距離を置いて立ちどまろうとしたこのとき、校内は動き出していた。この年は、預言者ムハンマドの風刺画を載せた週刊紙《シャルリ・エブド》のパリ本社で、一二人が殺害されるという事件で幕を開けた。続いてヨーロッパで「難民危機」が起きた。アメリカ人はアフリカ系アメリカ人が警察官に殺されるのをさらに目撃し、選挙の投票に足を運んだ。

ハーヴァード大学は政治活動が盛んな場所ではなかった。かつて存在した反体制文化はどれも数十年前にはなくなっていた。キャンパスで乱用されていたドラッグと言えば、おそらくリタリンだろう。

もっとも人気のある課外活動はコンサルティングや金融関係で、そうしたグループはホワイトカラーのさまざまな仕事のまねごとをしていた。ほとんどの学生は単純に忙しすぎて政治にかかわる時間はないと言っていた。

ところが、そうした状況は、キャンパスで政治的な論争が起きたときに実際よりも対立を深めるという意外な効果をもたらしていた。論争に際しては、もっとも強い主張を持っている者の意見だけが耳に入ってくる。論争が取るに足りないものであれば、問題ない。しかし、それがメーリングリストやソーシャルメディアを乗っとり、食堂での会話にまで浸透すると、人々はかかわらなければならないような気がしてくる。そのとき議論の激しさが増すこともめずらしくない。

こうした騒ぎにぼくはほとんどかかわらなかった。二月、三月と気温が緩み、ケンブリッジの住人たちが冬の陰鬱な空気を振り払っているあいだに、ぼくはファナーレ、アクシャー、ジョン、ジョナを含めた八人くらいと親交を深めた。みんなでいっしょに苦しみながら――ときには交代で仮眠を取りながら徹夜で――課題に取り組み、寮の部屋で開かれたパーティーに参加した。いちばん楽しかったのは、食堂や庭で大きなテーブルにみんなでつき、昼夜を問わず延々と語りあったときだった。

八人のときにはたいてい冗談を言い合いながら、それぞれの私生活について語った。ほかの友人やまわりの人が加わったときには、話題はもう少し深刻なものになった。そのときどきのニュース――最高裁にかけられたオバマケアや、パリ協定への対応――が取りあげられ、それぞれが自分の意見を述べた。こういうときファナーレとぼくは参加を求められた。「ちょっと待って、こういうの君の専門だろ？」

質問に対するファナーレの答えは一つだった。「ああ、そうだよ」。この男は意見の相違から逃げられないようだった——修正すべき点や議論すべき点がなかったとしても。ほとんどの場合はみんなのためになったが、ファナーレはときどき終わりのない口論に巻きこまれて後悔していた。

ぼくは逆方向に進んだ。ディベートから学んだことの一つは、議論は始めるのは簡単だが、終えるのは難しいということだ。たとえ始めと中間と終わりが決まっているつくられたゲームであっても、競争論理の感情に簡単に支配されてしまう。それでスピーカーは間違いをおかすし、試合後も緊張感や敵意を引きずることになる。こうした危険を考えれば、意見の対立に首をつっこむときには、よく考えてから決めたほうがいい。

このころぼくは議論に参加するかどうかを決めるチェックリストを編み出した。リストは、これを満たせば議論はきっとうまくいくと思われる四つの条件からなる。意見の相違が**本物**(real)で、**重要**(important)で、**具体的**(specific)で、そして両者の目的が**整合**している(aligned)かどうかだ(RISA)。

本物である

まず、実際に意見の相違があるかどうか確認しなければならない。議論のなかには意見の相違がないまま展開するものもある。論題を探して言い争っている状態だ。相手の行動や異議を間違って解釈する人もいて、実際には言い回しや重視するポイントの違いにすぎないということもある。いちばん騙されやすいのは、衝突はあるが、意見の相違はない場合だ。「おまえのいとこは好きじゃない」という意見は、異議のあるものかもしれないが、ディベートのテーマとしてはふさわしくない。議論の相手がいないからだ。

重要である

次に、意見の相違に議論に値する重要性があるかどうかを確認すべきだ。人と意見が合わないことはたくさんある。そのほとんどは脅威ではないし、必要なものですらある。しかし、一部には、その違いが重要だと判断されて、議論に突入するものもある。どのように判断すればいいかという点については立ち入らないが、それぞれ考えてみてほしい。ぼくの場合は、自分の基本的な価値観に触れる内容や、愛する人や尊敬する人が相手になるときには重要な議論だと感じる。議論の重要性を考えなければ、プライドや防衛本能をもとにした直感や、気の短い人につられて議論することになる。

具体的である

三つ目に、議論のテーマが十分に具体的で、両者が一定の時間内に解決に向けて進めることを確認すべきである。これは「経済」や「家族問題」といった大きなテーマがディベートに向かない理由でもある。意見の相違は縮まずに広がる傾向がある。ノア・バームバックの「マリッジ・ストーリー」やリチャード・イエーツの「レボルーショナリー・ロード」のなかの、人生を揺るがす壮大な議論を思い浮かべてほしい。こうした意見の相違はエスカレートしてすべてを飲みこむ。そして、あらゆることが争点になれば、話し手の動機や背景にいたるまで立ち入り禁止区域はなくなってしまう。明確

本物である	両者のあいだには実際に意見の相違がある。
重要である	この意見の相違には議論に値する重要性がある。
具体的である	議論のテーマが具体的であるため、両者が一定の時間内に解決に向けて進める、あるいは改良できる。
整合している	両者の議論する理由が整合している。

に定義された論題は拡張圧力を押しのける。

整合している

最後に、議論をする自分の理由が相手の理由と整合しているかどうか確認すべきである。人はさまざまな理由で言い争う。情報を得るため、異なる視点を理解するため、誰かの決心を変えさせるため、時間つぶしのため、さらには人を傷つけるためというのもある。議論する理由が相手のものとまったく同じである必要はないが、相手の動機はこちらが受け入れられるものでなければならないし、逆もしかりである。たとえば、こちらは相手の気持ちを変えたくて議論するが、相手は単に議論をして何かを学びたいと思っている。それなら受け入れられるだろう。しかし、相手がこちらへの怒りをぶつけたい、あるいはこちらの感情を傷つけたいがために、議論を引き伸ばしているのであれば立ち去るべきだ。

しかし、細心の注意を払ってこのＲＩＳＡを適用しても、よくない議論に入りこんでしまったことはある。

無慈悲に冬に突入する秋学期に比べて、春学期は希望を与えてくれる。三月の終わりごろには、もうすぐ暖かくなる気配が感じられ、四月には木や花が生き生きとして色鮮やかになる。しかも、春学期のあとには輝く夏がやってきて、三カ月の夏休みと、大学生として現実の世界と長期で接する唯一の機会がある。だが、ぼくたちの前には一つの障害が立ちはだかる。日食で太陽が覆い隠されるように、夏休みに影を落とすもの。試験である。

ハーヴァード大学の試験シーズンは二週間あり、このあいだは学生のなかの最悪な部分があぶり出されることが多い。「試験」という単語は、社交や個人的な責任から逃れる切り札となる。実際のところ、成績は夏休みや学部卒業後の就労機会に大きな影響をおよぼすので、どうしても自分優先となってしまう。友達は何週間も放っておき、勉強グループでは互いにライバル視する。「助けてくれるのは親だけか」。ファナーレは人づきあいの荒廃ぶりを嘆いた。「あるいは神か」

光がまばゆい五月上旬のある火曜日の午後、経済学の試験まで二四時間を切ったころ、ぼくはジョナと約束していた昼食の時間に遅れて食堂についた。日に照らされたルームメイトは怒っているように見えた。キャンパスの敷地内にあるバイクの修理屋で仕事があるから、昼食の時間に遅れないでほしいと彼から朝言われていたが、ぼくは試験準備に追われてすっかり忘れていたのだ。ぼくが椅子を引いた段階で、ジョナは文句を言いはじめた。「最近いつもこうじゃないか。君はぼくの時間のことなんて気にしていないんだろう。過去五回の待ち合わせで、君は毎回遅れてきた。しかも、今日は朝、君に言ったよな。店は人手が足りないんだって。ぼくが困ったことになるんだよ。君みたいにぼくが遅れたことがあるか？」

ぼくがジョナの時間を気にしていないという彼の主張はショックだった。だが、ぼくは深呼吸をして、ＲＩＳＡのチェックリストに照らして考えた。議論は本物で（ぼくは気にしている！）、重要で

（人間性が問われている）、具体的（ぼくたちは特定の出来事の不注意について話し合っている）、そして整合性もとれている（二人とも相手の動機に疑問は持っていない）。それで、ぼくは話しはじめた。「もちろん、ぼくは君の時間を大切に思っている。君はぼくの親友なんだから」

しかし、話しているうちに、ジョナの別の主張が心に浮かび、それにも反論しようとした。「いつもこうって？　先週の金曜日は、サイエンスセンターで三〇分近く、君がぼくを待たせたじゃないか」。ぼくは相手の顔色をうかがってから続けた。「それに、君のバイクショップの上司は虫も殺せないようなヒッピーだろ。君はアルバイトなのに真剣にやりすぎだと思う。それにさ、確かにぼくは遅刻したけど、だからと言ってぼくの人間性の問題にするのはどうかと思う」

ぼくが一言いうたびに、ジョナの額にしわが刻まれていき、顔の赤みが増していった。トレイに皿を片付けて、バイクショップのシフトの途中から入るために立ちあがったとき、顔はビートみたいな色になっていた。「寮に帰ってから話そう」。ジョナは吐き捨てて去った。

食堂で水っぽいサラダを前に、ぼくは起きたことを理解しようとした。意見の相違は最初はしっかりとした土台の上にあったが、次第に大きくなり制御不能になった。相手の主張にいちいち反論するのは無駄なことだという意識はあった。自分の意見を展開する時間が減り、なんでも否定する人と思われてしまう。しかし、さらりと流すわけにはいかないジョナの間違いにぼくの心は乱れた。

ＲＩＳＡのチェックリストの限界だと思った。有望な議論であっても時間とともに劣化し、泥沼にはまってしまうことはある。ジョナは最初からたくさんの不満を抱えて話しはじめ、ぼくはぼくでそこに自分の不満を追加した。その結果、議論は鋭い刃を持ち、手に負えないものとなった。

このように大きくなるのを防ぐためには、議論全体に価値があるかどうかだけではなく、その議論のなかで異議をはさむべき主張も選別しなければならないということだろう。そのような選別をするにあたっては、二つの根拠がありそうだ。

必要性　論争全体を解決するために、その主張に反論する必要はあるか。

進展　必要かどうかは別にして、その主張に反論すれば論争の解決に近づけるか。

どちらかの答えがイエスであれば、反論する根拠となる。

ジョナの最初の不満のなかで、この条件に合うのは二つだけだったと思う。一つは、ここ五回の待ち合わせにぼくが遅れたという言い分で、これがぼくの相手の時間を気にしていないという証拠になっていて、これにはどうしても反論しなければならなかった。もう一つは、ぼくがこの日の午後、特に注意不足だったという指摘で、全体にはあまり影響ないかもしれないが、これが論争に火を注いだことを考えれば、解決に向けて役立つかもしれない。

あとの不満は無視できた。見解は一致しないが、そのままでも議論全体を前進させることができるものだ。全面戦争にしないように、ぼくたちは意見の違いを受け入れる余地をつくらなければならない。

その日の夕方、寮に戻る途中、ぼくはマサチューセッツ・アヴェニューにある二四時間営業のドラッグストアで、和解のためにいくつかお菓子を買った。帰り道はジョナに言うセリフを練習しながら歩いた。二階の自分の部屋に向かいながら、ぼくは意見の相違にうまく対処するコツ――戦うときとやめるときを見きわめる――について考え、それからそういう判断を自分はどこで学んだのだろうと思いをめぐらせた。このときぼくはまだ知らなかった。悪い議論から距離を置くというぼくの決意を揺るがす、思いがけない新たな挑戦がこの年発生するということを。

＊＊＊

六月一六日の朝、ぼくが夏のあいだ働いていた会社の数ブロック先で、ドナルド・トランプはトランプタワーの黄金の階段をおりて、大統領選への出馬を表明した。演説は誇張した内容（「私は神が創造したなかで最高の雇用創出大統領になる[20]」）から、ばかばかしい主張（「私よりうまく壁をつくれる者はいない。本当だ。しかも安くつくることができる[21]」）へと展開していった。さらには、悪意まで盛りこんだ（「彼らはドラッグを持ちこみ、犯罪を持ちこむ。彼らはレイプ犯だ。なかにはいい人もいると思う[22]」）。

その夜、アパートメントの屋上で酒を飲みながら、ニューヨークの友人はこんなのはすぐに終わると言った。「トランプはまえから同じことを言っている。誰も真剣に相手にしないよ」。ぼくともう一人の外国人はアメリカ政治の不思議について、ありきたりな感想を述べた。そうして長い夏のよくある一夜として過ごした。

ところが、三年生が始まる九月に学校に戻ったときには、トランプに対する関心が高まっていた。

声高に反対を唱えていたのは、女性、移民、弱い立場に置かれた人々など、自分はトランプに標的にされていると感じた人々だった。地域社会における社会的なつながりを研究していたジョナは、寮の二階の狭苦しい部屋でその背景を解説してくれた。製造業の衰退に苦しめられる社会には政治不信や経済への絶望が、ウェブ上には誤った情報が、そして表には出てこないものの、水面下では外国人恐怖症や偏見が広がっているという。

こうした問題をぼくは理解はしたが、真剣には考えなかった。ぼくの分析は、彼が「セレブレティ・アプレンティス」の司会者だというところでとまっていた。しかし、発言の自由に守られ、悪意を持ってまわりに憎悪《ヘイト》の感情をまき散らす人間がもたらす危険は理解できた。こういう人間にどう対処すればいいのかという議論が起こるなかで——発言の自由を制限すべきか、民主主義の自由にとって払わざるを得ない代償として受け入れるか——その波紋はキャンパスにもおよんだ。

アメリカやイギリスの大学には、対立をもたらす人間に賞を与えたり、公開講義に招いたりすることで、論争に巻きこまれてきた過去があった。四月、ぼくがいた寮から十五キロメートルほどのところにある、マサチューセッツ州ウォルサムのブランダイス大学では、イスラム教を批判するアヤーン・ヒルシ・アリに対して、過去の宗教的発言を理由に名誉学位の授与をとりやめた。「もともとは名誉として用意されたものが、今では屈辱となった……彼らは単に私に黙らせたかったのだ」と、アリは《タイム》に書き、大々的に報じられた[23]。

歴史的に見て政治的右派は、問題ある見解を持つ人々に、メッセージを発信するプラットフォームを使わせないようにしてきた。たとえば、保守派の大学は、マルコムXのような革命家の校内への立ち入りを禁止した。最近では、右派の政治家やメディアの著名人は、大学に「安全な空間」であり続けるよう要求し、それを文化戦争の武器として振りかざしている。そういう見解は自由や高等教育、ひいては西洋文明まで毒し、エスカレートすれば、少数派の学生グループの決断に全員が巻きこまれてしまう、と言うのだ。

いろいろな意味で、プラットフォーム外しにかかる複雑な議論は過去の名残りだった。一九六八年、イギリスの保守党議員イーノック・パウエルは、大量移民問題について扇動的な演説を行なった。「この先を考えると不吉な予感がする。ローマ人のように『テベレ川が血で泡立つ』のが見えるようだ」[24]。「血の川」演説は、イギリス政治の毒を解きはなした。一九六九年の地方選挙では、ファシズムに起源を持つ極右政党の国民戦線は、四五人の候補者を立て、平均で八パーセントの得票率を得た[25]。パウエルが自分の演説について予想したことは真実となった。「私は週末に演説する。それはロケットのように〝発射〟するだろう。しかし、ロケットならすべて地球に落ちてくるが、このロケットは上がったままになるはずだ」[26]

歴史家エヴァン・スミスが著書『*No Platform*（ノー・プラットフォーム）』で指摘したように、極右の台頭を抑えようとする左派グループは、指導者に公の場で話す機会を与えないという、よくある手段を使った[27]。インターナショナル・マルキスト・グループの新聞《レッド・モール》の一九七二年九月号の第一面には、「レイシストにプラットフォームを与えるな」とあり、国民戦線などの組織が集まってメッセージを発信する機会は強制的に排除するよう読者に求めた。インターナショナル・ソーシャリスツは禁止事項を追加し、ファシストが公開討議に参加できないようにした。「彼らと議論する自由主義者は誰であれ、その意に反して彼らを助けることになる」

演説を阻止するというゲリラ作戦の成功はその場限りのものだが、一九七四年四月、左派の学生の代表グループは成果が続くようにした。学生組合連合会（ＮＵＳ）の会議で、活動家たちは票の流れを変え、二〇万四六一九票対一八万二七六〇票で、大学の学生組合が「ノー・プラットフォーム」の方針を取れるようにした[28]。この決議は、組合員にレイシストやファシスト、あるいは「同様の見解を持つ個人が大学で声を上げるのを、いかなる手段であれ必要な手段（会議を中断させるなど）をとって」やめさせるよう求めた[29]。これに対して《ガーディアン》は鋭く批判した。「学生たちは、社会の一部の人たちの権利を否定することにつながる不満というのは、決して新しいものではないと思い出すべきだろう。それはファシズムの典型的なパターンである」

ＮＵＳの方針と「ノー・プラットフォーム」に対する世論は、この後四〇年、進化しつづけた。たとえば、一九八〇年代には、マーガレット・サッチャー政権は、個人の信念や方針への反対を理由に「大学が場所を使わせないことがないように」要求し、この方針にくぎを刺した[30]。（ＮＵＳは現在、方針の適用対象を狭め、「ファシストとレイシスト」の六団体としている[31]）。

イギリスの「ノー・プラットフォーム」論争における特徴的な議論の多くは、アメリカの大学でのプラットフォーム外しの議論でも起きた。二〇一五年一月、シカゴ大学は表現の自由に関する声明を発表した。そこでは「ディベートや審議は、表明された考えを一部の者あるいは大多数の者が不快である、愚かだ、道徳に反する、間違っていると思ったという理由で、阻止されてはならない」と結論づけられていた[32]。九月には、アメリカ大統領バラク・オバマも援護した。「誰かがあなたのところに来て意見を言い、あなたがその意見に賛成できないとき、あなたは議論すべきだ。しかし、相手が言わなければならない内容には耐えられないので来るなと言って、相手を黙らせてはいけない[33]」

どんな意見を聞いても、ぼくはそうした熱い議論に加わる気にはならなかった。このテーマで話をするときには、ぼくは重々しくうなずき、問題の複雑さを認めていることを示した。冗談やほかの話につなげてごまかすこともあった。ところが、九月の最終週の穏やかな夜、論争のほうがぼくを見つけて反応を求めてきた。

ディベート・ユニオンは秋学期には、予算のかなりの部分を使って他大学チームの競技会を主催する。ぼくはディベートチームの日々の活動からは距離を置いていたが、ユニオンからトーナメント組織でいちばんもめる仕事、論題の選定を手伝ってくれないかと言われた。そういうわけで、ぼくは夕食時にクインシーハウスのドアを開けて入り、ダイニングホールへの階段をのぼっていった。途中で自分がずっと息をとめていたことに気づいた。

ユニオンの会合場所であるダイニングホールの後ろのほうで、上位ディベーターの一〇人が楕円形の小さなテーブルを囲んだ。ぼくたちは肘をぶつけあいながら、チキンとサラダをたいらげた。始まって一五分もしないうちに、最初の議論が始まった。「論題を新しい領域に持っていかずに、どうやって活動を前に進めるというんだ?」ハワイ出身のまじめなスラム・ポエット〔詩の朗読を競う競技会に出る詩人〕が言った。「それはわかる。だけど、土曜日の朝に火星まで持っていくわけにはいかないじゃない?」医学生で、救急車でボランティアをしているジュリアが答えた。早々の衝突に刺激を受けた残りの者は、対決に身を乗り出した。

最悪の議論というのは、なんらかの理由で意見が鋭く対立する論題のときに起こる。たとえば次のようなものだ。

・ヨーロッパはホロコーストの否認を法で認めるべきだ。
・政府は性別適合手術の費用を払うべきではない。
・神はいない。

ＲＩＳＡチェックリストにとって悩ましいところだと思った。意見が激しく対立する議論の多くは、本物で、重要で、具体的で、理由に整合性がある。しかし、それは議論するに足る十分な理由だろうか。単に避けたほうがいい議論というものがあるのではないか。

一六〇〇年代半ば、イギリスの哲学者トマス・ホッブズは一つ明快な答えを出している。彼は、議論は必ず激しい対立につながると思っていた。「意見が合わないのは不快な体験でしかなく……（誰かのことを）愚か者と呼ぶに等しいからだ[34]」。宗教など物議を醸しやすいテーマならなおさらだ。そういうテーマについては、人々は公に議論しないことが求められ、代わりに学者のテレサ・ベジャンが言う「礼儀正しい沈黙」が求められる[35]。

ぼくは「礼儀正しい沈黙」という主張には納得しなかったが、相手と敵対するディベートの形式は、確かに一部の繊細な論題にはふさわしくないと思った。もっともたちの悪いディベーターは、逆張りを是とし、自由に発言する権利をなんでも容赦なく言える権利とはき違えている。真実を追求するにあたってぼくたちは感情に左右されるべきではない——それ以外は甘えだ——という考え方は、このアイデアの市場から人々を遠ざける要因になっているように思える。

　ぼくは論題選定の打ち合わせの場でそんなことを考えながら、そんな思考の流れをまったく伝えない疑問を口にしてしまった。「あの、不要なもめごとは起こさなくてもいいんじゃないかな」。場が静まり返った。ぼくの近くにすわっていた自由至上主義者《リバタリアン》たちが口を開きかけたが、それより先にテーブルのいちばん奥から声が上がった。

　デールは古株のメンバーで、「公平」問題に長けていた。「公平」は、代名詞の導入からハラスメント政策まで何にでも対応できる言葉で、ディベート界の安全と包括性を高めるために使われる。デールは遠慮がちで穏やかな人だが、道徳に厳しかった。ぼくの疑問に対する彼女の答えは物語の形で示された。

　保守的な町で育ったデールはディベートのなかに、ジェンダーや政治、倫理といったタブーとされたさまざまな考えを探索する場を見出した。「確かにひどい試合も見たことがある。だけど、少なくともディベートの場では、議論がすべてでしょ。個人的な侮辱に走ることなく、論題について議論する。こうした議論をディベートの場でしなかったら、ほかにどこですればいいの？」

　デールが言っているのは、別の種類の「安全な空間」のように思えた。意見の相違が存在しない安全な場所ではなくて、意見の相違に安全を提供する場所だ。「繊細なテーマを避けるんじゃなくて、そういうテーマをどうしたらよく議論できるか考えるべきだと思う」とデールは言った。「私たちにはそれが求められているんじゃないかしら」

そうして、ぼくたちは論争的な問題で良いディベートを行なってもらうにはどうしたらいいか考えた。

まず厳格なルールを決めた。ディベートは人間の公平な道徳的地位に異議を唱えるものであってはいけない。これは細かい礼儀の問題ではなく、自己保存の問題だ。ディベートは、人には耳を傾けてもらう権利があり、その発言は公平に扱われて検討されなければならないという前提のうえに成り立っている。この前提をないがしろにするなら、議論はただの茶番になる。だから、「北ヨーロッパの人々は不道徳である」「イスラム教徒は社会にとって脅威である」といった議論は受け入れられない。ディベートの基本精神に反するからだ。

次に、ぼくたちは公開討論会を主催する象徴的な意味を考えた。公開ディベートを主催する、あるいはそれに関与する判断には、個人的な意味だけではなく政治的な意義がある。ケーブルテレビであろうと、町の公会堂であろうと、大学のキャンパスであろうと、正式なディベート大会には暗黙の前提がある。つまり、その議論のテーマは注目に値し、そのテーマについては妥当な二つの立場がある、ということだ。ディベートのプラットフォームが与えるこの正統性は、意見の相違が本物で、重要で、具体的で、整合性があると言っているのではないか。ぼくのＲＩＳＡチェックリストは、便利な発明というよりは、良い意見の相違についてぼくたちがすでに期待していた内容を明らかにしたものではないかという気がした。これらの基準を満たさない論題に信頼性を与えるのは、ディベートそのものの信用を落とすことにほかならない。

最後に、ぼくたちは主張することのつらさは人がもたらすものであることを肝に銘じた。自分の考えを口にして反論される経験は、誰にとってもつらいものになりうるが、この苦しさは、そのディベートが個人的なものである人のほうにより重くのしかかる。ディベーターとして、ぼくたちはこういう人たちに心を配らなければならない。そういう人たちが「雪片《スノーフレーク》」――過度に繊細な人を揶揄する言葉――だからではなく、人間だからだ。人間は傷つきやすく消耗するものだ。ぼくたちは反論する自由よりも、より良く反論する責任について考えなければならない。

これらのチェックリスト――個人的な言い争いのためのRISAと公の場での議論に対する政治的配慮――は、一見足手まといのように思える。白熱した議論のなかですばやい反応が求められるときに、スピードを落として状況をよく考えるようにと言うのだから。

大学でぼくが気に入っている指導者の一人、英文学者のエレイン・スカーリーは、同意が必要な状況では「障害」――物事のスピードを落とさせ、人々に何度も自分たちの合意を確認させる障害物やチェックポイント――はプラスに働くと考えた。たとえば、結婚式ではどちらにも引き返すチャンス（ゆっくりと歩く長い通路も含めて）がたくさんあるし、不要な医療行為には数週間、数カ月といったクーリングオフ期間が設けられることが多い。

スカーリー教授は、対立する状況ではこの障害が特に重要だという。集団生活の目的の一つが傷害行為を防ぎ、平和を維持することだとしたら、国家と国民にとって故意に人を傷つける決断以上に深刻な決断はそうないだろう。慎重に対処する必要性は、有罪判決と処罰のあいだに何回も訴える機会があることの説明になる。ヨーロッパのルネサンス期の「コード・デュエロ」のような決闘の手続きには、多数の「中断」や当事者が自ら引きさがるチャンスが細かく規定されていた。スカーリー教授によれば、対立のなかで同意する必要性は、その巨大な破壊力で合理的な熟考を妨げる可能性がある核兵器を前にしたときにもっとも大きくなる。

ぼくはスカーリー教授の理論が意味するものを、はるかに小さい事象のなかに見た。日々の生活でぼくたちが直面するもっとも深刻なけんかと言えば口論だろう。そういう口論は人を疲弊させるし、傷もつける。しかし、中断はされない。この口論に参加することに同意しているのか問いかけるチャンスはない。シナプスは燃え、激しい言葉が続く。口論に意味があったのかどうか考えるのは、あとになってからだ。

ぼくにとって、ＲＩＳＡと論題選定における配慮という二つのチェックリストは、意見の相違に必要な障害になったと思う。目指すのはあらゆる議論を締め出すことではなく、悪い議論を除外することで、それによって価値ある議論に集中できるようにすることだ。論争の機会があふれる世界で、ぼくたちは戦いを選ばなければならない。そしてぼくがこのあと学ぶように、無益なディベートからは距離を置いたほうがいいこともある。

＊＊＊

論題選定の打ち合わせから数週間後、秋の冷たい空気がキャンパスにおりてきたころ、ぼくはふたたびディベートのことを考えていた。ウェブでさりげなく最新のリーグ戦の結果を調べたり、試合の動画を見たりした。やがて、ファナーレと過去のディベートについて話しこむようになった。コロンブス記念日の週末、一〇月の第二週ころには、ぼくは授業の行き帰りに、さまざまなテーマに関して自分の意見や決め台詞を心のなかで言ったりしていた。

ディベートから離れた九カ月間はぼくをいたわってくれた。髪は伸び、定期的な運動も始めた。ぼくが約束をたがえることなく、週末ごとにいなくならないとわかって、友達つきあいも増えた。恋愛感情もまえより長く続いた。一〇年前の二〇〇五年にディベートを始めて以来、はじめてぼくは勝利とは無縁な時期をすごした。それでよかった。

だが、この離れていた期間に、ぼくはディベートのある側面を懐かしく思うようになった。ぼくが何も考えずに受け入れていたディベートについてのよくある批判のなかに、この活動は口先だけのものだという見方があった。商業的な代理母制度や税制といった複雑な問題について、二時間言い合いしてどうなるというのか。ディベートの外の世界で過ごした時間は、そんな考えを一掃してくれた。ころころとテーマが変わる日常の会話のなかで、気に入らない考えや扇動的な新聞記事の話に接すると、ぼくは瞬時に反応してしまうことが多い。一方、ディベートでは準備して、対立する意見に耳を傾けなければならず、与えられたテーマから離れることは許されない。もちろん、学術的な研究のような深みはないが、悲壮感もない。

寮の部屋の埃をかぶった本棚の上には、ディベート大会のトロフィーが並べてある。いちばん高い場所なので、ふだんは目に入らない。いずれも安っぽいトロフィーだが、形には共通点があった。台かカップの上には人形が一体か二体置かれ、それぞれが演台の前で主張を述べている。以前は、トロフィーを見ても、その色――金メッキか銀メッキ――と順位の数字しか目に入らなかった。このときは一生懸命に聞いてもらおうとしている人間が見えた。

数日後、ぼくはファナーレの部屋に行き、一二月のワールド・チャンピオンシップにいっしょに出てくれないかと頼んだ。頼みに行くのは怖かったが、二年前に彼が勇気を出して同じことをしてくれたという事実に恐怖はいくらか和らいだ。ファナーレはぼくが戻ってくるのはわかっていたとだけ言って、ぼくを引き寄せてハグをした。そういうわけで、ぼくたちは大会まで二カ月を切った時点で準備を始めた。夜遅くまで論題になりそうな問題を調査し、過去のディベート動画を見て研究した。講義に出ているときは、さまざまな主張や言い回しを考えて、先生の言うことは一切頭に入ってこなかったが、失ったものと得たものを勘案するなら、ぼくは意欲的な学生だった。

一二月下旬、クリスマスをファナーレの大家族とアトランタで過ごしたあと、ぼくたちはギリシャのテッサロニキに向けて飛行機に乗りこんだ。フライトの終盤、機体が降下するなかで、ファナーレはこれが終わったらもうトーナメントには出ないと思うと言った。「疲れたんだ。だから、これで最後にしようと思う、結果はどうであれ」

縁起を求める者にとっては、勝利の印はいたるところにあった。ギリシャ第二の都市で、かつてはビザンティン帝国で二番目に大きかったこの都市の名前は、アレクサンドロス大王の異母妹に由来する。彼女は、古代ギリシャ史上もっとも血を流した戦いでマケドニア軍が勝利した、テッサリアの勝《ニ》利《ケ》にちなんで名づけられた。しかし、不吉な印もあった。町の守護神、英雄ディミートリアスは槍に串刺しにされた。聖画像には、きらびやかながら悲し気な表情を浮かべた若者が描かれている。

ファナーレとぼくは最初の一二試合は難なく勝った。評判と経験はぼくたちに勢いをくれたが、それだけで勝ちあがれるほど甘くないことはわかっていた。大勢の観客とそれなりの数の審判を前に、議論する両者に隠れる場所はない。毎回毎回、自分の実力を示さなければならない。

大会八日目には、ほとんどのチームは守護神と同じ道をたどった。残ったのは四チーム。シドニー大学の気さくな二人は高校時代から知っている。イギリスの名門大学で腕を鳴らした年長者二人は、このトーナメントに出るためにセルビアの大学（ヴィソカ・スコーラ・ＰＥＰ）に登録していた。トロント大学のチームは手ごわく、北アメリカの大会ではいつもライバルだった。そしてぼくたち。決勝戦の会場に向かうバスに乗るときに、皆そっけないあいさつを交わした。雨がしとしと降り、すべての音を包みこんだ。

交通量は少なく、目的地はすぐだった。アドレナリンはまだ出ていなかったので、目をつむるのは怖かった。窓からは、ファストフード店と携帯電話の販売店のあいだにビザンティン様式の古い建物が一瞬見えた。ぼくは疲れを振り払おうと足をゆすり続けた。「あと二ブロックで着きます」。大会主催者の一人で、アリストテレス大学で哲学を専攻する学生が声を上げた。

バスはテッサロニキ・コンサート・ホールの前でとまった。入り口に掲げられた横断幕には、この年の大会の公式テーマである「ディベートの帰還」という文字が刻まれていた。空調の効いた建物内に入ったとき、元気のいい案内係から飲食は禁止だとあらためて注意された。飲むのも食べるのも考えただけで胃がむかむかした。

会場の舞台裏の、壁も床も天井も黒い広いスペースで、四チームは無地の箱から立場を決めるくじをひいた。ぼくがひいた紙には「オープニング与党」とあった。続いて論題が発表された。「議会は、世界の貧困者がマルクス主義革命の完遂を目指すことは正当化されると考える」

ファナーレと急いで準備室に戻るとき、対戦チームの誰かが「どういう意味だ？」と言っているのが聞こえた。この試合は定義をめぐる議論に陥る危険がある。だから、ぼくたちはまず自分たちの立場をわかりやすくした。すなわち、マルクス主義革命とは私有財産の廃止を目指すものである。次に、それが正当化されるとはどういうことかを考えた。ぼくたちはこの試合を主義について議論するものとした。ぼくたちは、なぜ革命は奏功すると考えるのか簡単に説明するが、私有財産は人間の尊厳を傷つけるので、実際の結果はともかく、それを覆そうとすることは正当化されると主張することにした。

この戦略はリスクが高かった。このディベートを同じ視点で見るよう聴衆を説得できなければ、大敗するだろう。ぼくたちは論点を広げるのではなくしぼろうとしているので、同じ肯定側のクロージングチームにとっては出し抜くチャンスも大きくなる。しかし、ぼくはこのとき、オーストラリア時代のコーチのブルースが、三年前のワールド・スクールズ・ディベーティング・チャンピオンシップの決勝前にくれたアドバイスを思い出していた。

どんなディベートでも一〇〇の意見の相違がある。君たちはそのなかからどれを議論し、どれを無視するか決めなければならない。決勝戦では特にそれが重要だ。勝者は決して細かいことを気にしない。彼らはディベートのなかから本物のディベートを見つけることを知っている。

このアドバイスを伝えると、ファナーレは大声で笑い出した。「つまり、これがディベートのなかのぼくたちのディベートってことだな。どれを無視すべきか」

会場の照明は六時半に暗くなった。一四〇〇名もの観客が期待に胸をふくらませながらおしゃべりをしていたが、ぼくたちが舞台に上がると、そのエネルギーは静かに一カ所に向けられた。黒と青の二本のペンがキャップを外してテーブルの上にあり、フローシートもすぐに使える状態になっていた。ぼくは演台に立ち、話しはじめた。

議長、世界の貧困者は一般に、その住んでいる国がどこであろうと関係なく、独裁制のなかで暮らしています。選択肢がないという独裁制のもとに暮らしているのです。

この規模の観客は北極の氷床のようなものだ。最初は微動だにしないように見えるが、どこかにひびが入ると、ものすごい重さの氷が動きはじめる。問題は、自分のスピーチの最中にその瞬間が訪れるかどうかだ。ぼくは一息ついて、さらに続けた。

不当に取得された資本に縛られ、自分の利益を追求すること以外にインセンティブを持たない地主階級に抑圧され、生きることだけを求めて身動きできない世界の貧困者は、人間の条件として本来あるべきだと私たちが信じる、自由や自己決断の権利に手が届かずにいるのです。

観客席でざわめきが起きた。全面的にマルクス主義を打ち出すのは過激なやり方で、熱い論調になるのはわかっていた。言葉は不思議な電気を帯びてぼくの喉を通っていった。だが、戦略には自信があった。観客にこれは文明に関する壮大な議論だと思ってもらうためには、例を示さなければならない。

皆さん、想像力を発揮してください。人はかつて共有経済のなかで生きていました。そこでは自身を労働力や生産能力を超えた存在として定義していました。私たちが支持する世界はそういう世界です。

ぼくは八分間のほとんどを使って、一つのことを訴えた。すなわち、私有財産は尊厳を傷つけるということだ。奴隷制と植民地主義時代に富の起源を求め、政策の失敗が事態を揺るがないものにしたことを明らかにし、それから競争と所有に内在する欠陥について説明した。

スピーチをしているときに、頭の使いすぎによる身体的な負担を感じることはめったにない。アドレナリンが出て神経にもやがかかり、激しさを感じなくなるからだ。もちろんそうは言っても、ストレスがないわけでも、ストレスがおとなしくしているわけでもない。ざわめいている観客に聞いてもらおうと必死になり、結論に向かって次第に力が入るなかで、ぼくの足は震え、声はかすれた。

否定側に答えてもらわなければならないのは、財産についての包括的な説明です。なぜそれが正しいのか、そして、歴史を通して人間の尊厳を傷つけてきたにもかかわらず、なぜそうではないと言えるのか。意見を述べることができてうれしく思います。

次に立ったシドニー大学の几帳面な学生の話は、ぼくが朦朧《もうろう》としているうちに進んでいった。彼は革命は大量の血を流すことになると戒めた。革命運動はつぶされ、形成途中のユートピアは崩壊する。「結果が重要なのです」。スピーチは理屈が通っていたし、説得力もあったかもしれないが、ぼくには響かなかった。心ここにあらずの状態で、ぼくはもう少しでファナーレが席を立って演台に向かうのにも気づかないところだった。

ぼくが我に返ったのはファナーレが反駁を始めた瞬間だった。ファナーレは最初の数分間で、議論を主義の領域に戻そうとし、それから一息ついてゆっくりと話しはじめた。髪の生え際の汗が舞台上の照明を受けて光っている。その目を見て、何か考えがあるとわかった。

彼は例としてワルシャワのゲットーの蜂起をあげた。ナチス軍に抵抗したユダヤ人の多くは死ぬことがわかっていたが、それでも戦うことを選んだ。ファナーレは強調するために手をあげて、一言一言を注意深く述べた。

たとえ失敗することがわかっていても、自衛は正当化されます……悪への抵抗はそれ自体が善だからです。

ファナーレが盛大な拍手のなかで席に戻ったとき、ぼくは彼の肩に手を置いた。ディベートはまだ半分以上残っていた。勝敗の行方はまったくわからないが、ぼくたちは自分たちが求めていたディベートをした。

四時間後、ファナーレとぼくは結果を気にしながら、隣接するホールですわっていた。前方の舞台上では閉会式が行なわれていた。大学と自治体の関係者が長々とスピーチをし、記念品を交換した。誰かが歌を披露した。

ぼくは食べ物を見て気持ちが悪くなったかと思えば、ドルマ〔ピーマンやブドウの葉などのなかに肉、米、香料などを混ぜて詰めた料理〕を頬張ったりしていた。やがて、結果発表のために、決勝に出た四チームが会場の前方に呼ばれた。ぼくたちはうなずきあったり、ハグをしたりした。接戦なのはわかっていた。審査には三時間ほどかかったから、どのチームが勝ってもおかしくなかった。

発表の声には独特の明るさがあった。「オープニング与党」。ぼくたちは勝った。

第6章

自衛

いじめっ子を倒す

結婚式はペリオン山で行なわれた。ケンタウロスのケイロンが住む洞窟近くで、大勢の神々が招かれた。豊富な食べ物と飲み物が用意され、この祝宴は人間世代にとって神の豊かさを象徴するものとなった。女神たちはアポロンの竪琴にあわせて歌った。結婚した英雄ペレウスと海の女神テティスへの贈り物は、灰色の槍から籠に盛った神の塩までと多彩だった。

ほとんどの者は宴に興じて、小さな黄金色のリンゴが投げこまれたことに気づかなかったが、気づいた女神が三人いた。ヘラ、アテネ、アフロディテである。三人はリンゴに記された「もっとも美しい者へ」というメッセージを見て、全員がこれは自分のものだと主張した。言い争いは収まらず、パリスという名の人間に審判されることになり、これが最終的にトロイア戦争につながった。この事件の裏でひそかに糸を引いていたのがエリス（ローマ神話のディスコルディア）だった。争い、不和、口論の女神である。

この物語のいちばん多いパターンでは、エリスは結婚式に呼ばれなかったことで激怒した嫉妬深い女神として描かれている。その復讐は本人が想像したであろうものより恐ろしい事態を招き、トロイア戦争でペレウスとテティスの息子アキレスは死にいたった。

エリスが、ゼウスとその助言者テミスと共謀して環境破壊から世界を救ったという説もある。『イーリアス』の前篇としてとらえる者もいる叙事詩『キュプリア』の一部には、二一世紀に新たな響きをもたらす考えが記されている。「数えきれないほど存在する人間の部族は、散らばってはいるものの、懐の深い地球の表面に重くのしかかっていた。ゼウスはそれを見て哀れに思い、その思慮深さから、トロイア戦争という大きな闘争を引き起こすことで、人間を育む地球を再生させる決心をした。大勢の者が死ねば、世界を空っぽにできるかもしれない(1)」

どちらの神話もあるつながりを示している。争いや意見の相違は最終的に死を招くということだ。神々には、町を破壊して人々を滅ぼすのに砲弾も業火も必要なかった。多少の不和があれば足りたのである。

古代ギリシャの人々は女神たちからひらめきを得て、論争の目的は真実の発見ではなく、敵の打倒であるとした。対話法《ディアレクティケ》は真実と論理から成り立っているが、論争術《エリスティケ》は表面的にしかこれらの徳を受け入れていない。論争者とははったりをかまし、屁理屈を並べて批判し、この行為の高潔さを傷つけるという犠牲を払ってディベートに勝つ者のことだった。

ソクラテスは論争者に一度ならず教えを施しているが、『国家』のなかでは控えめに諭している。ソクラテスは、グラウコン(プラトンの兄)と議論をして、人は「たとえ自分はそうしたくないと思っていても、(論争に)陥ってしまうものだ」と述べた。グラウコンはそれはこの会話にも当てはまるのかと訊いた。「もちろんだ」とソクラテスは答えた。「とにかく、われわれが気づかぬうちに論争に入りこんでしまうのを私は怖れているのだ」(2)

メッセージは明快だ。論争を避けて通ることはできない。ぼくたちはみんな論争者だからだ。誰でも邪悪なディベーターになりうるし、その犠牲者にもなりうる。その結果生じる意見の相違には火種がくすぶり、条件がそろえば燃えあがることに気づかずにいるかもしれない。

＊＊＊

二〇一六年九月二六日の月曜日。テッサロニキの決勝戦から九カ月あまりが過ぎたこの日の午後、ぼくは地元の食料品店のお菓子の通路で立ちどまり、生活がどれだけのんびりしたものになったか思いめぐらせた。若干二一歳でディベートから引退したことで、ぼくには週末が戻り、脳の全領域が自由に使えるようになった。このときは二二歳になっていて、さらにぼんやりした生活を送っていた。以前は、ボストンの秋はあっという間に過ぎていったが、この秋は季節が移り変わっていくのがわかった。

四年生の秋学期は、主に卒論に取り組むことになっていて、独自の研究を約三万語にまとめるつもりだった。ぼくがテーマに選んだのは、多文化主義とその認知のための政治的要求で、高度な理論と現実の生活をつなげようと考えていた。だが、ほこりっぽい図書館や飾り気のない演習室で取り組んでいると、現実の世界が自分から離れていき、抽象的なものしか手元に残らないような気がした。週末に町を出たときには――ジャメイカ・キンケイド教授のバーモント州の庭や、ニューヨークの友人の住まいを訪ねた――外の世界の豊潤さに感覚がついていかなかった。

学業との距離は、この世界における自分の居場所について不安に思うきっかけとなった。高額な教育を受ける者として、ぼくはまわりの期待を背負って生きてきた。ところが、職業リストやキャリアガイドをいくらスクロールしても、自分が本当に貢献できそうな仕事は見つけられなかった。大学に残りたいとは思わなかった。「ケンブリッジは庭園だ」。ロースクールのある教授はぼくに言った。「出られるうちに出たほうがいい」。ぼくは逃げ道を見つけなければならなかった。

そんなわけで、アメリカのニュースサイト《クオーツ》からファナーレとぼく宛に、ヒラリー・クリントン対ドナルド・トランプというアメリカ大統領選の第一回討論会に先駆けてコラムを書いてほしいという依頼がきたとき、ぼくはたとえバーチャルの世界だけであっても、キャンパスという領域を出て、より大勢の人に向かって語るチャンスに飛びついた。ディベートで勝つための「一流のコツ」と題した記事は好評で、編集者からは一回目の討論会が終わったら続篇としてレビューを書いてほしいと言われた。

ぼくは友人――多くはディベート仲間――を自分の部屋に呼んで、討論会をいっしょに観戦することにした。どうせひどいディベートになるだろうというのが皆の一致した予想だったが、ぼくは多少の期待を抱いていた。セールスマンなら自分が計画した舞台で輝けるが、討論会は厳粛なイベントで、スピーカーはそれぞれ難しい問題にその場で答え、対戦相手と司会者は説明を求める。確かにトランプは党内の討論会で圧勝したが、それらは注目を求めた奇抜な候補者とのバラエティショーだった。

本物のディベートではなかったし、ましてや大統領選のディベートではなかった。ぼくは自分にそう言い聞かせながら、つまみとワインを選んだ。

みんなは八時ごろに来た。ソファと椅子を並べた広いリビングルームで、ぼくは飲み物を用意し、ライブストリームを準備した。緊張すると言っていた者もいたが、全員がそろうと、いつもの明るくにぎやかな雰囲気になった。ファナーレは部屋の隅のスクリーンにいちばん近い位置に、真剣な面持ちでラップトップを用意してすわった。ディベートが始まるまでにはまだ一時間あったが、ケーブルテレビのコメンテーターたちはすでに紅潮していた。音を消して見ていると、その様子はまるで熱を帯びて何度も同じことを繰り返すパントマイムのようだった。

部屋に時計はなかったが、そろそろ始まるのをみんな察知してそれぞれ腰をおろした。使える情報をかき集めたテレビ局は、司会者を紹介する映像を流した。予備選挙の映像のなかで、CNNのアンカーのジェイク・タッパーは言った。「今夜の目的はディベートです。本物のディベートですので、候補者には意見の分かれる論点について主張してもらいます。政策、政治、リーダーシップのありかたといった論点です(3)」。それから映像が途切れ、ニューヨーク州ヘンプステッドのホフストラ大学からの中継に切り替わった。

討論会はなごやかに始まった。「調子はどう、ドナルド?」民主党の候補者が声をかけ、二人は握手をして、観客に笑顔を向けた(4)。司会者は自分の席についたまま、厳かな声でビジョンや価値観、そしてアメリカ国民について語った。最初のセグメントでは、雇用や経済についての質問に、両者とも鋭く、筋の通った反応を示した。ファナーレとぼくが細かい戦略——さりげないかわしや大げさな動きなど――について考えを言いあっていると、一人が肘でぼくをつついた。「ここでディベートを始めないで」

そのうち何かが変わった。笑顔が消え、すべてが二人称で語られるようになった。「あなた《ユー》」というのは本来、罵倒する言葉ではないが、そうする方法が見つかったようだった。ドナルド・ドランプは声を荒らげて、口をはさみ、書き起こし原稿を暗黒の詩に変えてしまった。もつれた二人の話を文字に起こすのをあきらめるときもあった。

トランプ「三〇年間あなたはやってきた。それで、今になってようやく解決策を考えはじめたというんだな」

クリントン「実際のところは……」

トランプ「私なら取り戻す――ちょっといいかな。私なら雇用を取り戻す。あなたには雇用を取り戻せない」

クリントン「実際のところ、私はこの問題についてじっくり考えてきました」

トランプ「そう、三〇年間」

クリントン「そうして私は――いえ、そんなに長くはありません。思うに、私の夫が一九九〇年代にかなりいい仕事をしました。私は何が効いたのか、もう一度成果を出すにはどうしたらいいのか真剣に考えています」

トランプ「そうだ、彼はＮＡＦＴＡ（北米自由貿易協定）を承認した」

リビングルームには緊張感が漂っていた。最初はみんな反応していた。反論したり、事実を調べたり、「情けない」「信じられない」と頭を振りながら言ったり、あまりのひどさに笑い出したりした。ところが、やがて静まり返った。みんなが椅子の上で身じろぎをする音しか聞こえなくなった。笑い飛ばすような茶番には違いなかったが、その底には笑えないものがあった。

クリントン「この夜の終わるころには、これまでのことがすべてが私のせいにされるような気がします」

トランプ「そのとおり」

クリントン「そのとおり？　本当にそのとおりだわ（笑い）。おかしなことを言いたければもっと言えばいいでしょう。でも、これだけは言わせてください。確かに……」

トランプ「この国の企業が金を持ちかえれるようにするのは、何もおかしな話ではない(5)」

ディベートが終わりに近づくにつれて、友人たちは何か明るい側面を見つけようと騒ぎ出した。「これは当然の報いだね」とジョナは言った。「めちゃくちゃで見苦しいけど、まともな人間だったらこれを見てトランプがディベートを制したとは言わないだろう」。別の者はメモを見て、トランプは苦し紛れに、どのような結果であっても選挙の結果を受け入れると言ったと指摘した。「私はアメリカをもう一度偉大な国にしたい。私にはそれができる。ヒラリーにできるとは思えない。答えは、もし彼女が勝ったら、私は彼女を全面的に支持する」

しかし、ぼくはこのディベートを見てひどく落ちつかない気分になった。過去にはこういう試合に出たことがあった。嘘をつき、大声を上げ、相手の話を遮り、中傷したあげく、すべては不正だ、と言うようないじめっ子との戦いである。こういう者は想像を絶することをするが、倒すのは難しい。彼らは強いディベーターを倒すことができる。勝てるのだ。

大統領選のディベートを見て、もう一つわかったことがあった。いじめっ子はディベートの形式を避けるのではなく、乗っ取ることで勝利するのだ。相手を攻撃するために敵対する形式を利用し、巧みな言葉は強調するためではなく、動機を隠すために使う。ディベートのさまざまな考えに対する開放性を巧みに利用し、嘘を取りこむ。

悪いディベートは、この活動に内在する弱点を示しているように見える。乗っ取られたディベートは世界にとって有害なものになりうる。

友人たちが部屋を動きまわり、テレビの音に代わって音楽が流れるなか、ファナーレとぼくはソファから動かなかった。記事を書くために取った足元のメモの山は、考えれば考えるほど的外れに思えた。この九〇分間の出来事を普通のディベートとして扱うのは誠実ではないと思ったが、彼らがこの活動、ぼくたちがやっている活動について明らかにしたことは、すぐには理解できず、説明できなかった。ぼくたちは記事を書かなかった。

＊＊＊

一八三一年、ドイツの哲学者アルトゥール・ショーペンハウアーは四二歳で、彼の著作のなかでもちょっと変わった作品を書きおえた。存命中は刊行されなかったこの作品は、ディベートの説明書だった。

ショーペンハウアーは気まぐれな人間で、同僚、出版関係者、近隣の人、果ては道行く人にまで議論をふっかけることがあった。若き研究者としてベルリン大学にいたときには、G・W・F・ヘーゲルにけんかをふっかけたことがある。のちにヘーゲルのことを「まぬけで退屈でむかつく、無学のはったり屋」と評している。[6]ショーペンハウアーはメリケンサックさながらの感性をもって、ディベートの論文を書いた。ドイツ語の原題は「*Eristische Dialektik*（論争的弁証法）」である。英語では「*The Art of Always Being Right*（常に正しくあるための技術）」と題されている。

この本は定義から始まっている。論争的弁証法とは、「その人が正しくても間違っていても（per fas et nefas）」議論に勝つ技術であるという。それから、さりげなく論題を変える方法から、相手を怒らせるために攻めたてる方法まで、ディベートで勝つためのなりふり構わない三八の技術が述べられている。最良の方法は次のものだろう。「負けても勝利を主張する。相手が内気あるいは愚かで、あなた自身に厚かましさと良い声があれば、簡単にうまくいくだろう[7]」

ショーペンハウアーはきわめて悲観的に世界を見ていて、それがこの本にあらわれている。一七歳という若さでこのドイツ人は自分を、はじめて病気や痛み、死を知った仏陀になぞらえている。彼は「この世は完全な善人によってつくられたものではなく、人が苦しむところを見てほくそ笑むために人間をつくった悪人によってつくられた」と結論づけた。[8] この年、一八〇五年に、彼の父はハンブルクの自宅近くの水路で溺死している。

この悲観的な考えは、ショーペンハウアーの人間観にもおよんでいる。前述の著作のなかで、悪いディベートは「人間本来の卑しさ」から生じるとしている。[9] もし人間が誠実なら、ディベートはただ真実を目指すものとなるだろう。しかし、実際には、私たちは虚栄心の強い生き物であり、そういう悪徳が発揮されたときには、「饒舌さと本来の不誠実さ」があらわれがちである。[10] たとえ、誠意からディベートが始まったとしても、それは長くは続かない。

この著作は一般的には一種のパロディとして読まれている。ショーペンハウアーは、悪の声に導かれてディベートする人々の堕落したやり方を非難していた。「客観的な事実は無視せよ」と述べてから、論争とフェンシングの類似性をあげる。[11] 決闘につながるのは、重大な事柄ではない。「激しい論戦がすべてである」[12]

しかし、パロディに関して悩ましいのは、それがどこまで皮肉あるいは理想に後押しされているかということだ。ショーペンハウアーはより良いディベートは可能だと信じていて、皮肉によって人々をその方向へ誘導しようとしていたのか。それとも人は根っから論争者だと考えていたのか。

ショーペンハウアーが希望を抱いていたことを示す証拠がいくつかある。この著作の最初のほうで、論争者のやり方を理解すれば、その攻撃から真実を守るのに役立てられると書いているのである。「たとえ自分が正しいときであっても、それを守り抜くためには（論争的）弁証法を必要とする。敵に向かうためには不正な技とはどういうものか知っておかなければならない。それどころか、敵を倒すためには、自らその武器を利用しなければならない場面も多い[13]」

実はショーペンハウアーは、悪い議論への理解が広まれば、論争者が誤った行動を思いとどまるようになるかもしれないと示唆している。読者に対して、先を行く敵に荒っぽく対応するように言ったあとで、こう警告しているのだ。ディベーターは「どのような技が相手に有効か考えなければならない。というのは、もし相手が同じルールを用いた場合、殴り合い、決闘、誹謗中傷が繰り広げられることになるからだ[14]」。両者が論争的なディベートを身につけていれば、抑止力が働き、異なる種類の議論への道が開かれるだろう。

問題は、悪い議論を学ぶためには、論争者との戦いに身を投じなければならないことだ。

＊＊＊

この四年前、オーストラリアのディベートチームにいたとき、ブルースはよくいじめっ子を練習に招いた。皆ブルースの友人で、当時の大学生ディベーターのなかで最強の人たちだった。憧れの人も何人かいた。これはブルースのラグビーの経験から行なわれた。「強くなるには、リーグでいちばん大きくて、いちばん悪質な選手たちと戦わなければならない」

準備室の窓からは、彼らがぶらぶらしているのが見えた。準備にあてられた一時間ではぼくたちの興奮は収まらず、まして勝つための戦略など立てようもなかった。敵はほとんどの時間を面白い動画を見て過ごしていた。笑い声は廊下まで響き、ぼくたちの耳に残った。

対戦する部屋に入ると、向こうは壁に向けて発砲する銃殺隊のように動じることなく冷たい表情で、所定の位置についていた。一人一人は普通の大学生だった。ファッション性とは無縁なズボンをはいた青白い顔をした男性、靴を履いていない芸術家タイプの人、ハスキーな声で話す女性。「さて、調子はどんなもんだろう?」「覚悟はいい?」向こうはつまらない挑発の言葉をかけてきた。しかし、そうした残念な言動も彼らの名声の前ではなきものとされた。

彼らのスピーチは、ショックを与えるように組み立てられていた。ぼくたちの議論はすべて弱くずさんで、ずれていた。そう思わないなら、自分たちは愚か者か狂信者ということになる。彼らは余裕の態度で勝利を確信していて、ときどき歓声を上げて声は割れたが、話すスピードが落ちることはなかった。ぼくたちの論点を誤って述べ、言葉をねじまげた。こちらが話している最中に「それはうそ!」「間違ってる!」と声を上げた。

試合が終わり、ぼくたちは落ちた偶像と握手をした。おしゃべりはぎこちなかった。はじめて人と会うのにこれはおかしな方法だということについては、意見は一致した。「ごめんな。君たちのコーチにそうしろって言われたからさ」。一人がそう言った。

コーチはぼくたちの不満に聞く耳を持たなかった。「クイーンズランドで最強のコーチがチームによくなんて言ってたか知っているか? こう言ってたんだ。『痛いところをつけ』」。ブルースは最後の言葉をゆっくり発音して、みんなにしみこませた。「今、君たちはいいやつで正々堂々と戦うディベーターだ。しかし、外には汚い手を使って中傷してくるチームもいる。もちろん、そういうやつらを見下すことはできる。だが、考えて見ろ。対処の仕方を知らなければ、君たちは負けるんだ」

「良いディベーターは、悪いディベーターに負ける。向こうが一枚上手ならな」とブルースは言った。
その後数回にわたって、ぼくたちは敵のプレーブックを研究した。悪いディベートにはそれこそ百万通りの形があることがわかったが、基本原理は単純だった。いじめっ子ディベーターはだいたい次の四種類に分類できる。

かわす

このタイプのディベーターは議論に真正面から立ち向かわないが、さりげなくかわす術を身につけている。よく使うのが方向転換だ。あからさまに論点を無視するのではなく、より大きなテーマのある面について述べる。ただし、論じなければならない特定の議論については触れない。

「火力発電所は環境に悪い。気候変動を悪化させる」
「気候変動があるということは、われわれが火力発電所のような安定したエネルギー源を必要としているということだ」

方向転換はときに攻撃の戦術にもなる。議論そのものではなく、それを言った人間を攻撃するのはその一例だ（「環境に悪い？　あなたはSUVを運転しているじゃないか」）。お互いさまじゃないか、という手もある（「環境に悪い？　風力発電だって同じだろ」）。
これに対処するいちばん良い方法は、わき道にそれず本題を追求することだ。これは、攻撃が個人的あるいは不正確なものであるときには難しくなる。しかし、向こうができれば無視したいと思っている議論の手綱をこちらが緩めると、相手は巧みに逃れてしまう。守りきれないときには、あきらめずに相手の間違いを訂正しながら、本題に戻るよう粘り強く言いつづけることだ。

ねじまげる

このタイプは相手の主張を正しく示さない。元の論点に対処できず、あるいはわざとしないで、ねじまげた議論（わら人形《ストローマン》）をつくり、それを引き裂いて見せる。

「一人一人に銃を所有する権利がある」

「個人の自由のために、地域社会の安全を犠牲にすべきだと言っているのか？　典型的な自由至上主義者《リバタリアン》の議論だな」

わら人形論法は、元の話し手が擁護しなければならないものを拡大するケースが多い。つまり、立証責任を追加するのである（立証責任の押しつけ）。この論法を取る人は、特定の主張から話を一般化して大きくしたり（「銃を所有する権利」から「地域社会の安全は犠牲にすべきだ」へ）、似たような事例になぞらえたり（「もしあなたが銃に満足しているなら、ほかの武器についても同じではないか」）、議論を分類して当てはめたりする（「典型的な自由至上主義者の議論だ」）。

最良の対応は記録を正すことだ。元の議論ＡがＢにねじまげられたことを明らかにし、実際の主張に戻るまえに、必要に応じて誤った主張について解説する。

批判する

このタイプは反駁《はんばく》がうまいが、前向きに自分の主張をすることはない。何にでもけちをつけるのだ。基本戦略はいつでもとにかく攻撃する。

この戦略は古く「ニヤーヤ・スートラ」までさかのぼることができる。紀元前六世紀ごろのサンスクリット語による文献だ。そこでは三つの論争が区別されている。良い論争（vada）は、常に明快で理路整然とした議論をいう。悪い論争（jalpa）では、不正な戦術が使われる。反論する論争（vitanda）は、相手の主張に対して自分の意見を言わずに批判ばかりする者によって行なわれる。[15]

彼らは一つの立場に固執しないので、いつでも敵のゴールポストを動かせる。これはトニ・モリスンが次のように書いたときに意図したことだ。「レイシズムには人の心を乱すという非常に重い機能がある……誰かがあなたには芸術がないと言う。するとあなたはそれを探し出す。誰かがあなたには王国がないと言う。それであなたはそれを探し出す。足りないものは常に存在する」[16]

彼らはときには、表向きは否定できるようにしてうまく逃れる。たとえば、犬笛は、一部の人たちに特定のメッセージを伝えるために曖昧な言葉を使うことを指す（「低所得者層の取り締まりを強化する」と言う代わりに「法と秩序」という言い方をする）。

これに対抗するためには、彼らの立場を特定することだ。「それであなたは何を信じているのか？」「あなたを納得させるために、私は何を証明すればいいのか」「それはどういう意味か」といった質問をして、相手を議論から離さないようにするのである。

嘘をつく

嘘つきは嘘をつく。彼らは相手を欺くために、わざと間違っていると思うことを言う。

嘘つきに対処するときにぼくたちがやりがちな間違いは、「嘘つき！」「それは嘘だ！」と言えば相手を倒せると思うことだ。実はそれは相手に有利に働く。ぼくたちは感情的になり、個人攻撃に走ってしまうからだ。

こちらがすべきは、嘘つきが言った間違いを証明することだ。ディベートでは「当てはめて取り替える《プラグ・アンド・リプレース》」という二段階からなる方法を使う。

1 その嘘をもう少し広い世界に当てはめてみて、どのような問題が起こるか示す。「移民は暴力的であると仮定しよう。その場合、暴力犯罪で有罪判決を受けるのは移民より現地の人のほうが多い、という事実をどう説明するのか」

2 嘘を真実と取り替えて、なぜそのほうが本当らしいのか説明する。「現実には、移民がほかの人々と比べて暴力的であることはない。彼らは厳重に警戒される治安の悪い地域に住んでいて、それでも犯罪に巻きこまれる可能性は低くなっているのだから」

このように述べても、相手が嘘を言っている証明にはならないが、相手の主張に合理性も誠実さもないことは示せる。真実を無視し続ける姿勢は、秩序ある社会のなかで非難されなければならないという点については、あとでもう一度取りあげる。

嘘つきが危険な点はあと二つある。

まず、彼らは大いに息巻いて見せるが、その裏に、それは文字通りの意味ではないという言い訳を隠している。たとえば「メディアはどこも堕落している」と言って何か言われれば、「文字通りの意味で言ったわけではない」と答える。彼らには、批判ばかりする相手に対して使ったのと同じ方法でのぞむといい。相手の意見がはっきりするまで、それは正確にはどういう意味か訊くのである。

二つ目として、あまりにもたくさんの嘘に圧倒されないように気をつける必要がある。嘘つきは、ファクトチェックには時間がかかるという現実を利用し、大量の嘘で相手を圧倒して議論に集中させないようにする。イギリス人作家のジョージ・モンビオが温暖化懐疑論者との議論を拒絶したときに言ったように、「科学的な意見を誤解させるには三〇秒しかかからず、その反証には三〇分かかる」のである。[17]

いちばんいい対処方法は、嘘つきがねじまげていることを示すいくつかの代表的な嘘に集中することだ。こうした主張の欺瞞を証明できれば、パターンを示せるかもしれない。

かわす	
方向転換する 個人を攻撃する 「お互いさまだ」	本題を追求する
ねじまげる	
わら人形をつくる 立証責任を押しつける	記録を正す
批判する	
ゴールポストを動かす 犬笛を吹く	立場を特定する
嘘をつく	
嘘をつく 息巻く 嘘で圧倒する	当てはめて取り替える《プラグ・アンド・リプレース》 代表的な嘘を否定する

こうしたトレーニングを終えて、ぼくたちはこの先の激しいディベートに対して準備ができたような気がした。さらに、相手に悪い感情を抱かなくなった。彼らはいじめっ子ではなく、まともな人がいじめっ子のふりをしているだけだとわかったからだ。かわす、ねじまげる、批判する、嘘をつく、といった行動にペナルティーを科す活動のなかでは、彼らのふざけた態度は限定的なものとなる。ほ

とんどの人と同じように、恥をかきたくないという思いがブレーキになるからだ。

＊＊＊

一〇月九日の日曜日、大統領選の第二回討論会の日、気温は一三度からほとんど上がらなかった。日中は風が吹き荒れたが、夕方にはそれも収まり、不気味な静けさを演出していた。しかし、フォルツハイマー・ハウスの食堂はにぎわっていた。二階分の高さがあって音が反響しやすく、長テーブルには大勢の学生がいた。スポーツ専門チャンネルのＥＳＰＮにならって分析しようとしているグループもあれば、どちらが勝つか言いあっている人たちもいた。この日のメニューは玄米と固い牛肉を炒めたもので、消化に悪そうだった。

今回は皆で部屋に集まることはしなかった。ぼくはワイドナー図書館に一日中こもっていたので、アジア料理と思われるこの日のメニューを容器に詰めて、部屋に戻った。ジョナとジョンは新しい恋人とつきあいはじめたばかりで、部屋にいなかった。ぼくはビールを開けてソファにすわりこんだ。それから、コンピューターを立ちあげて、ライブストリームに合わせ、ソーシャルメディアを追えるようにした。

九時になるまえに、画面はミズーリ州セント・ルイスのワシントン大学に切り替わった。舞台には二週間前と同じようにハクトウワシ、憲法、星があしらわれていたが、演台の代わりに椅子が用意され、どちらを支持するか決めていない投票者が候補者を囲むようにすわっていた。候補者二人は、今回は離れて立ち、うなずいて笑みを浮かべただけで、握手をしなかった。ぼくにはなんとなくルール違反に思えた。ディベートは決闘のように、どうふるまうべきか決められている戦いだからだ。

最初の一〇分間、それぞれが議論の導入にあたる話をしているあいだは、二人とも落ちついていた。ヒラリー・クリントンは、視聴者を鼓舞するメッセージで議論を始め――「私たちが目標を定め、それを達成しようとみんなで取り組むなら、アメリカ人にできないことは何もないと思います」――、トランプはそれに同調した――「そうですね、そう思います。彼女が言ったことすべてに同意します」(18)

その後、トランプが同意なしに女性の体をさわり、キスをしたという、録音された発言に質問がおよぶと、議論は異なる軌跡を描きはじめた。いったん落ちはじめると、どこまでも落ちていった。

ビル・クリントンのほうがはるかにたちが悪いでしょう。私は言葉だけで、彼は行動しました。彼は女性に対して実際に行為におよんだのです。あれほど女性を虐待した人は、この国の政治を振りかえってもほかにはいません……ヒラリー・クリントンはその女性たちを攻撃しました。容赦なく攻撃したのです。その四人は今夜ここに来ています。

クリントンが本筋に戻そうとしても、議論の形式がそれを許さなかった。二人の物理的距離は近く、矢継ぎ早に発言が交わされるので、息つく暇もなかった。

クリントン「ドナルド・トランプのような人間が、この国の法を担っていなくて本当によかったです」
トランプ「もし私が担っていたら、あなたは刑務所行きでしょうからね」
司会者「彼女に反論させてあげてください。あなたがしゃべっているあいだ、彼女は話していません」
クリントン「そのとおりです。私はしゃべっていません」
トランプ「何も言うことがないからでしょう」

討論会が終わってから少なくとも一時間、ぼくは画面を閉じることができなかった。ケーブルテレビには見苦しいハイライトシーンが繰り返し流され、ソーシャルメディア上には画像やミームが増殖していった。「大丈夫か？」ジョンが靴を脱いでコートをかけながら言った。そう訊かれて、ぼくは困ってしまった。

この夜の討論会に明るい面、すなわち事態が好転する兆しがあるとすれば、終了後の調査のほとんどで、トランプの行動が責められていることだった。トランプが討論を制したと見る回答者の割合は、クリントンが制したとする回答者の割合より低く、二桁の差がついていた(19)。ぼくは歯を磨きながら、これらの数字に目を通した。意味のある結果だ。見た目的にも数字的にも。それなのに、なぜぼくはこんなに落ちつかないのだろう。

小学校時代、子供たちはいじめっ子に異なる対処方法を取った。その場から逃げる子もいれば、先生に言いつける子もいた。恐怖のあまり闇落ちする子もいた。ぼくの場合は、駆け引きしながら「話で決着をつける」よう促した。ぼくはこうしたやりとりのなかで、先を読んで言うことを考えた――「違う。今着ているのは高いものじゃない」とか「何かを見ていたわけじゃない。なんとなくそっちを向いていただけだって」とか。

しかし、いじめっ子には武器があった。罵り言葉、個人攻撃、まったく関係ない話などだ。「おまえの母ちゃんジョーク」もうまく使えば、その場を大きく変えた。互いのやりとりをディベートから口げんかに変えてしまい、まともな議論は成り立たなくなる。違うゲームになるのだ。友達や家族は慰めてくれた。「議論に勝ったのはあなたよ。向こうは言うことがなくなったもんだから、ばかにしたことを言ったり、力に訴えたりしたのよ」。それは確かにそのとおりだが、いじめっ子の武器を前に、道徳的な勝利がいったいなんの役に立つと言うのだろう。

競技ディベートの上品なルールは、いじめっ子の戦術から守ってくれるが、完璧ではない。シドニーの中学校時代、バーカーのディベートチームのみんなが恐れていたチームがあった。富裕層が住むロウワー・ノース・ショアにある私立の男子校のチームだった。体つきは細かったが、なぜかその動きやしぐさにはラグビー選手を思わせるものがあった。試合の合間に、少年三人はオーストラリア訛り全開で毒づいたりあざ笑ったり、さらには威嚇するように身を乗り出して、審判や観客をにらみつけた。ほとんどの場合は逆効果で、彼らが勝つことはなかったが、恐ろしいことに効果を発揮することがときどきあった。経験の浅い審判は、少年たちの自信と支配力に驚いて、勝ちとしてしまうのだった。

ときどきでもいじめっ子がディベートで報われるのは、審査の特性によるものだ。ディベートでの勝利の根拠はわかりやすいものに見える。一方がその意見を支持するよう審判を説得したということだ。しかし、たとえばイラク侵攻を支持する主張で、そのチームが審判を説得したというのは、正確にはどういう意味だろうか。もちろん、審判がディベートによって、イラク侵攻はいい考えだと信じるようになったとは言えないだろう。審判は平和主義者かもしれないのだから。だが、勝ったチームのほうが説得力があったと審判に確信させたと言える。

いじめっ子はこの「説得」と「説得力の認識」の差を利用するのがうまい。一方は手元にある決断に付随するものだが、他方は雄弁さや知性といった多くの資質を見つけるための代用品として、進行中の議論を利用するものだ。説得が試合の結果だとしたら、説得力はある意味さまざまな状況に使える社会的威信である。確実性や支配を勝利として記号化する文化においては、ぼくたちは特にゆがんだレンズを通して説得力を認識することになる。

ディベートではほとんどの場合、参加者は説得しようと努め、説得力を示そうとする。そのため、ディベートは常に見せ物と熟考、策略と真実の追求、戦いと協力がそれぞれセットになっている。ディベートの見せようとする側面はそれ自体は悪ではない。見せ物は人々を政治にかかわらせたり、社会的制裁を科したり、それまで届かなかったところに考えを広める効果がある。しかし、ぼくたちはディベートのパフォーマンス的な要素が、まじめに討議する側面を傷つけていることを自覚しなければならない。

というわけで、世論調査に戻ろう。どの調査も同じ単純な問いかけをもとにしている。「ディベートでどちらが勝ったか?」しかし、あのディベートにはほかの問いかけもできたのではないだろうか。

ドナルド・トランプは議論としてのディベートには負けたかもしれないが、あの討論会にはほかの見方もあったと思う。彼がしたのは、ステージ上でけんかを売り、視聴者に自分が見ているのはけんかであると思わせることだった。それが効果的なのかどうかは、ぼくにはわからなかった。だが、彼のパフォーマンス中に感じた動物的な興奮——いじめっ子の側につけという本能——から、もしかしたら効果があったのかもしれないと思った。

この討論会を見て、五種類目のいじめっ子を思い出した。けんかに走るいじめっ子だ。ぼくが実際にディベートで対戦したことがあるほかの四種類のディベーターと違って、このタイプはディベートの論理の範囲内で、不当に優勢な立場を求めるようなことはしない。彼らは論理そのものをぶっこわし、議論を乱闘に変え、支配したと認識されたかどうかという一点を持って勝利を判定する。目的は説得することではなく、相手を黙らせ、無視し、その意志をくじくことにある。

こうしたいじめっ子に対して、公式のディベートは対策を講じることができる。司会者が自分の番ではないのに話すスピーカーのマイクを切ったり、ファクトチェックのために中断したり、その行為はだめだと声を上げたりする。職場や家庭、公共の場など日常生活のなかで悪い議論に直面したときに、こうした手段を取れることはほとんどない。

日々の生活でけんかするいじめっ子に遭遇したときに、ぼくたちができる対策は一つしかない。ディベートの形式を取り戻すことだ。しかし、大統領選の討論会が示したように、たとえ専用の司会者を置いたとしても、これを達成するのは難しい。自分一人でそういういじめっ子に立ちむかわなければばならないときには、どうすればいいというのだろうか。

＊＊＊

一九五九年夏、冷戦が最高潮に達しようしていたとき、アメリカの代表団が博覧会を開催するためにモスクワのソコリニキ公園に到着した。博覧会はソ連市民にアメリカ人の生活を見せるために企画された。

たくさんの画像や展示品のなかで、目玉となったのは美しいモデルハウスで、一万四〇〇〇ドルという価格はアメリカの平均的な鉄鋼労働者の手の届くものだった。ロング・アイランドのコマックにある建物と同じもので、入場者数を最大にするために、部屋は分割《スプリット》されて展示された。この変わった展示方法にちなみ、かつ市民に響くことを期待して、家は「スプリットニク」と名づけられた。

博覧会は六月二四日に開幕され、副大統領のリチャード・ニクソンは自らソ連の指導者の案内役を買って出た。闘争を好むニキータ・フルシチョフは、個人的にも戦略的にも博覧会を面白く思っていなかったので、けんかをふっかけることにした。それでキッチンにあった自動のレモン搾り器に目をつけた。「これはいったい何のために展示しているのか？　実際には使えないものを展示して、われわれの目を欺こうとしているのか」[20]

身長一六〇センチほどで、ブルーベリーのような体つきのフルシチョフは、人目をひく存在だった。言いたいことは身体全体を使って伝えた。よく見られたのは、相手の胸を指一本でつき、それから体重をかけて詰めよる動作だった。笑い声は歯の隙間から広がり、あたりに響いた。しかし、機嫌よくしていたかと思えば、一瞬にして怒りを爆発させることもあり、そんなときは笑みが浮かんでいる口元がまずゆがんだ。

この豊かな表情の影には、本物の政治的狡猾さが潜んでいた。フルシチョフは一八九四年に、ウクライナとの国境近くにあるカリノフカという村で、貧しい農民夫婦の元に生まれた。生来の頭の良さで共産党の上層部に上りつめ、さらに重要なことに、そこにとどまった。自分は犠牲にならないようにスターリンの粛清を実行し、スターリンの死後はライバルを蹴落として指導者の地位に就き、前任者の遺産を「個人崇拝」として公然と非難した。

リチャード・ニクソンはクエーカー教徒の息子で、このときはウォーターゲート事件のまえだった。モスクワを訪ねた四六歳の彼は、のちに彼を大統領へと導き、さらにその座から降ろすきっかけにもなる政治的な手腕を発揮しはじめたころだった。しかし、二〇歳上のフルシチョフに比べれば、ニクソンは未熟だった。カリフォルニア州の上院議員は、このロシア人がソビエト連邦のリーダーとなった年に副大統領になった。

見た目が対照的な二人の男が展示場を歩いている姿は際立っていた。フルシチョフは、グレーのスーツに白い帽子をかぶり、大きく見えた。その動きは予測不能で、とつぜんある人に話しかけたかと思えば、次の瞬間には先ほどまで話していた人に戻ったりした。一方、ニクソンはほっそりとしていた。ニクソンのほうが背は高かったが、体重はずっと軽く、ともすれば力づくで敵の後ろに追いやられた。

モデルハウスのキッチンまで来たとき、水面下で大きくなっていた緊張感は沸騰して議論へと発展した。ニクソンは、けんかをしたら世界最強の一人に数えられる男と議論をしようとしていた。

ニクソン「このキッチンをご覧ください。カリフォルニアの住宅にも同じようなキッチンがあります」

フルシチョフ「こんなものはわが国にもある」

ニクソン「これは最新モデルです。住宅に備えつけるために数千台つくられたものです。アメリカでは、女性が楽に暮らせることを目指しています」

フルシチョフ「君たちの女性に対する資本主義的姿勢は、共産主義のもとでは起こりえない」

ニクソン「女性に対するこの姿勢は世界に通じるものだと思います。私たちが望むのは、家庭の主婦の暮らしをもっと楽にすることです」

辛辣な言葉が次々に飛び出した。どれも刺々しく、話の腰を折るためのものだった。まわりではカメラのフラッシュが光り、記者が必死にペンを走らせていた。

ニクソンの最初の戦術は、それがディベートであるかのようにふるまうことだった。つまり、自分には言うべきことを言い、それに耳を傾けてもらう資格があるかのようにふるまい続けたのだ。高校でディベート・チャンピオンだったことは、当然役立った。彼のコーチはいつもこう言っていた。「話をするということは対話をするということだ。聴衆がいれば大声を出すことになるだろうが、怒

鳴ってはいけない。彼らに語りかけるんだ」(21)

相手が破壊的である場合、最悪なのはこちらの主張を途中でやめたり、急いで終わらせたりすることだ。そうすると、時間配分の支配権を相手に渡すことになる。次いで悪いのは、自分の主張を終えずに、相手の妨害に応戦することだ（それが効果的な妨害である場合には特に）。相手に論点を設定させることになってしまう。

いじめっ子を相手にしたときと同じ行動をとりたくなるかもしれないが、それも避けなければならない。現実には、全面的なけんかをやり抜くエネルギーと図々しさを持ちあわせている人はほとんどいない。多少のポイントは稼げるかもしれないが、相手のゲームで勝てる可能性は低い。

いちばんいいのは、断固として議論を続行することだ。向こうが中断してきたら、いったん停止してその時間をカウントし、あとでその分を使う。別々の議論をしているように感じるかもしれない。そこがまさに重要な点だ。けんかはディベートではない。相手が一方的にルールを変えるのは許してはならない。

だから、ディベートがけんかになるのを防ぐために最初にすべきは、ディベートのふりをすることだ。

これでニクソンは少し時間を稼ぐことができた。気の利いた言葉をやりとりする代わりに、二人の男はそれぞれの国の住宅の取得しやすさと耐久性について主張しあった。しかし、ソ連の指導者が波に乗ってくると、とめるのが難しくなった。

フルシチョフ「アメリカ人は勝手にソビエト人のイメージをつくりあげている。だが、君たちが思っているような人間ではない。君たちはロシア人はこういうのを見て驚くと思っているのだろうが、実際には、ロシアで新しく建設されたすべての住宅にこうした設備はついている」
ニクソン「ええ、でも……」
フルシチョフ「ロシアでは、家を手に入れるには、ソビエト連邦に産まれさえすればよい。そうすれば家を得る資格が与えられる……アメリカでは金がなくても選択する権利はある。家のなかで寝るか、路上で寝るか。それなのに君たちはわれわれが共産主義の奴隷だというんだからな」
（中略）
ニクソン「もしあなたが上院議員だったら、議事進行を妨害をするな！　と叫ばれるでしょう。あなたは──（フルシチョフが口をはさむ）──自分でしゃべってばかりで、人に話をさせてくれませんね。この博覧会は驚かせようと思ってつくったわけではなく、興味を持ってもらおうと思ってつくったんです。多様性があり、選択する権利があり、千戸の異なる住宅をつくる千の建築業者がいるという事実がある。そういうことが重要なのです。私たちの国には、トップにいる政府の役人が一人で決めた一つの決断なんてものはありません。そこが違うところです」

フルシチョフがディベートを乗っ取るのを防ぐために、ニクソンは二つ目の戦術を使った。「いったん停止して言語化する」というものだ。つまり、会話をとめて、ディベートの破壊につながる特定の行動（議事進行を妨害する）を言語化したのである。

けんかをする者は混乱のなかで力を得る。彼らの戦術は、とつぜん実施されたように見えるときにもっとも威力を発揮し、ディベートを蝕む過程は騒ぎのなかで見えなくなる。手品の種を明かすように、問題の行動を言語化して明らかにすれば、そうしたトリックに抵抗できるようになり、さらに議論をリセットできる。

ただし、この戦術は人身攻撃に傾いたり、意見の相違をさらに扱いにくくする危険がある。ニクソンもそうなりそうだった。だから、行動の裏にいる人間ではなく、行動にこだわる必要がある。

二人のリーダーはキッチンの展示室から隣のテレビのある部屋へと移動しながら話を続けた。メディアの前では、フルシチョフのほうが見せ方がうまかった。身振り手振りを交えながら、はっきりと話した。白いソフト帽はここぞというときに小道具として利用した。カメラのフラッシュはショーマンとしての才能を引き出していた。

フルシチョフ「（話を遮って）それは違う。ロケットでは君たちより先を行っているし、その技術だって――」

ニクソン「（話しつづける）ほら、あなたは何も認めないじゃないですか」

フルシチョフ「アメリカ人が賢いということは昔から知っている。愚かだったら、ここまでの経済水準に達することはなかっただろう。だが、ご存じのとおり、われわれは『鼻の穴で蝿を捕まえよう』としてきたわけではない。四二年間、ひたすら前進してきた」

ニクソン「どのような意見も恐れてはいけません」

フルシチョフ「それはこちらのセリフだ。われわれは何も恐れてはいない……」
ニクソン「そうですか。では、もっと情報交換しましょう。それにはご賛同いただけますね？」
フルシチョフ「いいだろう。（フルシチョフは通訳に向かって訊く）今、私は何に同意したんだ？」

話が終盤にさしかかったとき、ニクソンは議論を先送りすることにした。努力したにもかかわらずけんかになりそうな議論に固執せずに、再戦の約束を取りつけたのである。

ディベーターにとって、議論を終わらせる以上に重要な決断はない。しかし、この決断を意見の相違から逃げるのではなく、正しい議論に向けてエネルギーを温存させるためにできれば、より良い対話に向けて準備ができる。

この三つの手段――ディベートのふりをする、いったん停止して言語化する、議論を先送りする――は、ぼくたちがいじめっ子対策として練習したものと似ているように見える。しかし、その目的ははるかに高いところにある。たちの悪い議論をその場で撃退するだけではなく、たちの悪さが発揮できないような環境を再建するのだ。

モスクワでの対決から一年後、リチャード・ニクソンはディベートの舞台でまったく異なる敵と顔を合わせた。マサチューセッツ州選出の上院議員、ジョン・F・ケネディである。最初の討論会は九月最後の月曜日にシカゴで行なわれ、大統領候補者による討論会がはじめてテレビで放送された。約六六四〇万人がチャンネルを合わせた。

そこで起きたのは、ニクソンにとっての政治的災害だった。ステージの照明のもとで、ニクソンは青白く緊張した面持ちで汗をかいていた（このとき膝の感染症から回復したばかりだった）。一方、若き上院議員は日焼けした顔で、余裕の態度を見せていた。この夜のあとニクソンの支持率は下がり、ディベートはアメリカの民主主義の特色の一つとなった。

一九六〇年の大統領選から生まれた物語は、ニクソンにはディベートの能力がなく、テレビが彼の運命を左右したことになっている。しかし、この一年前、彼はソビエト連邦の指導者相手に引けをとらなかった。ただのけんかとして知られていてもおかしくなかったものを「キッチン・ディベート」として記憶されるようにしたのである。

ディベーターとしては、ニクソンの盛衰の教訓は痛いほどわかる。ディベートは与え、ディベートは奪うのである。

＊＊＊

二〇一六年の大統領選挙の前日、一一月七日の月曜日、ぼくは朝早くボストンからニューヨーク行きの飛行機に乗りこみ、中国北京での大学院生向けのフェローシップのためのインタビューにのぞんだ。シュワルツマン・スカラーシップは、アメリカの億万長者で巨大投資ファンドのブラックストーンの共同創始者であるスティーヴ・シュワルツマンが創設したもので、清華大学の一年間の修士課程の奨学金を提供してくれる。中国に住みたい理由は特になかったが、急速に変容する国、特に地域をこの目で見られることに魅力を感じていた。

インタビューはきらびやかなウォルドーフ・アストリア・ホテルの三一階で行なわれた。権威あるフェローシップは、変化のトップダウンという独特の理論にもとづいていた。すでに多額の費用がかかる教育を受けた人々は、大学院での研究と同等の仲間との交流を通して、さらに自分を高めて世界に貢献できる人材になるというものだ。シュワルツマン・スカラーシップは新しいプログラムなので、この仮定を実証するところまでは行っていなかったが、インタビュアーの面々はその見本だった。豪華なホテルで、世界で活躍した過去を持つ著名人や産業界の大物、メディアの有名人が二十代の若者と自由に話をしてくれた。そこには上流の人たちの集まりに特有の余裕があるように感じた。昼食の席で、スライスされた野菜と飾りの葉っぱが載ったサラダを食べながら、政治の話が盛りあがることはなかった。「ヒラリーはうまくやるだろう」と、ぼくの右にいた威厳のある男性が言った。

翌日はほぼ一日中街を歩き回って、買い物をしたり友達に会ったりしたので、ニュースはほとんどチェックしていなかった。公共の場所では、選挙運動家や投票を推進する者が、民主主義への参加を訴えて大声を張りあげていたが、その声の端々には疲れが感じられた。夜になり、七時五九分発のボストン行きの飛行機に間に合うようにラガーディア空港に到着して、搭乗手続きを待っているとき、ぼくは最初の結果を目にした――インディアナ州とケンタッキー州、トランプ。バーモント州、クリントン。スムーズに離陸し、インターネットが使えなくなると、ぼくは時間の流れから切り離されたような気がした。

飛行機を降りて荷物を取り、時刻が一〇時になっていたころ、ぼくはその夜に対峙する心の準備をして、携帯電話を開けた。《ニューヨークタイムズ》は九五パーセントの確率でトランプが勝利するという予測を伝えていた。(22) ボストンの中心部に戻るシルバーラインバスに乗り、のろのろと走るバスに揺られながら、もはや確かなものは何もないように感じた。

選挙後、三回の討論会は、メディアが現代政治の分裂（およびそれに伴う醜悪さ）を語るときの根拠となった。

「悪い男《オンブレ》」

「あなたは操り人形だ」

「嫌な女だ(23)」

選挙戦を通して、政治の専門家はディベートの形式を批判してきた。「見せ物精神と不満の表明、それから頑なな姿勢と見当違いな意見がごちゃまぜになっている」というのが、あるジャーナリストによるディベートショーの説明だった。(24) 政治科学者は今の形式はやめて、代わりに「危機シミュレーション」をテレビで放送したらどうかとまで提案した。(25)

ぼくはディベートをやめたほうがいいとは思わなかったが、過去にない分裂を生み出した選挙を終えて、別の危険性を感じていた。人々は国政レベルだけではなく、日常生活のなかでも、ディベートの持つ可能性を否定するようになるのではないか。憤りより絶望、怒りより疲労によってもたらされる、そうした損失は計り知れないものになるだろう。

友人たちとの会話のなかで、ぼくは二者で行なうディベートには普通と異なる言葉の使用領域があり、ディベーターは率直で情熱的であると同時に、寛大で思慮深い声で話すことができると主張してきた。自信を持ってそう言ってきた。しかし、内心では、自分たちのなかの別の声を上げさせて増幅させることになるのだろうかと思った。そうしたことに悩んでいたとき、ぼくは意外なところから慰めを得た。

『*Eristische Dialektik*（論争的弁証法）』を書いてから約二〇年後、アルトゥール・ショーペンハウアーは良いディベートの可能性を冷静に見ていたようだ。一八五一年、最後の大作『余禄と補遺』のなかで、昔、悪いディベートの形式的な側面――彼は「愚か者の頼みの綱」と呼んだ――の「きちんとした解剖学的な標本」をつくろうとしたことがあると述べている[26]。

年を重ねたショーペンハウアーは、人は議論するなかで「知性の欠如」だけではなく「道徳的な堕落」もあらわにすると確信するようになった。標本を再検討するつもりはないが、「よくいる凡人の群れと議論する」のは、「常に醜悪な結果」を生むので避けるように熱心に勧めている。ディベートを試みるのはいいが、「相手の返答に執拗さが見えたときにはすぐにやめるべきだ」と言っている。

しかし、この哲学者は皮肉の極みにありながら、ドアをわずかに開けずにはいられなかったらしい。「相手の確かな議論を認めない者は誰であれ、頭の弱さを直接、あるいは自分の思いこみの強さに負けて間接的に示している」と書いている。「だから、そういう人間を相手にするのは、義務と義理から求められるときに限るべきだ[27]」

これはまさに的を射ているように思う。市民として、ぼくたちは上手に異議を唱える義務がある―

—暴力ではなく説得の力を持って論争を解決し、共通する利益の問題を熟考し、意見が異なる相手にその理由を伝え、相手に反応する機会を与えなければならない。こうした義務は家庭、職場、地域、国をともにする人たちにも適用される。ディベートに背を向けるのは、これらの責任を縮小させることにもなる。

古代ギリシャ人は神々を対立する二者としてとらえていたようだ。ゼウスは天空の神、その兄のハデスは地下の神だ。アポロンは太陽の神、その妹のアルテミスは月の神である。

神話によれば、女神エリスにも妹にあたる者がいた。調和と協調の女神で、そのためギリシャ神話ではハルモニア、ローマ神話ではコンコルディアという名で呼ばれた。彼女の話はあまり数がなく、いずれもその力はエリスにかなわなかったことを示唆している。

古代ギリシャの詩人ヘシオドス（「声を放つ」という意味）は別の見方をしている。実はエリスという名の女神は二人いたというのだ。一人は戦争や衝突をもたらし、もう一人は「人間にきわめて有益な」意見の相違や争いを育てるという。この慈悲深い女神もエリスで、「たとえ苦労に耐性のない者であっても奮起させるために」まわりと競争する環境に置く。「この衝突は人間にとって健全なものである」と彼は書いた(28)。

神話は、悪い形での意見の相違の反対は意見の一致ではなく、良い形での意見の相違であると教えてくれる。今の時代は忌まわしいエリスが支配しているように見える。しかし、過去数千年の歴史が教えてくれるのは、良い議論と悪い議論——およびそれぞれに向かわせる力——の争いにおいて、最終的にどちらかで決着することは決してないということだ。豊かなディベートと同じように、この格闘は延々と続くのである。

第7章

教育

人を育てる

七年生の終わりに、マルコム・リトルの人生は転機を迎えた。それまでの数年間はつらいことが続いた。父を亡くし、母はショックで精神を病んだ。リトルはミシガン州ランシングのプレザント・グローブ・スクールを事実上の退学になり、軽犯罪にかかわるようになった。しかし、一九四〇年代のはじめにメイソン・ジュニア・ハイスクールに入り、そこで能力を発揮しはじめた。リトルは州の保護観察下にあり、クラスで唯一のアフリカ系アメリカ人だった。学級委員長にも選ばれ、成績もトップクラスだった。

一年がすぎ、雲行きが怪しくなりはじめた。リトルの得意科目は歴史と英語だった。「数学というものは議論の余地を残さないから」と振りかえっている。「まちがえば、それで終わりでどうしようもないのである」[1]。悩みは教室で生まれた。リトルは人種差別的な冗談を言う歴史のウィリアム先生は冷ややかに見ていたが、英語のオストロウスキー先生は信頼していた。だから、先生が助言してくれたとき、リトルは耳を傾けた。

オストロウスキー「マルコム、きみはそろそろ職業のことを考えなきゃいけないよ。これまでに考えたことはあるかい？」
マルコム「はい先生、私はずっと弁護士になりたいと考えてきました」
オストロウスキー「マルコム。人生でわれわれに最初に必要なことは現実的になることだ。いま私のいっていることを誤解しないでほしい。ここにいるみんながきみを好きなのはわかっているだろう。しかし、きみは自分が黒んぼだという現実を忘れてはいけない。弁護士は黒んぼにとって現実的な目標ではない……大工になることを考えたらどうかね(2)」

リトルはこのときのことを忘れられなかった。何度も反芻しながら、オストロウスキー先生がほかの生徒にはそれぞれの夢を叶えるよう激励していたことを思い出した。リトルはのちに自分が「ほとんどすべての白人の子供より頭がよい」ことに気づいたと語っている。「しかし白人の目から見れば、私がなんになりたいと思うにしても、その程度の頭のよさではだめだと思われているようだった(3)」。このときからリトルは内にこもるようになった。何があったかは誰にも言わなかった。

八年生を終えた週、リトルはグレイハウンドバスに乗ってボストンに行った。そこで異母姉のエラの家に身を寄せ、数年間はつまらない仕事をしながら、一方で犯罪に巻きこまれるようになっていった。学校に戻ることはなかった。

一九四六年二月、二〇歳のリトルはマサチューセッツ州チャールズタウンにある州立刑務所に行きついた。侵入窃盗とそれに関連する罪で一〇年の刑を言い渡されたのだった。二二八四三という囚人番号を振られたが、その宗教に対する敵意から「サタン」というニックネームで呼ばれるようになった。

　チャールズタウンの刑務所で、リトルはある囚人から影響を受けた。ジョン・エルトン・ベンブリー、通称ビンビイは、リトルと同じくらいの身長（約一八八センチメートル）で、同じように明るい赤みのある肌の色をしていたが、それ以外はまったく似ていなかった。リトルはよく罵り言葉だらけの激しい口調で話をしたが、ビンビイは商取引からヘンリー・デイヴィッド・ソローの作品まで幅広いテーマについて雄弁に語った。ビンビイが声を上げると看守までもが耳を傾けた。「私の態度は彼にくらべるとじつに迫力のないものに思われた。そのうえ彼は、下品な言葉など一度も口にしたことさえなかったのだ」とリトルは述べている。(4)

　ビンビイは博識さと雄弁さで手本となり、それはリトルが一九四八年にノーフォークの犯罪者集団《コロ》居住地《ニー》に送られるまで続いた。この犯罪者コロニーは、改革派のある刑務所長によって実験的につくられた、犯罪者が集団で暮らす施設で、リトルはそこで各種の教育プログラムを受け、大量の本がある図書館に熱心に通った。辞書を開き、aardvark（ツチブタ）という単語から順に書き写していった。歴史（古代エジプト、エチオピア、中国）から哲学（ソクラテス、ショーペンハウアー、カント、ニーチェ）、イライジャ・ムハンマドの政治神学までありとあらゆる本を読んだ。「読書は私の心を、圧縮された蒸気のようにした」(5)とリトルは振りかえっている。そうして次に必要となったのは逃し弁、つまり自分の考えを発する手段だった。リトルはそれを競技ディベートに見つけた。

犯罪者コロニーのディベートクラブは、地元の大学と対戦するために練習し、毎週囚人同士で競技会を開いた。論題は幅広く、政治（「軍事訓練を強制すべきか否か」）から歴史（「シェークスピアの正体は？」）、はては栄養学（「赤ん坊に牛乳を与えるべきか？」）にまでおよんだ。試合は数百人もの人を集めた。リトルはディベートへの入門を「洗礼」と表現している。

しかし私がいいたいことは、刑務所で討論したり群衆に演説することは、読書を通じての知の発見と同じくらい、わくわくすることだったということだ。そこに立つとみんなの顔が自分を見あげ、脳がいましゃべっていることにつづく最良のことを探しているあいだに、頭のなかのことが口から出る。問題をうまくあつかって、自分の側に有利にもっていければ討論は勝ちだ。いったん参加すると討論会にのめりこんだ(6)。

リトルはチームメイトとともにディベーターとしての腕を磨いた。一九五一年一二月、犯罪者コロニーははじめて国際大会を主催し、オックスフォード大学と対戦した。囚人たちは大学チームを相手に三四勝一四敗というまずまずの成績をあげていた。しかし、アメリカの大学を二カ月半かけてまわり、無敗のままノーフォークを最後の対戦地としたイギリス人は強敵だった。リトルはこのときにはすでにチャールズタウンに移送されていたので、国民健康保険の創設という論題の否定は、強盗犯のマードと不渡り小切手のビルにまかされた。判定は三対〇でノーフォークの勝ちだった。「彼らは恐ろしく優秀だった」とオックスフォード大学のディベーターの一人、ウィリアム・リース＝モッグ

（のちの《タイムズ》の編集者であり、イギリスの保守党の政治家ジェイコブ・リース＝モッグの父でもある）は言った。(7)

オックスフォード大学とのディベート大会から八カ月後、リトルは仮釈放された。このころには新しい名を名乗るようになっていた。マルコムXである。

伝道師《ミニスター》および活動家としてのキャリア——最初はネイション・オブ・イスラムのために、のちに一人で活動した——のなかで、マルコムXは何よりもディベートの技術を頼りにした。非暴力主義への反対と人種分離主義を訴えるために、彼は敵に議論をしかけた。大学で、ラジオで、テレビで戦った。「マルコムはほぼ毎回勝った。少なくともそこにいた人々を魅了した」とある伝記作家は述べている。「彼は道徳上の怒りを持って主張した(8)」

そのような説得力のある話し方をどこで身につけたのかと訊かれると、マルコムXは刑務所時代、特にある一人の影響が大きいと述べた。「それは、じつにチャールズタウン刑務所時代にまでさかのぼる。はじめてビンビイの知識の豊富さを羨んだときだ」という。(9)しかし、普通ではない人生を振りかえりながら、もっとまえに出会った別の助言者を思い出すこともあった。「もしオストロウスキー先生が、弁護士になれと激励してくれていれば、私は今日おそらくどこかの都会で、専門職の黒人ブルジョアジーの一人となってカクテルをすすり、地域の代弁者として、また苦しむ黒人大衆のリーダーとして自身をあざむくようなふるまいを重ねていただろう」

ノーフォークのディベート活動も盛りあがった。一九六六年に休止されるまでに、大学のディベートチームに対して一四四勝、わずか八敗という記録を打ちたてた。倒した相手には、ミュージシャンのレナード・コーエンが率いたカナダ人チームもあった。二〇一六年、囚人たちはディベート活動を再開し、ふたたび競技会に向けて練習しはじめた。ノーフォークのディベーターの一人、ジェームズ・ケーオンは五〇年ぶりの競技会についてこう言った。「これは自分にとって人間らしくいられるイベントなんだ……つまり、この世界に自分の居場所があって、声を上げる権利があって、共有できるものがあるということだ」[10]。こうして教育は再開した。

＊＊＊

二〇一七年五月最後の週、太陽が照りつけたかと思えば、土砂降りになるような安定しない天気のなか、ぼくの教育が一区切りを迎えた。両親は卒業式――ハーヴァードでは、アメリカのほかの多くの大学と同じように、卒業式を「始まり」の意味もある commencement と呼ぶ――に出席するためにシドニーから飛んできた。大好きなおばもシアトルからやってきた。ぼくはフェンウェイ・パーク、イザベラ・スチュワート、ガードナー美術館、中華街など、ボストンを観光するよう勧めた。しかし、両親は寮でぼくの友人たちと話をして、四年間の生活を思い描くほうがよかったらしい。

ぼくは夜、グレンデルズ・デンという雰囲気のある地下のパブで友人たちと語り合った。いくら飲んでも話は尽きなかった。卒業生の多くは、ニューヨークやサンフランシスコなどアメリカの大都市に向かうが、ぼくたちの行き先はもっと幅広かった。ぼくは八月にシュワルツマン・スカラーシップを得て北京に行く。ファナーレはアトランタでコンサルタントとして働きはじめる。ジョナはもう一期を終えてから、スペインはマドリードに向かう。ぼくたちのばらばらな行き先は、人間はどの二人をとっても一つになるより、別々に存在しているほうが自然なことだと思い出させてくれた。

夜遅くまで話をしながら、ぼくたちは四年間で実際に何を学んだのだろうと考えた。現実の世界のうんざりする仕事に対して、ぼくたちが受けたリベラルアーツ教育——承認の政治理論、セクシュアリティの歴史、トマス・ハーディの小説など——は無関係なものばかりのように思えた。

五月二五日の木曜日の式典は、こうした疑問のいくつかを際立たせた。土砂降りにもかかわらず、卒業式はすばらしかった。卒業生が皆ガウンに身を包み、三万五〇〇〇人の前でラテン語の演説と歌が披露される光景はまばゆかった。大学の関係者や化学者に交じって名誉学位を授与されるデイム・ジュディ・デンチやジェームズ・アール・ジョーンズの姿を見て、観客のあいだに興奮が走った。午後には、フェイスブックの創業者マーク・ザッカーバーグが未来のテクノロジーと民主主義について語った。

式典はぼくたちの学位に市場価値があることを明らかにしていた。有名人と並び、未来のテクノロジーと民主主義について語るプラットフォームを提供してくれたのだ。皆が同じに見える集団のなかで、ぼくはこの外観上の価値とぼくたちが受けた教育の実体——およばない理解、抜け出せない混乱、長い夜を図書館で過ごしても得られない満足——のギャップについて考えた。

ぼくはもう少しやることがあるという事実に慰められた。中国に行くまえに、慣れ親しんだ活動の仕事があったのだ。二カ月後、インドネシアのバリ島で開催されるワールド・スクールズ・ディベーティング・チャンピオンシップで、ぼくはオーストラリア代表チームのコーチをすることになっていた。ファナーレもアメリカ代表チームを指導することになっていた。これがいっしょに活動する最後の機会になるだろう。

ほとんどのディベーターは二回引退する。まず試合に参加するのをやめる。その後しばらくしてから、審判や運営ボランティア、コーチといった活動からも完全に身を引く。ほとんどの大会は学生であることを参加条件にしているので、最初の引退は二五歳くらいになることが多い。二回目の引退のタイミングはさまざまだ。なかには引退を遅らせて最後までやる人もいる。

バリ島の大会はぼくにとって二回目の最後の引退になる。オーストラリアチームのコーチをもう一期やってほしいと言われたが、決意は固かった。過去一二年間、ぼくは競技ディベートの外の世界をまったく知らずに生きてきた。そのうち五年間は、卒業した高校で、ハーヴァードで、世界中の学校や夏合宿で、若いディベーターの育成にあたってきた。仕事は変わらず好きだったが、早めの引退で失うものは、遅すぎる引退で失うものに比べればごくわずかだと感じた。潮時だった。

そういうわけで、七月の第三水曜日、実家で数週間をのんびりと過ごしたあと、ぼくはディベート最後の旅としてインドネシア行きの飛行機に乗りこんだ。シドニーからバリ行きの夕方の便の機内では、安全ビデオが終わらないうちから、休暇を過ごす人々がドリンクを注文していた。彼らの興奮は手に取るようにわかった。すでに終わりに向けて歩み出したバケーションを最大限楽しみたいという欲望も。機内ではトレーニングのスケジュールを見直すつもりでいたが、ぼくも楽しむ人々の仲間入りをすることにした。

飛行機は濃密な厚い雲のなかを降下し、現地時間の午後一〇時ごろに着陸した。税関では、入国目的を「会議」と伝えた――「ディベートとは一種の議論だが、競技として行なうもの」という面倒くさい説明を避けるための昔からの手である。それから、タクシー乗り場で「スラマッマラム（こんばんは）」とインドネシア語を練習している旅行客の後ろに並んだ。空港のワイファイは、早い便で到着していたチームにメッセージを送るまで持ちこたえてくれた。ぼくは一時間後に集まるように伝えた。

借りた家までの道のりを車に揺られながら、ぼくはチームのみんなに何を言うべきか考えた。普通ならこういうブートキャンプは激励の言葉で始まるだろう。穏やかなナショナリズムを織りまぜたやる気を起こさせる前向きなスピーチだ。しかし、悪意ある討論会と選挙結果が注目されたこの年に、ただ単に勝利にこだわるのは適当ではないように思えた。ぼくが教えるために来たこの活動の価値は、もはやそれほど自明なものには思えなかった。

ぼくにわかっていたのは、ディベートは教育のツールとして非常に有効だということだ。ぼくの場合、この活動を通じてたくさんの知識を得ただけではなく、学び方も学んだし、いつの間にか自分からそうしたいという気にもなった。ときどきこういう言い方で人に説明することがある。「情報より技能、技能より動機」

ディベートをする子供たちは、テーマ（政治、歴史、科学、文化）も情報源（ニュース、研究、データ、理論）もさまざまな幅広い知識に触れる。そして、本番の議論を進めるために深い理解が要求される。

しかし、本当の学びは内容うんぬんより高い次元で起きる。ディベートは総合的な活動だ。調査、チームワーク、論理的思考、構成力、人前で話す技術といったディベートに必要なスキルは、生徒にとって多くの場面で使える道具箱となる。おそらくもっとも重要なのは、子供たちに学びを大切にする理由を与えることだろう。教室で行なわれる授業は一方通行で受け身になりがちだが、ディベートは常に参加することを促し、自分の意見を聞いてもらいたい、通したいというもっとも基本的な衝動をスポーツにした。

経験的証拠が示しているように、ディベートは均一化し、普及させることができる。長くエリート教育の柱だったが、普及させようという近年の努力は大きな成果をあげている。たとえば、アメリカに二〇ほどあるディベート組織の一つ、シカゴ・アーバン・ディベート・リーグの一〇年におよぶ研究によれば、自己選択を考慮したうえで対象者としたリスクの高い高校生のうち、ディベート活動を行なった者は行なっていない者より三・一倍の確率で卒業しているという結果が出ている。[11]

ディベートは組織するのも（比較的）簡単だ。二〇一三年以降、フロリダ州のブロワード郡は、中学および高校の各校にディベート・プログラムを導入しようと試みた。[12] 普通の授業にディベートを組みこみ、カリキュラムを「ディベート化」する試みは世界中で進んでいる。

ぼくはこうした考え方に異論はなかった。しかし、それがディベートのすべてなのだろうかと思った。個人に知識、技能、動機、人間関係、名声といった利益をもたらすが、社会に利益をもたらさない教育ツール。それ自体は悪いことではないが、そう考えるとあまりぞっとしなかった。

タクシーは右折し、未舗装の道に入った。宿泊施設を人里離れた場所にしたのは自分だが、それでもまわりに民家がまったく見あたらず驚いた。代わりに何エーカーもの水田が広がり、稲を実らせていた。アシスタントコーチのジェームズが入口で迎えてくれた。「子供たちはもう寝ました」と申し訳なさそうに言った。「でも、あなたに会えるというので興奮していますよ」

その夜遅く、ぼくは部屋で一人、バリまで来てしようとしていることの狂気性について考えた。ディベートチームのコーチはたいてい心が折れるような思いをすることになる。コーチはプランを立てる。ディベーターがそれを壊す。うまくいかないときには、とことんうまくいかない。それでも仕事を引き受け、子供たちに希望を託す。うまくいけば伝統が変わる場面を目撃できるからだ。

＊＊＊

ディベートのコーチの仕事には台本はなく、手本にできる先例があるだけだ。もっとも偉大なコーチと言われている人物は、テキサス州マーシャルのワイリー大学という歴史的に黒人学生が多い大学で英語を教えていた。これはジェームズ・ファーマーが一四歳で一九三四年にこの大学に入学したときに、知らなかったたくさんのことの一つだった。

年上の学生に囲まれたティーンエージャーとして、当時のファーマーが知っていたのは孤独だった。父はワイリー大学で宗教と哲学の教授をしていたので、ツタが覆う壁や、スイセン、ヒャクニチソウ、ブルーボネットが咲き乱れる庭も含めて、キャンパスにはなじみがあった。しかし、彼の年齢では恋愛の対象になるのは難しく、多くの学生は世間が天才に接するときのように距離をおいて彼を称賛した。

ところが、この壁の花に興味を示した人物が一人いた。ある秋の日に、三十代の英語の教授はキャンパスでファーマーを見つけ、声をかけることにした。九〇メートルほど離れたところから、教授は彼に何を読んでいるのか大声で訊いた。そしてその答え――「トルストイの『戦争と平和』です」――を聞いて教授は喜んだ。「少なくとも君が知識のスープを飲んでいると知ってうれしいよ。うちに肉を食べに来ないか」[13]

招待には脅しもついてきた。午前中の授業のあと、教授はファーマーに熱心さが足りないと叱責し、もっとたくさんの本を読むように言った。「そうすれば、いっしょに議論できるだろう。私が反対の立場を取るので、君は自分の考えを擁護する。そうやって自分の技を磨くのだ。対立する意見に接したときのために」。もしそうしなかったら？　単位は落とすという。ファーマーは言葉を失い、教授は機会を逃さなかった。大学のディベートチームは毎週火曜と木曜の夜に教授の自宅で練習しているという。「君も来なさい」。さらにたたみかけるように「じゃあファーマー、今夜会おう」と言った。こうして新入生は、教育者であり、詩人であり、そしてワイリー大学の弁論部のコーチであるメルヴィン・トルソンの手中に落ちたのだった。

アメリカの大学のディベートクラブの始まりは、建国の父たちの時代にさかのぼる。しかし、対抗戦を行なう競技ディベートが国中に広まったのは、革新主義時代――婦人参政権や上院議員の直接選挙、汚職や独占の取り締まりを含めた民主化改革が強く要求された一八九〇年代から一九二〇年代――だった[14]。歴史的に黒人学生が大部分を占める大学も例外ではなく、のちにアフリカ系アメリカ人の指導者となる人々――マーティン・ルーサー・キング・ジュニア（モアハウス大学）、最高裁判所判事サーグッド・マーシャル（リンカーン大学）、上院議員バーバラ・ジョーダン（テキサス・サザン大学）――もディベート教育を受けた。

そうした卒業生の一人がメルヴィン・トルソンだった。彼はリンカーン大学の代表としてパートナーのホラス・マン・ボンド（著名な大学管理者）とチームを組んで、一九二三年の卒業前に戦っている。翌年英語とスピーチを教えるためにワイリー大学に赴任し、最初にしたのがディベートクラブをつくることだった。ジェームズ・ファーマーが入学したころには、「無敵のトルソン・メソッド」は一〇年かけて磨き抜かれていた。

ファーマーにとって練習は厳しかった。トルソンは活動の中心にいて、対戦相手に、軍曹に、そして師匠になった。一時間かけてディベーター一人一人をチェックし、ジェスチャーや姿勢のすべてを指導した。それから大量の読書課題とともに家に帰した。ときには残酷な態度を取り、「出来が悪く、知識が足りず、向上心のない者に対しては根深い嫌悪感」を示した[15]。それでも彼は忠誠心を駆りたてた。ファーマーにとって、「トルソンの家で過ごす夜は一日の終わりの楽しみだった」。

厳しいトレーニングを採用した理由の一つには、ジム・クロウ法のある南部で黒人ディベーターでいるためには強い精神力を必要としたからだ。ファーマーのチームメイトであるホバート・ジャレットによれば、雑貨店の外でチームといたときに白人至上主義者にライフルで発砲されたことがあり、また、アーカンソー州のビービを車で走るときには、暴徒を避けるために肌の色の濃いメンバーをしゃがませたという。「この時代のディベーターはみんな目をつけられていて、リンチで殺されるかもしれなかった」とある歴史家は述べている[16]。

トルソンは、ディベートは学生たちを待ちうける戦いに対する準備だと考えていた。ファーマーにはこう言った。「いいか、世界は両手を広げて君を待っていると、教師は学生に言うものだが、それは嘘だ。確かに君を待っている者がいる。大きな棒を持ってな。君はそれをかわして、カウンターパンチを浴びせる方法を学ばなければならない」[17]。それは単なる個人の生き残りの問題ではなく、政治的な前進でもあった。トルソンはかつてヘンリエッタ・ベル・ウェルズというディベーターにこう言ったという。「君はそこに何かを植えつけてこなければならない。人々の目を覚まさせるために」[18]

ファーマーがワイリー大学の一年生だったとき、ディベートチームは一つの目標に取り組んでいた。南西に八〇〇〇キロほど移動してカリフォルニア州とニューメキシコ州のあちこちのチームと対戦する計画を、一九三五年のはじめに立てたのだった。このディベートの旅で、彼らが特に重視していた試合があった。全米チャンピオンだった南カリフォルニア大学（ＵＳＣ）との対戦である。

この対戦は、ＵＳＣのボーヴァード講堂で火曜日の夜に行なわれた。前日の夜、トルソンはライバル校の大きさにおじけづくことがないように、チームを部屋に閉じこめたと言われている。二〇〇〇人を超える人々の前で、タキシードに身を包んだホバート・ジャレット、ジェームズ・ファーマー、ヘンリー・ハイツの三人は、「武器と軍用品の国際輸送」を禁止すべきであるという論題を肯定した[19]。

五年前の一九三〇年、トルソンのワイリー大学チームの面々は、はじめて白人とディベートをしたアフリカ系アメリカ人となった。だが、今回はＵＳＣの水準が高かったせいか、あるいはワイリーの評判が高まっていたせいか、ディベートそのものに歴史的価値があった。聴衆は、トルソンが「人種を超越した本質的価値の正体を目にしたときの興奮」と述べたものに包まれ、没頭していた[20]。

ディベートはワイリーが制した。勝利のニュースはすぐに国中に広まった。ホバート・ジャレットの当時の記事からは、チームを勝利に導いた自信と真剣さが垣間見える。

多くの人が、人種の異なる相手とのディベートの舞台に立ってどう感じたかと訊いてくる。怖かったかと訊かれることが多い。これはかなりおかしな質問だ。数カ月かけてディベートの準備を完璧にしたあとで、つまりプラスとマイナスをすべて考慮し、話し方や反駁《はんばく》の仕方を身につけたあとに、恐れるものは何もない。(21)

トルソンコーチは、USCに対する勝利を足がかりに並外れた記録を打ちたてた。その指導のもとで、ワイリー大学は七五回の対戦のうち七四回勝利した。(22) ジェームズ・ファーマーは代表チームのキャプテンとなり、その後は彼の世代のなかでもっとも有名な公民権運動のリーダーとなった。後者の立場にあったとき、ファーマーはディベートのスキルを最大限に活用した。議論で彼に立ち向かえるのは一人しかいなかった。マルコムXである。

＊＊＊

水田に囲まれた宿で、ぼくは少し度を越していたかもしれないと思う厳しさでオーストラリアチームを指導した。生徒たち——アース、ゾーイ、ジャック、イズィ、ダニエル——は八時に起きて、九時に最初の準備を始めた。午後にディベートを行ない、それからもう一度夜に行なった。その合間にぼくは戦略について講義し、彼らのリサーチ内容をチェックした。実のところ、大会は年々競争の激しさを増していた。昔は英語を話す少数の富裕国が集まって総当たり戦を行なっていたが、今では門戸は大きく開かれている。ぼくはチームのみんなに、インドや中国といった強豪国のディベーターは夜を徹して取り組んでいると言って発破をかけた。

しかし、ブートキャンプ最終日の前日、ぼくはチームの議論の薄っぺらさを指摘しながら本物の怒りがこみあげてくるのを自分の声のなかに感じとり、早めに切りあげることにした。午後は、子供たちの希望でバリのオナガザルの保護区「マンダラ・スチ・ウェナラ・ワナ」を訪ねた。ぼくは、サルを見て楽しんでいるみんなの後ろを歩いていたが、チームの二人が苔に覆われた寺院で、ワールド・チャンピオンシップで勝てますように、とお願いしているのを見たときには涙が出そうになった。

コーチと競技参加者は、トーナメント期間中は異なるリズムで過ごす。ディベーターの一日は午前中に一試合、午後に一試合と、すべての力を出し切る試合を中心に回るが、コーチは競技全体について考え、耐える。競技会が始まってしまえば、コーチにできることはあまりない。だからコーチは自分がコントロールできるわずかな事柄に集中する。すべてのフィードバックを勘案し、出場者の選択(誰がどの順番で話すか)に苦悩し、味方チームにうなずき、相手チームをにらむ。そうしているときでさえ、たいていは賽は投げられたという感覚でいる。

トーナメント期間中、ぼくはホテルでファナーレと同じ部屋に泊まった。最初の数日間は、二人のあいだに暗黙の距離があった。ファナーレのチームとは予選ラウンドの五戦目で対戦した。それが終わって——オーストラリアが勝った——はじめて緊張が解けていつもの活気ある会話に戻った。ぼくは自分の小さい器を感じて恥ずかしくなったが、それでも親友といっしょに取り組めてうれしかった。

どんなトーナメントでも、最終的な結果を占う試合がある。勝ち抜けるかどうかをそれとなく示す対戦だ。ぼくたちにとっては予選ラウンド八戦目の南アフリカとの対戦がそれだった。南アフリカは強敵だった。主張は明快で、ぼくたちと同じ種類のユーモアのセンスを持ち、さらにひらめきや真剣さでステージを奪う能力にも長けていた。「この試合を決勝だと思え」。ぼくは会場につながるバルコニーでみんなに言った。「相手を引き離せ。短い時間でも近づかせるな。この試合は君たちの本気を見せるチャンスだ」

論題は「議会は、亡命希望者を自国民との文化的類似性を基準に国が優先順位を決めることができるものと考える」。ぼくたちは否定側だった。前日の夜に出場メンバーは決めてあった。まずアースが攻撃をしかけ、生来の生まじめさで相手を困惑させる。次にもう少し愛想のあるダニエルがこちらの前向きな主張をまとめる。ジャックは機転と売りこみ能力を発揮して最適な材料を紹介し、一方で相手を批判する。チームは計画どおり完璧にこなした。情熱と緊迫感を持って話すメンバーを見て、観戦に来ていたインドネシアの子供たちは、目を丸くして口をぽかんとあけていた。オーストラリアが三対〇で勝った。

続いて翌日のベスト一六で、ギリシャを四対一で破ったとき、ぼくはこれはもしかしたら、と思った。ぼくがチームを勝たせたいと思う野望には、虚栄心が混じっていた。ワールド・チャンピオンシップで三回優勝するのは——高校、大学ではディベーターとして、そしてコーチとして——この世界のＥＧＯＴ（エミー賞、グラミー賞、アカデミー賞、トニー賞）にあたる。ぼくはアラブ首長国連邦のコーチとして準々決勝まで行ったことがあり、前年にはオーストラリアチームを準決勝にまで導いた。目標には少しずつ近づいていた。大会主催者が、準々決勝のぼくたちの対戦相手は南アフリカと発表したとき、ぼくはチームのみんなに油断しないように言ったが、うれしさを隠そうとはしなかった。「相手の実力はわかっている。気を引き締めて楽しんでこい」

最初に影がさしたのは、準々決勝のディベートが始まるまえだった。「準備、最悪だった！」イズィが叫んだ。ぼくは動揺したが、近くにいる審判に聞こえるように大声で言い返した。「大丈夫。君はいつもそう言うんだから」。もう一人の補欠のゾーイが加勢してくれた。「そうよ、かなりいい感じだったわよ！」茶番を終えて、ぼくは部屋の前方に視線を向けた。チームの三人は青ざめた顔で、ペンを走らせていた。

「人間の労働者を雇う代わりに自動化する雇用主には追加で課税すべきである」というのが論題で、ぼくたちは否定側、順番は前回と同じだった。うまくいかない可能性があったところはすべてうまくいかなかった。反駁に時間をかけすぎて、肝心の主張が薄っぺらいものになってしまった。議論は迷走し、態度も威勢のよさを見せていたかと思えば、とつぜんおどおどしたりした。さえない冗談がみっともなさを上乗せした。どういうわけか説得できた審判が一人いたが、ほかの四人の票は得られず、チームは四対一で敗退した。

ぼくはホテルに戻るバスのなかで、「また来年があるさ」「準々決勝まで行っただけでも立派なものだ」といった月並みな慰めを一通り並べながら、なんとか笑顔を浮かべていた。実のところ、子供たちのほうがぼくよりもずっとうまくこの敗退を受けとめているように見え、それがさらにぼくの気分を悪化させた。ホテルに着いて、ぼくはもう一度みんなを元気づけてから、数時間一人にしてもらった。自分の部屋のドアを開け、ベッドにもぐりこみ、ディベーターとして負けたとき以上の苦しみを感じながら横になった。

ファナーレは午後、部屋に戻らなかった。彼のアメリカチームは準決勝まで進んでいたからだ。彼がいなくても、ぼくには彼の声が聞こえた。何かしらの考えを秘めた生き生きとした声が。ファナーレはディベートとは負けることを学ぶものだとよく言っていた。ディベーターなら誰でも勝つより負けることのほうが多い。ほとんどの人は毎週、観客の前で自分の考えがつぶされるところを目のあたりにする。負けたあとに生まれ、数時間、ときには数日も続く自己憐憫を、彼はstew（くよくよと思い悩む）という言葉で表現した。Are you still in the stew?（まだくよくよしているのか？）と名詞で使い、I'm stewing（ぼくはくよくよしている）と動詞でも使った。

長年ディベートをするなかで、ファナーレもぼくも、このくよくよした状態は、不愉快には違いないが、利用価値があると思うようになった。このおかげで厳しい教訓が身にしみ、改善しようという気持ちが強くなり、チームメイトのあいだの距離は縮まる。さらに、自分が間違ったという感覚を何度も持つことで謙虚になれる。ディベーターにとって、自分が間違えるかもしれない、時間をかけてまとめた意見にも欠陥があるかもしれない、という考えは抽象的な概念ではない。経験に即したものだ。

このくよくよと思い悩むことの価値をぼくは理解していたが、それでもファナーレが部屋にいなくてほっとしていた。彼のチームはまだ戦っていて、ぼくのチームは終わっていたからだ。

ベッドから起き出したときには、太陽はすでに沈んでいた。ぼくは準々決勝で着ていたシャツを着て、それから床に脱ぎ捨てた。チームからメッセージが来ていた。「泳ぎに行ってきます」。ホテルのプールで、チームのみんなは、午後に戦った南アフリカ人学生も混じったグループといっしょにいた。ぼくは一人を呼んで訊いた。「くやしくないのか?」彼は言った。「だって一勝一敗同士だから」

ディベートに対するよくある批判に、敵対的すぎるというのがある。言語学者のデボラ・タネンは、自身が言う「論争文化」を批判したことで有名だ。この文化のおかげで対話より論争が重視され、社会は「絶え間なく続く争いの空気」に包まれた。こうした文化は闘争性《アゴニズム》、すなわち「文字通りの戦争ではない関係のなかで、戦争のような姿勢を取る」傾向を生み出したと彼女は書いている(23)。最後の指摘は、まさに自分につきつけられたような気がした。ディベーターとして、さらにコーチとしても、重要な試合のまえには「相手をつぶせ」「向こうの主張を破壊するんだ」などと戦闘用語を使って鼓舞していた。そういうときのぼくは、扇動的な政治家や自分が軽蔑の目で見ているケーブルテレビの司会者とあまり変わらなかった。

しかし、負けたこの夜の子供たちを見ていて、ぼくはディベートの別の側面に気づいた。ディベートはぼくたちに、敵は倒されるかもしれないが、征服されることはないと教えてくれたのだ。別の議論で決着をつけようと、数日あるいは数週間後に戻ってくるかもしれないし、それだけではなくプールで待っていてくれるかもしれない。競技者として目指すのは、得点を稼ぐことだ。そのためには、使えるものは何でも使って敵を倒すという、戦争のような姿勢は許容されるべきではない。長い目で見れば、ゲームの継続を可能にする友好的な関係と、しっかりとしたルールによる保護が必要とされている。ディベートはこうした真実を教えてくれた。政治、ビジネス、個人の日々の争いのなかでは容易に忘れられてしまうことだ。

アゴニズム（agonism）という言葉は、ギリシャ語の agon に由来する。戦いや衝突を意味する言葉だが、直接的にはスポーツ競技を指す（Olympiakoi agones つまりオリンピック競技のように）。ぼくはこのとらえ方のほうがディベートをよく理解できると思う。戦争としてではなく、繰り返し行なう競技としてとらえる。ゲームでは負けることは避けられず、勝利は永遠に続かない。そして、一定の品位を持って両方に対処するところに賢明さがある。

＊＊＊

ジェームズ・ファーマーは、マルコムＸとの最初の討論について決して多くを語らなかった。一九六一年、二人――ファーマー四一歳、マルコム三六歳――はラジオの一時間の討論番組「バリー・グレーズ・ショー」ではじめて会った。ファーマーは自伝に「私は彼を過小に評価していた」と書いている。「おそらく、マイクを求めて張りあげた声と話すスピードに私は助けられたのだろう。だが、彼の反応の速さと機転の良さには驚かされたと言わなければならない(24)」。この対戦はワイリーの卒業生に新たな決意をさせた。相手の評価は絶対に間違わないこと。

二人が翌年コーネル大学で再会したとき、ファーマーは相手の実力はわかっていると思っていた。主催者にお願いして話す順番を敵のあとにしてもらい、最後に自分の言葉で議論を締めようとしたが、思いどおりにならず（マルコムがこのディベートまえの戦いに勝った）、別の戦略を考えた。マルコムは解決策を提示するより、問題点を見抜くほうが得意だとファーマーは判断した。それで人種差別を激しく非難して議論の口火を切った。そしてライバルのほうを向いた。「ブラザー・マルコム。この病の症状についてはこれ以上説明する必要はないだろう。誰にとっても明らかだ。だからドクター、治療法を教えてほしい(25)」

戦略は当たった。マルコムXはゆっくりとマイクに向かい、「話すことを考えている」人に見えた(26)。反論するときには態勢を立て直し、「上院、連邦議会、大統領、最高裁判所から支持を得ている」にもかかわらず、人種統合主義者はこの国の人種隔離政策を撤廃できていないと主張した(27)。しかし、手遅れだった。ファーマーは観客の関心を、マルコムがどのような策を提示するかという点に向けさせていた。「ミスターX、あなたは人種の分離を言うだけで、あなたが考える解決策については述べていない。まだ話していないじゃないですか(28)」

二人はその後の四年間で何回か顔を合わせた。最高の対戦となったのは、おそらく一九六三年に放送されたＰＢＳの「オープン・マインド」でのディベートだろう(29)。暗い照明のスタジオで、細長いテーブルをはさんですわった二人は異彩を放っていた。マルコムXの過度にかしこまった姿勢は徐々に変わっていったが、ファーマーは最後まで態度を崩さなかった。

ほぼ九〇分間、二人は議論し続けた。どちらの側にもいいときと悪いときがあったが、ほとんど互角で、どちらが勝ったのか判定は難しかった。明確だったのは、どちらも相手の考えや言葉に対して、反論も修正も適応も自在にできるほど、相手を理解していたということだ。

マルコムX「この国の黒人がこの国で前進したのは、戦争のときだけだ。白人が追いつめられて、それで黒人をほんの少し前に進ませた……黒人が正しい方角に歩みを進めるためには、また戦争が必要になるだろう」

ファーマー「伝道師マルコム」

マルコムX「私はあなたが一五分しゃべっているあいだ口をはさまなかった」

ファーマー「はさもうとしただろう」

マルコムX「司会者にとめられた」

（中略）

ファーマー「あなたは戦時中でなければ前進はないと言う。私たちは今まさに戦争のさなかにいる。戦争は起きている。バーミングハムの路上で、グリーンズボロの路上で……この戦いが気にいらないというなら、それもいいだろう。しかし、これが戦争であることを否定してはいけない」

マルコムX「無職の人間が映画館に行ったところで、それは何かを得たことになるのか」

ファーマー「なる。なぜなら、得るのは映画ではないからだ。昼食時の店のカウンターで飲む一杯のコーヒーでもない。人が手にするのは尊厳だ……私たちが公民じゃなかったら、いったい私たちは何なのか」
マルコムX「もし私たちが公民だというなら、なぜこの国に人種問題が存在するのか……映画館の人種隔離が撤廃されたところで、（人種差別を）一掃することはできないだろう」

公開討論の裏側で、二人の関係は変わりはじめた。PBSの討論が終わって数週間後、ファーマーとマルコムXは公の場では議論しないという協定を結んだ。その代わり、互いの自宅で議論の決着をつけることで合意した。こうした会合での二人の友好関係は「お互いを称賛しあう社会」を思わせたかもしれない。たとえば、妻は相手のほうがディベーターとして上手《うわて》だと思った、と双方が告白している。しかし、そうした関係が議論の鋭さを弱めることはなかった。ファーマーは論争中に「いいかげんにしろ、マルコム。君は勝てない。トルソンのもとで修業しなかったんだから」と思ったことがあると語った(30)。

ファーマーとマルコムXが意見を戦わせた舞台はほかにもあった。公民権運動の主流派と黒人民族主義の衝突は、この時代の政治を定義する役割も果たした。それでも、二人の対話と並行してそれぞれの立場がどのように変わったか、振りかえると驚くものがある。

マルコムXはネイション・オブ・イスラムを一九六四年三月にやめた。翌月、黒人民族主義と自己防衛としての暴力の原則を引きつづき貫くことを宣言した。しかし、その一方で、アフリカ系アメリカ人に戦略的に選挙プロセスにかかわるよう訴えた。「あなたも私も今こそ政治的に成熟し、投票用紙が何のためのものなのか気づくべきだ(31)」。ファーマーのほうは、あいかわらず人種統合政策を進めていたが、民族主義的な考え方の一部を取り入れようとした。たとえば一九六五年には、直接行動に地域社会の組織化を組み合わせる「併用」アプローチを支持した。[32]

こうした変化を指して、ファーマーとマルコムXは最後のほうの会合で、そのうち自分たちは政治的立場を交換することになるかもしれない、と冗談で言った。「本当にそうなったかもしれない」とファーマーは書いている。[33]

しかし、交換あるいは二極のあいだで移動するという考え方では、私たちはそう遠くへはいけない。ぼくの経験上、良いディベートでどちらかの側が「完全勝利」することはめったにない。双方の考えに少し修正が入って終わることがほとんどだ。こうした新しい考えは、過去の二つの考えと必ずしも結びつかない——たとえば人種統合主義が少し弱まり、民族主義が少し強まるといったように。それは統合体だ。どちらもある。どちらかではない。

二〇〇六年、組織行動論の教授であるクリスティナ・ティン・フォンは、両面感情（ポジティブな感情とネガティブな感情を同時に経験すること）と創造性（概念間の普通ではない関係を認識する能力）にはつながりがあると主張した。[34] 二つの実験結果を検討して、両面感情は人間に「普通ではない関係に対する感性を高める、普通ではない環境にいる」ことを知らせているのかもしれないと述べた。結論はどうなったか。マネジャーは職場で両面感情を促すべきだとするほどの証拠はなかったが、「混ざり合った感情が引きおこす結果の可能性について、もっとバランスの取れた見方」をしたほうがいいと結論づけるのに十分な理由はあった。

ディベートおよび相反する知的価値を経験することは、同じように作用するように思える。自分の意見に対する本物の挑戦に直面したときには、あくまでも意見を通す、あるいはひっこめるという選択肢のほかに、もう一度考える、つまり三つ目の道を見つけるという選択肢がある。これがディベートの教育ツールとしてのもう一つの側面だ。ディベート活動は対話を続けることさえできれば、学びつづけるにはどうしたらいいか、お互いから学びあうにはどうしたらいいかを教えてくれる。

＊＊＊

バリ島でのトーナメントが終わってから二週間後の八月二七日、夏の終わりにぼくは北京に降りたち、タクシーに乗って清華大学へ向かった。古いヒュンダイ・エラントラの座席で、ぼくは全方位からなじみのないものに攻撃されているような気がした。スモッグ、灰色のビルの大きさと数、無愛想なタクシーの運転手の怒っているように聞こえる北京語、そしてそのあいだずっと感じる、見慣れぬものが持つ危険なカリスマ性。やがてタクシーは緑に彩られた広大なキャンパスの敷地に入り、ぼくは新しい自分の家の近くまで来たことを知った。

設計者は中庭のある伝統的な中国の建物をもとにシュワルツマン・カレッジ――ぼくがこれから受けるプログラムの居住および教育施設――をデザインしたようだったが、深紅の木製装飾をあしらったそびえたつような壁は要塞を思わせた。アメリカ人五〇人、中国人二五人、それ以外の国から来た四五人からなるプログラムは、中国とアメリカ、そして優先順位は下がるが、世界のほかの地域との懸け橋になることを目的としていた。その中身を見ると、異文化理解を促進するといった抽象的なものから、新興国と覇権国の衝突は戦争に発展しやすいとするトゥキディデスの罠を克服するという壮大なものまであった。ぼくは冷房の効いたロビーを抜けて三階の自分の部屋までスーツケースを転がしながら、この社会実験はどういう成果を生むのだろうと考えた。

最初の数カ月、二十代の学生たちは文化交流に強い責任感を持ってのぞんだ。クラスで議論するときには、みんな自国の大使であるかのように話した。「中国人として、私は言いたいです……」「アメリカのほとんどの人はこう言うでしょう……」公共政策と経営学を組み合わせたようなカリキュラムのなかで、実務寄りの授業では、社会やイデオロギーの枠を超えてプロとして取り組む能力が想定されていた。あるクラスは「両文化戦略マネジメント」という名前がついていた。それは対話の質を向上させるものではなかった。

ぼくはそれでもよかった。というのも、ぼくはこの一〇カ月を、自分が教育のなかでとりつかれたもの──競争、自己呈示、皆の前で一方的に場を掌握すること──から離れる期間にするつもりだったからだ。週末はたいてい二人の友人──中国人アーティストとパキスタンの詩人──と旅行に出かけ、理解より経験を優先した。三人は少ない荷物で遠く蘇州の運河から新疆の山まで赴き、道中それぞれの言葉の愛情表現について話したりした。

清華大学にいるあいだ、世界はものすごいスピードで変わっていた。大学に来て三カ月たって、クラスメートとクリスマスディナーの準備をしていたとき、アメリカは中国を「修正主義国家」と呼び、アメリカの影響力、価値、富に挑戦しようとしていると非難した。北京はこれを「悪意ある中傷」と言い返した。二〇一八年二月、修士論文を仕上げようと集中していたとき、中国の国家主席は任期の期限を廃止した。数週間後の三月、アメリカは中国の鉄鋼とアルミニウムに関税をかけ、それをきっかけに報復合戦が始まり、貿易戦争と呼ばれるようになった。

一方でシュワルツマン・カレッジ内にも変化が見られた。皆が集まるリビングルームや街中のバーで、学生たちは友情を育み、恋愛関係――最初は慎重に、のちに奔放に――に飛びこんだ。彼らは親密な関係から一筋縄ではいかない見返りを得ていた。

やがて、外の世界も内の世界も変わっていくなかで、ぼくたちはそれまでとは異なる調子で話をするようになった。以前の教室や共有スペースは熱のこもった言葉――力強い子音と伸ばされる母音――やつまらない外交辞令で占められていたが、次第に静かに話すようになったのだ。集団の代表ではなく、個人として話すようになった。話のなかには疑問や答えの出ていない問いがちりばめられた。ときに沈黙が言葉より優位に立ち、やがて会話を乗っ取った。

そんなとき、ぼくは本物の教育を受けている人々が発する声を聞いているような気がした。それは身を守るために虚勢を張って上げる大声ではなく、受容の穏やかな声だ。それは公平に聞いてもらえるという自信、開示することでより豊かな対話が生まれるという自信をもとに奏でられる。ディベート――および敗北の教訓――は、この声に接するのを後押しできるが、ディベート活動もその声から間違いなく恩恵を受けられる。

中国に着いたときから、ぼくのところには地元のディベーターからトーナメントで話をしてほしい、研修をしてほしいという依頼が来ていた。ぼくはその都度、自分はディベートから引退したので、と辞退していた。プログラムも終わりに近づいた四月、ぼくはこうした招待のいくつかを受けることにした。そのしつこさに負けた部分もあるが、好奇心による部分もあった。

さわやかな土曜日の午後、中高校生の小さな大会の審判をしに地元の大学へ自転車で向かいながら、ぼくはこれから見る試合のことを考えた。

中国はディベートの世界の舞台で戦うようになって久しいが、突出した成果はあげていなかった。同じことは、シンガポールやマレーシアといった一部の例外を除き、アジア各国に言えた。これは主に言語の壁と、西側の英語圏の国が長く君臨していたことによるものだ。さらに、アジアのトップダウン式の硬直した教育システム——ぼくも子供のころソウルで、そして北京で体験した——も原因の一つではないかと思った。

大会で見た光景は期待以上で、才能が次々と育っていることを確信した。一五歳から一八歳の子供たちはみんな流暢に話した。自分の側に割り当てられた主張を力強く擁護し、何かが危機に瀕しているという気持ちをかきたてた。さらに、観客を説得するためには主張するだけではなく、疑問や反論を乗りこえる必要があることを、感覚として自然に身に着けているように見えた。ぼくはその用意周到な姿勢を見て、大人は議論に没頭する自分たちの姿勢を見直したほうがいいのではないかと思った。

ぼくは子供たちがうらやましかった。彼らはまさに一三年前のぼくがいたところにいた。急激に伸びる学習曲線の始点にいて、これから先には学ぶことがたくさんある。夕方、北京の交通渋滞を抜けるように自転車を走らせながら、あの興味深い子供たちはこれからどうなるのだろうと思った。国際的な舞台を目指す者もいたが、ほとんどの子は国内にとどまりたいと言っていた。

シュワルツマン・カレッジの入り口近くに自転車をとめながら、ぼくは子供たちがディベートでの訓練で得たもの――他人を説得するための知識、技能、意欲、そして品位を持って勝ち、負けること、それから両面性の受容――を生かす機会があることを願った。そして、皆のために民主的な社会がこの教育を続けることも願った。そうすれば、世界の舞台で自分たちの価値観を守るために議論しなければならなくなったときに生かせるかもしれない。

第8章

人間関係

戦って良い関係を保つ

二〇〇九年四月、キッシング・ポイント・ロードの立派な赤レンガ造りのデュープレックス〔二世帯が暮らせるように区分された戸建て住宅〕は、前所有者の泥沼離婚によって売りに出された。ある秋晴れの日の午前中に、両親とぼくが内見に訪れたとき、不動産業者は「これは掘り出し物ですよ」と言った。家のなかの空気はよどんでいて、なじみのない臭いがした。年配の女性が紫色の壁紙の暗いリビングルームに一人すわり、テレビを見ていた。まだ二人用のままの寝室をのぞきながら、ぼくはこの家にどんな不幸が増殖したのだろうと思った。その夜遅く、母は不動産業者に電話をして値段の交渉をした。それから一カ月もしないうちに、ぼくたち三人は自分たちの家にするべく作業にかかっていた。

二〇一八年八月、中国で一年過ごしたあと、合計五年間の海外生活を終えて、ぼくは多少古くなったキッシング・ポイント・ロードの実家に戻り、ふたたび両親と暮らしはじめた。庭の植物は伸び放題で、部屋の照明のいくつかは光が弱くなっていた。管理人が面倒を見てくれる大学の寮の暮らしのあとで、ぼくは本物の家に住むことに伴う責任――および我慢しなければならない不便や不備――にひるんだ。

父と母も年を取った。六十代にさしかかり、二人は夕食の席でおおっぴらに引退について話すようになっていた。父は髪を染めるのをやめ、その白髪は祖父を思い出させた。両親は、ぼくが二〇一三年に大学に行ってからしばらくは泣いて暮らしたと語った。家族みんなでテーブルを囲みながら、二人の顔に多少の明るさが戻ったのはわかったが、ぼくはこの数年のあいだに失われたものを思った。

家と家族に対する責任感が大きくなるなかで、ぼくはほとんど無力だった。実家は、これからキャリアに向かって走り出すまえの一時的な停留所だと思っていた。家族があとから振りかえってなつかしく思う短い時間になるはずだった。だが、仕事が未定であることと高騰する家賃を考えれば、家を出るのは非現実的な選択だった。しばらく使っていなかったにおいのする、こぢんまりした自分の部屋で目覚めると、ほこりをかぶった学校の記念品やディベート大会のトロフィーが目に入った。こうした品々や世界が広がった青年期に力を注いだもの――インターンシップやフェローシップ――は、この先の人生の手がかりを与えてくれるはずだった。ところが、その兆しは日ごとに薄れていた。

北京の滞在期間の終盤、ぼくはジャーナリストになろうと決めた。何か計算があってそう決めたのではなく、中国で会った外国特派員に魅了されたからだった。権威に敬意を示し、その承認を求めるよう育った人間――最初は移住者、のちに実力社会に生きる者――にとって、彼らは反論の精神の体現者だった。身なりに構わず、ストーリーを追いかける。キャリアの選択としては最適とは言い難かった。ニュースの編集室で働いた経験はなかったし、斜陽産業は求人に熱心ではなかった。それでも、いったん決意が固まれば、ふり落とすのは難しかった。

父も母も考えなおすようにとは言わなかった。「それで、ボーは最近どうしてるんだ？」おせっかいな友人や親戚がいろいろ言ってきても動じなかった。両親がいなかったらぼくはそうした言葉に動揺していたかもしれないが、そんな両親がいても個人的な悩みはたくさんあった。昔は、人生の大きな目標を考えずにコンサルティングや金融といった金になる仕事を目ざす裕福な同輩をばかにしていた。このころにはそんな理想をいつまで言っていられるのか、自分は最初から間違っていたのではないかと思うようになった。

こうしたなかで、ぼくは就職活動の繰り返しの日々から逃れさせてくれる何かを求めていた。その希望は一一月にかなった。出来事ではなく、その余波の形で。

帰国の一年前の二〇一七年八月、オーストラリア政府は登録有権者に問いかけた。「同性婚を認めるよう法を改正すべきか」。調査は任意で、拘束力のあるものではなかったが、政府は国民の選択を尊重すると誓った。有権者に求められたのは、投票用紙にチェックを入れて切手不要の封筒で、九月から一一月のあいだに返送することだけだった。

郵送による調査はあまり評判はよくなかった。LGBT支持者は、公共のキャンペーンは地域社会に潜む敵意を放つことになると主張した。彼らは婚姻の平等を直接法制化することを望んだ。宗教関係の保守派はこのやり方が反宗教的な感情を呼びおこし、信仰を基礎とした地域社会の分断につながるのではないかと心配した。

しかし、同性婚の支持者である保守党の首相マルコム・ターンブルは国民——および国民の異議を唱える能力――にゆだねることに固執した。

われわれはオーストラリアの国民も、われわれの公共の利益にかかわる重要な問題を議論する能力も低く見ているのだろうか。だから「この国の法と文化において非常に重要な基本要素である結婚の定義について、敬意を払った議論はできない」と言うのだろうか。オーストラリア人は有能であり、これまで敬意を払った議論ができることを示してきた(1)。

最終的に、六三・六パーセントが賛成し、同性婚を支持する結果が出た。この取り組みはこの国のいい面も悪い面も明らかにした。プライベートな場面では、多くの家族やコミュニティが建設的に異議を唱える方法を見つけたが、公の対話は漠然とした敵意や暴言に傷つけられた。一二月に法案が通過すると、この問題は新聞の見出しから消え、人々は喜んで歴史の領域に追いやった。

そして一年後、新しい闘いがあらわれた。法律上、宗教団体は同性の結婚式を行なう義務はなかった。しかし、信仰を基礎とした地域社会のなかには、任意で行なうべきだと考える人が増えているところもあった。七月、オーストラリア連合教会――メソジスト派と長老派――は結婚には二つの別個の定義があることを認識し、牧師に同性婚を受け入れる選択肢を与えた。教会のなかには激しく反発する人々もいた。ぼくの両親が所属している信徒会もその一つだった。

決定を覆そうという動きがあり、信徒のあいだでは連合教会からの離脱の可能性も議論されるようになった。地域の声を聞くために、牧師は一一月の第二日曜日に集会を開くことにした。

ぼくの経験から言えば、外から見た教会の認識は極端なものになりがちだ。組織内にはいつも議論があり、常に本格的な争いに発展するかもしれない緊張をはらんでいる、という見方が一つ。もう一方で、教会内には意見の違いはなく、それは教義や教化が異議を唱える余地を与えないからだと考える者がいる。

しかし、ぼくが通った教会はそのどちらでもなかった。ぼくが倫理的な疑問を提起し、それらについて議論するということをはじめて教わったのは、日曜学校だった――「嘘をつくのは常に悪いことか？」「ちょっと待って。なぜ神は皆を溺れさせたの？」それ自体が議論の存在を示した一節に出くわすこともあった。アブラハムはソドムとゴモラにいる罪なき住人のことを考えてほしいと主に嘆願した。ヨブは苦しみの問題について友人と口論した。ぼくたちはこうした物語をさまざまな形で理解し、結論をめぐって議論した。そんなときの教会はよくできた読書会のようだった。

また、オーストラリアの韓国移民の信徒会には独特な部分もあった。英語で運営される教会から場所を借りて、使われていない時間に礼拝が行なわれた。宗教的な見方だけでは、この集まりを正しくとらえることはできない。教会は、新鮮な食べ物、子供の無料保育、心のケア、金銭の助言とさまざまなサービスを提供し、世話を焼いてくれる場所だった。さらに、そこに集う人たちはみんな友達であり、同僚であり、近隣でもあった。

親密なつきあいにはリスクがつきものだ。距離が近すぎて、傷つけたり裏切ったりすることもあれば、うわさ話が容赦ないものになることもある。しかし、だいたいにおいてはうまくまわっていた。高校大学と宗教から離れていたが、ぼくにとっては信徒会はコミュニティの手本であり続けた。

だから同性婚に関する集会については、楽観的に考えていいはずだった。皆、意見の違いの扱い方は心得ている。共通点は多い。いじめっ子も悪人もいない。それに、ほかの教会で同様の議論がなされた結果として、意見の相違の良いありかたについて、ある神学理論が主流になっていた。カンタベリー大主教のジャスティン・ウェルビーは二〇一五年に教会でこう語った。「下げ振り糸〔一端に重りを下げた糸で、垂直の方向を知るための道具〕が意見の相違を判断することはない。しかし、私および私たちの一人一人は、意見の相違のありかたについて責任を持たなければならない……人間関係はまとまらないのが普通であり、それは恐れるものではない。私たちが豊かな存在であることを示しているのである」(2)。良い形での意見の相違が手に届くところにあるとすれば、今こそそのときだろう。

だとすれば、このときぼくの気持ちが沈んでいたのはどういうことなのか。

***

教会での集会前の一週間、ぼくは両親とあまり話さなかった。ぼくたちのあいだの衝突は増える一方だった。なかには重要な問題もあった。たとえば、ぼくは両親に持ち物を減らして、街の中心部に近いアパートメントに引っ越すよう勧めた。どちらも二人ははねのけた。しかし、もっと消耗する不毛な争いが、些細な問題をめぐって発生した。雑用とか、何気ない言葉とか、うまくいかなかったことか。そうした争いは小さく始まり、そこにあとから投入するものに応じて大きくなった。

両親は立派なことに、決してぼくに譲らなかった。父はかつて韓国軍で士官をしており、その資質

――プライド、寛大さ、規律――は同じところに集約されるように思えた。父が「威厳」と呼ぶものへの変わらぬ信頼である。母は、翻訳版の『第二の性』を子供に読ませるようなフェミニストの父親に育てられ、結婚のまえにキャリアを積むように言われた。どちらも一人息子の言うことに耳を傾けるようなタイプではなかった。

同様のことが友人との関係でも起きた。ほとんどの友人はすでに一、二年働いていて、広くなった賃貸の部屋で彼らを待っている長年のパートナーがいた。彼らといると、自分が育ちすぎた子供になったような気がした。過去五年間海外で過ごして、たくさん本を読んで、そして最後には何になったというのだろう。こうしたこともあって、ぼくは友人とのおしゃべりのなかで飛び出す、適当な批判や遠慮のないコメントが引っかかるようになり、政治から個人的な不満まで手近にあるあらゆるものをテーマに議論をふっかけた。友人は見当違いに慰めたり、機嫌をとろうとしたりはしなかった。お互いの実力はよくわかっていたので、ぼくたちは互角にやりあった。

洗剤のフィニッシュを製造している会社が、アメリカの皿洗いの状況について調査したことがある(3)。その結果、一〇人中六人が皿洗いをしているときにストレスを感じるといい、四分の三は予備洗いをしていると回答した。しかし、もっとも興味深い結果は家庭内の口論に関するものだった。平均的な家庭は皿洗いに関連して年に二一七回、一カ月に一八回、口論するというのだ。多くは誰が食器洗浄機を空にするかをめぐってけんかするが、シンクにつけたままほったらかしになった皿をめぐってもけんかになるという。

これらの結果は、人々が暗黙のうちに口論について理解している二つのことを強調しているように見える。

1　繰り返される口論の一部は、もっとも身近な人とのあいだで起こる。

2　それは些細な問題で起こる。

どちらも奇妙な話である。交渉術をテーマにした文献では、「共通点を見つけよう」というアドバイスをよく見かける。たとえどんなに小さなことでも——「そうです、ぼくたちは二人とも人間です」「どちらの文化でもフムスを食べますね」——それを認識することで、意見の相違に対して新たなアプローチを取れるようになる、と専門家は言う。また、大きな議論を分解して小さくすればよいという助言もある。そうすれば、論点を小さくしてそれぞれの議論を手に負える大きさにできる。

しかし、プライベートな場面での口論は、こうしたやり方でどうにかなるとは思えない。共通点を探す必要もなければ、友人や家族、恋人と個人的なつながりを求める必要もない。それは関係の土台にある。日常のちょっとしたことをめぐる議論を分解するのもとりたてて有用とは思えない。そもそもそれ以上細かくできるだろうか。現実には、親しい関係と小さな論点が組み合わさったときに、解決が難しくなることが多い。

両親とつまらないことで言い争うときには、相手に気を使う必要はなかった。だからぼくはそうした。家庭という場所は、一〇年間のディベートの訓練を忘れても大丈夫だと思わせてくれた。何をどのように言うか、あまり深く考えなくても大丈夫だと思った。みんなが正気を保つためにはおおむねそれはいいことだった。しかし、過ちや誤解、間違った対応も生まれた。ぼくには自分が望む形で議論をすぐに解決できるという自信もあった。だから、配慮が足りずに、相手が折れないとすぐに怒った。そんな状況で、怒鳴りあう以外の結末があり得るだろうか。

ここに皿洗い論争の悲劇がある。もし相手への愛情が薄かったり、もっと差し迫った問題が焦点だったら、議論してもそれほど苦痛ではないかもしれない。

個人の議論に特有の問題を理解するもう一つの方法は、第５章で述べたＲＩＳＡチェックリストに照らしてみることだ。良い議論の背景にある条件を確保するのは難しいが、大切な関係においては特に（そして逆に）難しくなる。

本物ではない

個人と個人の関係には誤解が蔓延《はびこ》っている。耳を傾けるのは難しく、想像するのは簡単だ。これは相手のことをよく知らないと本当のところはわからないせいでもあるが、親しい相手なら口にしなくても理解できる――おそらく自分のことよりよくわかっている――というロマンチックな考えのせいでもある。その結果どうなるか？　本物の意見の相違に気づくまで誤解をめぐって言い争うことになる。

重要ではない

小さな意見の違いも、親しい関係のなかでは大きく見える。愛する相手には自分の意見に同意してほしいと思うものだし、似た者同士でありたいとさえ願う。だからその希望が潰えたときに動揺する。さらに、お互いの相性や結びつきの強さ、ほかの人から自分たちはどう見えるかなど、あらゆることにつまらない争点を見出す。つまり、もぐら塚が山に見えてくるのだ。

具体的ではない

個人の論争には限界がないことが多い。相手と深くかかわっているので、一つの争いもたくさんの争点を背負って展開されることになる。たとえば、このあいだはあなたのパートナーが同じことをしていたといったように。議論の範囲が広がれば、問題の解決は難しくなる。

整合していない

人は複雑な理由で愛する人と口論する。ときには目の前にある問題とは無関係な理由で言い争うこともある。相手を苦しませるために、自分たちの不幸をわかってもらうために、さらには相手がまだ二人の関係を大切に思っているかどうかを試すために言い争う。これでは両者の理由をそろえるのは難しいだろう。

ディベートの技能がぼくを助けてくれないことは、疑う余地がなさそうだった。実際に、個人的な言い争いでぼくが有利になると、痛烈な一言をもらって負けるのが常だった——「ディベートはやめて」。それより問題なのは、自分の関心事について一生懸命に主張しているのに、相手に届かないことだった。

これは差し迫った問題のように思えた。皿洗い論争の毒を持った力学は、家族や友達との関係だけに働くものではない。恋人同士の口げんか、近隣との口論、スポーツクラブや教育委員会、宗教の信徒など志を同じくする者の集まりのなかの諍《いさか》いの原動力となっている。こうした状況で行なわれる議論は極端に醜くなり、極端な結果を生み出す。

子供のころ、母はよくイソップ物語を読んでくれた。ある物語は、谷間にかけられた細い橋の両側で二匹のヤギが出会う場面から始まる。二匹は落ちたら死ぬと思いながら、慎重に橋を渡りはじめる。橋の真ん中まで来て相手と顔を合わせるが、どちらも道は譲らない。それで角を突きあわせ、しまいには二匹とも谷に落ちて死んでしまう。この物語にはいくつかバージョンがあり、二匹のヤギは友人同士というものもあれば、兄弟というものもある。

＊＊＊

日曜日の教会で出た昼食はミヨックスクというニンニクと牛肉が入ったワカメスープだった。それにライスがつき、さらに大盛りのキムチがテーブルに等間隔に並べられた。この日の食事を担当した家族は、慣例にならってすべてを必要以上に大量につくり、若い家族や学生が持ちかえれるように残った料理を容器に詰めた。人々は明るく何気ない会話をしながら、熱々のスープに「あー」と声を上げた。

午後二時ごろ、皆が礼拝堂に移動した。そのときは、それぞれがその直前に浮かべていた表情のままだった。ある者は笑顔で、ある者は何やら考え事をしながら。親は子供たちにしばらく遊んでいるように言った。農夫のような労働観を持った物静かな牧師はすでに席についていた。知恵の祈りとともに会合は始まった。

最初は、形式どおりに進められた。年長のメンバーがこの「難しい状況」について概要を述べた。場の空気は悪くなかったが、盛りあがることはなく、停滞したままだった。興味深い進展は一切なく一時間が過ぎて、最終的には失敗したものの特に害はない試みだったという結論に達するのではないかと思われた。

そのとき前方にすわっていた年配の女性が手をあげた。物静かでまじめなメンバーだった。人知れず苦しんだ時期に信仰を深めたという。ほとんどの人はすでに集中力を欠いた状態で、彼女の小さな動きとそれが示す目的にすぐには気づかなかった。

「このことは聖書に明確に書かれています。なぜ私たちは議論しなければならないのですか」

彼女の声にはためらいがあった。言葉は聞き取れたが、その意図は曖昧で、冗談なのか、非難なのか、嘆願なのかはっきりしなかった。しかし、話しながら決意を新たにしたようだった。いったん固まった意志は、鉄の棒のようにその先の話を貫いた。一言一言をはっきりと発音し、そこには鉄の意思が感じられた。

「教会の目的は信仰を守ることです。それはつまり正しいことにはイエスと言い、間違ったことにはノーと言うことです。世の中の流行に屈すれば、私たちは誠実さを失うことになります」

しばらくのあいだ場は静まり返った。彼女が椅子にすわりこむと、とつぜん弱々しくなったように見えた。自分の順番を待っていた人たちは発言をためらった。若い親はこっそり部屋を出て、子供を見に行った。そこで何かが弾けたようだった。理不尽な怒りや今にも泣きそうな真剣さを伴う発言がいくつか続いた。次第に発言と発言の間隔が短くなり、言葉と言葉の間隔が縮まった。やがて部屋には大勢の声が響いた。

提起された議論はさまざまで、それらは必ずしもかみ合わなかった。父は同性婚を認めることに賛成した。その主張は形式や体制を軸に構成されていた。父は聖書や倫理についてはあまり話さず、主に戦略とプロセス——教会会議《シノッド》と良好な関係を築くにはどうしたらいいか——について話した。しかし、戦後、田舎の保守的な家庭に育った父から見れば、これはかなり大胆な介入だった。父のあとに発言した人は、まったく異なる観点から話した。その次の人も同様だった。そんなわけで答えの出ない議論が次々に積みあがってくすぶりはじめた。

正直な発言でさえ、独特の毒を発した。同性婚に反対すれば、教会が時代遅れの団体であるという世間の認識を認めることになるのではないか、という意見に対して別の人が言った。「そんなのはばかげている」。しかし、ばかげているのは何だろうか。結論なのか、理由なのか、対象となる問題の範囲なのか、それとも発言した人なのか。全部なのか、あるいはどれでもないのか。そうした曖昧さはあとを引き、空気をよどませた。

＊＊＊

二〇一〇年、認知科学者のヒューゴ・メルシエとダン・スペルベルは、「なぜ人間は論理的に考えるのか」という疑問に意外な答えを出して論争を引き起こした。(4) 論理的思考が進化したのは、人間が真実を識別してより良い判断を下せるようにするためではなく、議論に勝つためだというのだ。「(論理的思考は)純粋に社会的な現象だった。その進化は私たちが他人を説得するときの助けとなり、またその進化のおかげで私たちは他人に説得されるときに気をつけるようになった」とメルシエは《ニューヨークタイムズ》に語った。(5) この考え方にたてば、確証バイアスなどの論理的思考の欠陥はバグではなく特徴ということになる。論理的思考は私たちを真実に導いてはくれないかもしれないが、議論を後押ししてくれる。メルシエとスペルベルの論文名はこうだ。「論理的思考の議論的理論」

進化心理学の理論として、これが正しいのかどうかはぼくにはわからない。だが、ぼくは教会で、議論に勝ちたいという欲望がその場を圧倒していく場面――真実を求め、寛容でありたいという気持ちを欲望が追いこす場面――を目撃した。そうした競争心は危険だ。特に個人間の議論においては。愛する人と議論するいちばんの目的――意見を戦わせて良い関係を保つ――を忘れてしまうからだ。

教会での議論は一時間以上続き、消化しきれずに終わった。何も決まらなかったが、時間はあった。それで翌週の同じ時間にもう一度集まることになった。皆が議論しているあいだずっと口を閉じていた牧師が祈りとともに会合を終え、最後にこうお願いした。「今日の集まりに参加してくれたことを感謝します。家に帰ってから、ほかの人が言ったことを考えてみてほしいと思います。次回集まるときまでに、ほかの人の視点からこの問題について考えてみてください」

それは競技ディベートのある技術を思い出させた。立場交換である。

ディベートは確信を持って行なう。論題を受け取った瞬間、完全にその考え方で納得した人になりきる。意見を述べ、相手の反論を封じ、意気ごみを見せるために、一〇〇パーセント確信しているという感覚を持ち続けるのだ。しかし、準備を終えてから試合開始までのあいだに、不確実性を検討する時間もとる。

立場交換

ディベート開始前の最後の五分前に、次のうち少なくとも一つは行なう。

ブレインストーミング　新しい紙を一枚用意する。自分は相手側にいると想像する。相手に振られた立場を支持する強い主張を四つ考える。

ストレステスト　自分の主張を相手の視点から検証する。それぞれの主張に対して考えられる最高の反論を練り、余白に書きこむ。

失った票　自分が相手チームにいてディベートに勝ったと想像する。敵が犯したミスも含めて、なぜ勝てたのか理由を書く。

この次にすることはさまざまだ。考えた反論に答えられるように主張を修正するかもしれないし、相手の主張に対する反駁《はんばく》を練るかもしれない。相手の勝利への道を封じる戦略を考えるかもしれない。しかし、基本的な考え方は同じだ。自分の確信はとりあえず脇に置き、相手の視点から物事を見るのである。すべてはディベートに勝つ可能性を高めるために行なう。

交渉の専門家は、それぞれのやりかたで立場交換を提唱する。『ハーバード流交渉術——必ず「望む結果」を引き出せる！』の共著者であるウィリアム・ユーリーは、このルールを中世から掘りおこしている。「相手が満足するまで話したことを、こちらで繰り返してからはじめて話ができる」[6]。紛争の専門家アナトール・ラパポートは、相手の意見を攻撃するまえに、「妥当な領域」——つまり、そのもとでなら言っていることが正しいかもしれないという条件——をはっきりさせるようにいう。たとえば、「黒は白だ」と主張する人には「写真のネガのことを言っているなら、そのとおりだ」と答える[7]。

しかし、この戦術の問題は、自分と敵が完全に分かれていなければならないということだ。もっとも寛容なときでさえ——たとえば、黒が白かもしれない状況を探そうというときでさえ——（好意的な）批評家として、相手からは距離を置くことになる。

立場交換は違う。相手の視点を実際に受け入れるからだ。これにより、相手の信じるところの主観的な妥当性を直接経験することになる。そのあいだ、自分の考えとは矛盾する考えを信じるとはどういうことか体験する。分別ある人（ぼくたちのこと！）が、相容れないように見える結論にどのように達するのか、段階を追って考えるのである。

交換した立場からは、自分たちに対する見方も変わる。自分が間違っているかもしれない可能性を受け入れることになる。つまりは「自分の考えは、特定の選択や前提の結果にほかならない。相手に許容を強いているのは、調整が必要なのは、あるいは立ちどまらなければならないのは自分たちのほうかもしれない。自分たちとは逆の考えのほうが自然で求められる」ということだ。スコットランドの小説家ロバート・ルイス・スティーヴンスンは、一八六〇年代に大学時代のディベートについて述べ、同じことをもっと雄弁に語っている。

今ではルールが定めるように、あなたは自分が賛成できない側を割りふられる。そのため、あなたは自分の名誉のために、自分の信念に反する主張を徹底的に論じ、自分のものとして感じ、完璧にしあげなければならない。この活動の場をだらだらと掘りおこせば、どれだけの知恵の蓄えを無駄にすることになるだろう！　あなたの目の前には、どれだけたくさんの新たな困難が出現するだろう――あなたに強いられる折衷主義的見方のもとで、どれだけたくさんの時代遅れの議論が最終的に死に絶えるだろう！(8)

立場交換のこうした側面は、共感《エンパシー》について考える一つの機会になる。一般的には、共感は自然に起こる精神的つながり、あるいは美徳のあらわれだと思われているが、ディベーターはそれが一連の行動を通して達成される理解であるとわかっている。こうした見方はつまらないものだ。必要なのは善良さでも想像力でもなく、紙とペンだけというのだから。しかし、逆に考えれば、想像力、美徳、感情、直感といったほかの機能が成果をもたらさなかったとしても、ぼくたちにはできることがあるということだ。行きづまったら、まさにそこから取り組めばいい。

もちろん、人は相手をよく誤解する。しかし、そんなときでも立場を交換すれば、相手に対する先入観を見直すことができるし、相手の言い分に耳を傾けることもできる。独りよがりな考えは揺さぶられるので、もっと広い心と広い視野を持って物事を見ることができるようになる。

『パンセ』のなかでブレーズ・パスカルは、長年信仰を持たない人を悩ませてきた問題に答えを示している。神を信じられないときにはどうすればいいのだろう。「(彼らが)まずやり始めた仕方にならうといい。それは、すでに信じているかのようにすべてを行なうことなのだ。聖水を受け、ミサを唱えてもらうなどのことをするのだ[9]」。つまり、信仰とは、宗教活動の前提条件ではなく結果なのである。立場交換も、共感が同じように機能することを約束する。それは儀式的な行動から生まれる。段階を追って実行しさえすれば、あとは自然についてくる。

世界を自分の目と他人の目で同時に見る経験は、混乱するし、消耗する。それは愛の最悪のありかたでもない。

＊＊＊

教会の集まりのあと、ぼくはしばらくのあいだ、繰り返される両親との議論に立場交換を使ってみた。デートについてもっと真剣に考えるべきだという最良の主張をブレインストーミングし、自宅を縮小するよう両親を説得するための理由を精査した。この方法はある程度までは効果があった。ぼくは慎重に、辛抱強く話をできるようになった。両親の考えも理解できた。しかし、延々と対話を続けるうちに、忍耐力はすり減っていった。それで結局、いつもの悪い議論に戻っていった。

問題の一つは、意見の相違に対して、立場を交換して考えるだけでは足りないように思えることだった。この方法は、自分たちの前提を揺さぶり、いったんリセットする形で、悪い議論のサイクルを壊すのに役立つ。だが、それまで持っていた考えから自分を引き離したとしても、プライド、恐怖、アイデンティティといった強い力が反対方向に動き出すものだ。それに、議論が白熱するなかで、認識の不協和音を制御するのは難しい。相手の立場など考えなくても、自分の言いたいことを言うだけで十分に大変だ。

ここでもぼくはディベートから学ぶことがあると気づいた。立場の交換は、自分とは相容れない立場を考慮し、実際にそこに身を置いてみるべきだという大きな考えを具体化した一つの例だ。この考え方は競技ディベートのなかで参照されるだけではなく、そのシステムに組みこまれている。

ディベートでは、その人自身の考えは議論する内容に影響しない。立場を割り振る方法はコイントス、じゃんけん、くじびきといろいろだが、常にランダムだ。これはおかしな組み合わせを生むこともある。マルクス主義者がアマゾンを擁護したり、中絶の合法化に反対する者が幹細胞研究を支持するようなことが起こりうる。オックスフォード・ユニオンのディベートの録画には、必ずただし書きがついている。「このビデオの発言者は競技ディベーターであり、ゆえにその見解は必ずしも本人の考えをあらわしたものとは限りません」[10]

なかには、ディベーターに各論題の両方の立場から議論させるところもある——ある週は肯定側、翌週は否定側といったように。しかし、たとえ求められなくても、十分な時間があれば、普通は両方から論じる。

ディベートのこの側面は昔から批判の対象になってきた。セオドア・ルーズヴェルトは一八七六年から一八八〇年の大学時代を振りかえって、ディベートチームに入らなかったことを決して後悔しない、と綴った。「自分としては、主張する立場を勝手に決められるディベート大会にはまったく興味を持てなかった……われわれがしなければならないのは、正しいという確信を持って情熱的に主張できる若者を輩出することであって、正しかろうと間違いだろうと、言われた立場でうまく議論できる若者ではない[11]」

ルーズヴェルトの言葉は、冷戦期の人々の意識のなかでよみがえった。一九五四年、アメリカの大学のディベート界には、アメリカは中国の共産党政府を外交的に承認すべきか否かという論題があった。一部のディベーターやコーチは、封じこめ政策に対して反論することになる可能性に憤慨した。実際、アメリカ海軍士官学校（アナポリス）と陸軍士官学校（ウエストポイント）は、ディベート大会への参加を学生に禁じ、後者は「国の政策はすでに確定している」とコメントした[12]。

この問題は、言論の自由や軍の規定、民主的な市民権など難しい問題を提起した。しかしその一方で、ディベーターはあらゆる論点について両方の立場で議論するといった、競技ディベートの倫理観を国の議論の場に押しつけることにもなった。よく引き合いに出される記事のなかで、教授で元ディベートコーチのリチャード・マーフィーは、公共の場で行なう演説に偽りがあってはならないと述べている。つまり、ディベーターは自分が信じるものを理解し、その立場を貫くべきだというのだ。このルーズヴェルト主義とも言えるセリフは、ディベートのコーチ、ブルックス・クインビーの言葉を拝借したものだ。「われわれの民主主義には、信念を持った男女が必要だ……コインのどちらの側にも対応できるように訓練された男女ではなく」[13]

この主張には説得力があると思う。ディベーターなら誰でも、どこかの時点で――試合の合間の静かな時間に――自分の本当の意見は何だろうと考える。どんな立場を与えられても議論できるよう訓練された聡明な若者にとって、そうした内省は不安を招く。この問題に対処するには、すでに持っているスキルとは別のスキルを必要とするように見える――知性ではなく判断力、カリスマ性ではなく虚心坦懐な姿勢、スピードではなく熟慮といったところだろう。

しかもこの結論ありきの倫理は、世の中で幅を利かせているように見える。弁舌に優れた政治家は風向きに合わせて柔軟に対応する。節操のない広告代理店はタバコ会社のメッセージに磨きをかける。政治やビジネスの世界で不誠実な姿勢が醜悪だというなら、ぼくたちのふだんの生活ではそれは耐えられないものになるだろう。自分が言っていることを信じていない人と議論することになるかもしれないとすれば、（当然ながら）心穏やかではいられないだろう。それは挑発行為であり、誠実であることの対極に位置する。

ほとんどのディベーターはこうした問題を完全には振り払えないでいる。作家のサリー・ルーニーは大学でディベートをしていたときのことをこう書いている。「資本主義が貧困にどのように役に立っているとか、抑圧された人々が抑圧に対してどうすべきかといったことを考えるのに楽しさを見出せなくなった。はっきり言えば気が滅入ったし、なんとなく人の道にはずれているような気がした」[14]。

ぼくもディベートをするなかで、同じことを何度も感じた。

それなのに、なぜぼくはディベートから離れなかったのか。

答えはディベートの現場にあった。試合が始まるまえには競技者も観客も、この活動の独自性を理解している。一五歳の子供たちは、イランの核開発計画に対して確固たる意見を持っているわけではない。独自の理由によりそうした立場を維持することが求められるゲームに参加しているだけなのだ。

しかし、ディベートが始まるとそうした意識は薄れていく。ある時点で、十代の子供が核軍縮について議論しているとは思わなくなる。ただ核軍縮についての議論を聞いている状態になるのだ。それは目の前にいるスピーカーが十代の子供だと思わなくなるということだろうか。そうではない。議論と話し手のアイデンティティのつながりがあまり気にならなくなるということだ。演劇を観るときのように、信じられるかどうかという問題は進んで棚上げされる。

考えとアイデンティティ――何を言っているかと誰が言っているか――を切り離す行為には、緊張が伴う。場所によっては、たとえば法廷のような場所では認められないだろう。しかし、ディベートにおいては三つのプラスの効果がある。一つ目は、切り離すことで話し手には実験の余地が生まれる。自身の考えに忠実であろうとする重荷から解放されて、新しい考え方や自分の見せ方を自由に試すことができる。信憑性や一貫性という従来の価値観は、適応性や独創性に道を譲ることになる。

二つ目は、聞き手に新しい視点から見るチャンスを与えることだ。ぼくたちは日々の生活のなかで、話し手のアイデンティティを、その考えが信頼できるかどうかの判断材料にしがちだ。多くの場合、それは有効な手段となる。しかし、それだとどうしても自分が好きで信頼している人に同意することが増える。ディベートは、誰が何を言ったかに集中させないようにすることで、この自然に発生する強化サイクルを破壊する。これはよく知っている考えを再検討する機会になる。特に自分が信じる内容を敵が主張するのを見るという経験は、再考を強く促すだろう。

三つ目は、切り離すことで相手も反論がしやすくなることだ。ディベーターは敵の主張を真剣に受けとめるが、その主張がその人の人間性をあらわしているとは考えない。つまり、主張によってその人がどういう人か決めつけるようなことはしない。たとえ相手の考えがあまりに残酷だったり、まぬけだったりして首を振りながら聞いたとしても、ディベーターなら「運が悪かったら、あれは自分だったかもしれない」とも思う。もしかしたら自分がその立場で主張することになっていたかもしれない、とわかっているからだ。

ディベート会場では、結果としてゲーム感覚を味わうことになる。自分を失う人はいない──ディベーターという入れ物だけの人はいない──が、自分と特定の信念のつながりは切り離す。過去との整合性や将来の立場を顧みず、考えを推し進める。重要なのは、自分の考えが変えやすくなることだ。一八〇度の転換はそうそうない。だが、多くの人はディベート会場をあとにするとき、あの問題は一筋縄ではいかなかった、相手の主張にはいいところがあった、曖昧だったのはよく考えた結果だったかもしれないなどと考える。

ディベートには確信を弱める力があるということだろうか。ぼくはそうは思わないが、確信について別の理解の仕方があることを示しているのは確かだ。従来の見方によれば、確信は議論に持ちこむものだ。一方で、確信は活発な議論から生み出すものという見方もできる。要するに、確信はインプッというよりアウトプットなのだ。意見を戦わせるのは、信念を外部の攻撃から守るためではなく、関与すべき考えが出てくるまでいろいろ試すためである。解決してからスタートする必要はない。

このように寛容な態度で探究すれば、中立的な答えにたどり着くかもしれない。しかし、それを問題だと思うのは、主張が極端であることと確信の強さを同一視する人だけだ。独断的な信念は魅力があり、人を夢中にさせるが、もろくもある。熟慮されればされるほど、熱は冷めるものだが、そのほうが長持ちする。アイオワ大学のディベートコーチのA・クレイグ・ベアードが一九五五年に書いたように、妥当な確信は熟慮から生まれ、「そうした熟慮と確信を促す」のがディベートの役割なのである。[15]

ベアードはもっと踏みこんで言ってもよかったかもしれない。哲学者ジョン・スチュアート・ミルは、恋人であり共同研究者でもあったハリエット・テイラーとたくさんの考えに取り組み、ディベートはあらゆる確信を正当化する唯一の手段だとした。ディベートするだけで、反論される可能性があったわれわれの信念は反論されなかったという確証を得ることができる。ミルはなぜそのように考えるにいたったのか。彼はキケロとその弁論家としての成功の秘密を高く評価していた。「古代の偉大な演説者は、相手の主張について常に、自分の主張以上にとは言えないまでも、少なくともそれと同じくらい熱心に研究していたことを記録に残している」[16]

日々の生活のなかでディベートの力を利用するのにもっともわかりやすい方法は、そう、ディベートすることである。公式の試合でランダムに立ち位置が指定される光景は奇妙に見えるかもしれないが、ビジネスの世界でも注目されはじめている。投資家ウォーレン・バフェットは、買収のためにアドバイザーを二人採用しようかと考えたことがある。一人は買収に賛成、一人は反対し、勝者には「たとえば、敗者の一〇倍の報酬を払う」というのが構想だった[17]。アメリカの諜報業界でさえ、この考え方を受け入れた。二〇〇〇年代初頭に大失敗をしたあと、諜報部門は組織内の視点を多様化する道を探った。そのなかでも特に力を入れたのが、外部の専門家を雇って「問題に対する別の見解やアプローチを精査させたり、不確実で議論が分かれる曖昧な判断の賛否を論じてもらう方法だった[18]」。

しかし、こうした成果をあげるために、わざわざディベートの舞台を企画する必要はない。両親と言い争っていて意表を突かれたのは、向こうが既定路線から外れたときだった。母は「あなたはこう言ってくると思ったのに……」とか「でもよく考えてみると……」と言って、自分の意見に反論を始めるのだった。すると、おかしなことに、ぼくは母のもともとの意見を擁護するはめになり、しばらくお互いの立場を交換することになった。父は「あえて言うが……」あるいは「議論に役立つと思うから言わせてもらうが……」と言いながら、自分の意見を明らかにするのではなく、いろいろな考えを試してみるという姿勢を示した。

こうした態度は考えと自分のあいだに空間をつくった。そこで、ぼくたちは自分たちの考えを試し、修正した。それはいろいろと試してみる場所だ。対立が大きいときにはなかなか確保できないが、おそらくいちばん必要とする場所だろう。

＊＊＊

教会での二回目の集会まえの昼食はいつもどおり進められた。食堂は風通しがよく、体育館を思わせる機能的な空間で、若者は無関心を装いながらテーブルを運び、その後ろからほかの大人が椅子と幼児用の椅子を持って続いた。キッチンでは湯気を立てたごはんとスープの膳が次々に用意され、別のグループがそれを受け取った。年配者は子供たちに指示しながらテーブルにフォークやスプーンを並べた。

昼食のときには、これから始まる会合のことも、先週のことも誰も話さなかった。話題は子供、政治、仕事といつもと同じで、お互いの冗談に笑いあった。だが、食事が終わりに近づくにつれて、現実が部屋を覆いはじめた。みんな食事と会話に没頭しているように見えたが、心がそこにないことは目が語っていた。

このときはのんびりと移動しなかった。陪審員のように険しい表情で一列になって集会場に入った。牧師はこの日も知恵と思いやりが授かるように祈りを捧げた。感情を表に出す人ではなかったが、祈りの間があいたり言葉に迷ったりするたびに、不安のあらわれなのかもしれないと思った。

討論は前回よりも実のあるものだった。どうでもいい話に時間が割かれることはなかった。全員がそれぞれの主張を理解し、直接言い返した。全体的に見て、前回より言いたいことがたくさんあるようだった。ある意味、それは議論を難しくした。人々のあいだの意見の違いが明らかになり、対立する形で示されたからだ。神学、政治、個人の性格と論点の数も多かった。すぐに皆の怒りが爆発した。父まで抗議の意を示すためにいったん部屋を出た。

しかし、別の面から見れば、対話は発展していた。意見の違いがあることにはもはや驚かなくなり、人々は活発な議論を求めるようになっていた。発言する者は本当の意味での譲歩はほとんどしなかったが、聞き手が同意しないと思われる論点を理解し、先手を打とうとした。「折衷案」や「妥協点」といった話まで飛び出した。

最終的には大筋での合意に達した。なかには結果に断固として反対する者もいたし、多くの論点は曖昧なままだった。競技ディベートの経験者として、ぼくは賛成か反対という二つのうちのどちらかで試合が決着することに慣れていた。いわゆる勝者総取りのゲームだ。だから、このようなどっちつかずの対立したままの結論は腑に落ちなかった。しかし、牧師は次の会合については何も言わなかった。代わりに地域のために祈りを捧げ、散会した。

この結果の意味がぼくのなかで明確になったのは、数日後に昔のことを思い出したときだった。二〇一二年一月、ディベートの遠征で南アフリカに行ったときに、ぼくはロベン島を訪れた。一七世紀末から刑務所として使用されていた場所だ。しかし、今では一九六〇年代以降に反アパルトヘイトの活動家を収容していた場所として知られている。そこを訪ねるにはフェリーに四〇分ほど乗らなければならなかった。フェリーに乗りこむときにくぐる門には、島で一八年を過ごしたある囚人の名がついている。ネルソン・マンデラである。

マンデラの監房と囚人たちが石灰石を切り出していた採石場を見学する途中、ビデオが用意されていた。「あなたたち、ディベーターなんですって?」と一人のガイドが言った。「マンデラもディベーターだったのは知ってますか。この島の囚人たちは一日中、討論していたんですよ。政治、哲学、そしてこの国の未来について。それは良い活動でした」

一九九四年四月一四日——南アフリカ初の民主的な選挙が行なわれる一〇日前——に撮影されたビデオのなかで、ネルソン・マンデラはアパルトヘイトを行なう政府の大統領、F・W・デクラークとのディベートに備えていた。相手は強敵だった。元弁護士のアフリカーナーは、経験豊富で頭のいい話し手だった。マンデラもディベーターの経験は豊富だったが、側近たちは、彼の落ちつきがテレビでは消極性や無気力として映るのではないかと心配した。[19]

しかし、マンデラの前に立ちはだかる本当の問題はディベートに勝てるかどうかではなかった。選挙で勝つことはほぼ見えていた。だが、経済力と社会的地位を備えたデクラークやその支持者たちには、国の再建に重要な役割を果たしてもらわなければならなかった。だから、選挙が終われば、両者は敵からパートナーに変わる必要があった。

マンデラの側近たちは安堵したに違いない。マンデラの話しぶりには勢いがあり、勝利を確信させるものだった。挑戦者としてデクラークに向かい、検察官を思わせる熱意で自分の意見を主張した。締めの発言は厳しい批判から始まった。「どこに計画があるんですか。それは誰と議論してつくったものですか」。聴衆の一部からはうめき声が漏れた。[20]

しかし、その後わずか一文に匹敵するあいだにマンデラは話の路線を変えた。「われわれは和解と国の再建にともに取り組もうと言っているのです」[21]。それから左手を伸ばして、少しのあいだ相手の右手をつかんだ。「あなたの手を取ることを誇りに思います……分断と不信に終止符を打つために、いっしょに取り組んでいきましょう」。マンデラの自伝のなかで一九九四年の討論会について書かれた章はこう結ばれている。「デクラーク氏は驚きながらも、うれしそうな表情をした」[22]

ディベートはどれだけ激しくても、意見が合わない相手に対処するほかの方法――交渉、協力関係の構築、許し――を排除しない。それどころか、こうしたほかの方法を長く続く意味あるものにすることができる。たとえば一度も徹底的な意見交換をしなかった合意や協力関係は、どれだけ続くものだろうか。

ただし、ディベートにこのような建設的な役割があるとはいえ、線引きは必要だ。個人的な口論では、これが忘れられる傾向にあるように思う。ぼくたちは議論を終わらせ、ときにはお互いの違いに取り組む別の方法に道を譲らなければならない。マンデラがそれ以上辛辣な発言をしなかったように、教会でも三回目の会合は開かれなかった。ディベートはその役割をすでに果たしたからだ。このあとは調整と妥協を探る作業に取りかからなければならない。

＊＊＊

一一月の終わり近くになって、ぼくは働きはじめることになった。長い就職活動の末に、日刊ビジネス紙《オーストラリアン・フィナンシャル・レヴュー》の見習い記者としての職を得たのだった。給料は最低賃金と変わらなかったが、スタートを切れることがうれしかった。

初出社の前日、ぼくは両親のために夕食をつくった。それまでの五カ月間の感謝と謝罪を示そうと思ったのだ。うっかりヘーゼルナッツを焦がしながら、ぼくは日曜の夕食に収まるような気持ちではないかもしれないと思った。

魚をまるごとオーブンで焼き、サヤインゲンを湯がきながら、ぼくは家に帰ってきてからの生活を振りかえった。大人の幕開けとしては情けないものだった。就職活動がうまくいかない日々はつらかった。同窓会誌の「あの人は今?」の特集ページには載せられないし、ましてや履歴書にも書けない。だが、学んだこともあった。両親との生活は、人間関係において論争は避けられないということを思い出させてくれた。議論を回避しようとすれば、ずっと黙っているか、人との距離を保つしかない。また、意見の相違は、常態ではなく個別の事象として威力を発揮することも学んだ。ぼくたちは違いをはっきりさせる行為を通じて、その違いをある程度まで管理する。個人の論争は正式なディベートよりはるかに厄介だ。かたや人生、かたやゲームなのだから。だが、このゲームは本物の困難を乗り切るのに役立てることができる。

ぼくはテーブルに魚を運び、サヤインゲン、フェンネル、ポテト、ワインを並べた。それから両親を呼んだ。今夜は議論なしで過ごしたいと思いながら、ぼくはディベートには出てこない二つの言葉で両親を迎えた。「ありがとう」そして「ごめんなさい」。

第9章

テクノロジー 未来のディベート

二〇一九年二月のある火曜日の朝、《フィナンシャル・レヴュー》の活気あるシドニー支局で、ぼくは冷めたコーヒーを自分の机に置き、編集者のところに企画を提案しに行った。多数のメディアが拠点を構えるサンフランシスコのイベントだったため売りこみは難しく、編集の人たちは納得していない顔をしていた。「配信サービスの記事を使えばいいんじゃないかな？」一人が言った。まだ指示と質問の区別がつかない段階にいたぼくは答えようとした。「いえ、そうじゃなくて……」

テクノロジーの編集者は寛大な心で、ぼくの話を聞いてくれた。そして短いコラムにあたる文字数をくれた。ぼくは自分の机に戻りながら、なぜか罪悪感を覚えていた。このイベントを取りあげたい本当の理由を完全には伝えていなかったからだ。だが、なんて言えばよかったのか。未来をのぞくためにこの機会を逃すわけにはいかないから？　ぼくが世界一になったもの――ディベート――は、機械のほうがうまくできるかもしれない。それを確かめる必要があったから？　どれも理由としては厳しい。

このときぼくの記者歴は三カ月にも満たなかった。ニュース編集室でぼくは恥ずかしい思いばかりしていた。オーストラリアのジャーナリズムは歴史的に職人の仕事で、高卒で入れる業界だった。ぼくが何年もかけて取得した学位は、ここでは意味がなかった。編集助手には数日で見抜かれた。気取った言葉を並べて長い文章を書きながら、実は一般の読者に向けてどのように書けばいいのか、ぼくがまったくわかっていなかったことを。最初の週、希少類鉱物の大量の資料と格闘しているぼくを見つけた編集者は怒鳴った。「わからないなら、電話して訊け！」

ぼくはさまざまな面でこの仕事に魅了された。ニュースをつくる仕事の現場は、組織されたカオスだった。毎日がエラーと連携ミスと容赦なく押し寄せる締め切りでいっぱいだったが、どういうわけか最終的には奇跡のように版が完成する。全盛期には、記者は国民の議論を言葉にして知らせる役割を果たした。使われた道具はありきたりなものだった。事実とアイデアとストーリー、そして言葉。常に言葉だった。そして二〇一九年が選挙の年だったという事実が、この仕事に即時性を追加していた。ぼくが最先端の仕事をしていたということではない。最初の数カ月は、記事にまとめるまでとにかく苦労し、そこから進歩して折りこみ雑誌近くのページを担当するようになった。たとえ他人の話だったとしても、その過程で自分が感じたスリルは本物だった。

ビジネスとしては明らかに四面楚歌の状態だった。業界の衰退の原因を一つにしぼるとしたら、当然テクノロジーが候補にあがるだろう。印刷広告物（車、仕事、不動産の広告など）がオンライン広告に負けるようになって収益は減った。大手テクノロジー企業は、配信元に十分な支払いをせずに自分たちのプラットフォームでニュースを掲載して収益を得ている。増える一方の有害なフェイクニュース、オンライン上の嫌がらせ行為、エコーチェンバー効果も、ぼくたちの仕事の妨げとなっている。

テクノロジーはぼくのキャリアにとって理不尽な脅威にもなっていた。一〇年以上前から、新しいものを好む人たちは、人工知能がジャーナリズムの一部を自動化する可能性について語っていた。実際に利用されるようになったソフトウエア――ブルームバーグのサイボーグ、《ワシントンポスト》のヘリオグラフ、オーストラリアの《ガーディアン》のリポーターメイト――が担当したのは、主に企業業績やスポーツの結果など単純で形式的な記事だったが、そこには技術的な進歩が見られた。

そんなことを考えながら、ぼくはシドニーの自分の机からサンフランシスコのイベントを視聴した。テクノロジー企業のＩＢＭが毎年開催している会議「シンク」のステージ上には、最小限のものしかなかった。デスクトップパソコンの青いスクリーンを背景に、二つの演台が中央から同じ距離をあけて置かれている。そのあいだには、高さがあるつややかな黒い物体が立っている。巨大なＵＳＢメモリか人間の大きさをした電子タバコのようにも見える。このディベート会場には八〇〇人ほどが集まっていた。さらに数千人がオンラインで視聴していた。そしてディベーターは？　一方はハリシュ・ナタラジャン、物腰の柔らかいケンブリッジの卒業生で、昔はぼくのライバルでもあった人物だ（テッサロニキでは決勝で対戦した）。対するは「プロジェクト・ディベーター」と名づけられた人工知能システムで、人間と直接議論し、チャンスがあれば相手を倒すことを目的に訓練されたものだった。

プロジェクト・ディベーターについては、二〇一八年六月にやはりサンフランシスコで開催された非公開のメディアイベントでお披露目されたころに、話は聞いていた。(1)機械は二人のイスラエル人ディベーターに別々の論題で挑戦した。一つは宇宙開発の助成について、もう一つは遠隔医療の増加についてだった。イベントに出席したジャーナリストは、プロジェクト・ディベーターは「かなり説得力があり[2]」、いくつかのミスは犯したものの、「十分互角に戦っていた[3]」という。さらに、その由緒正しい血統にも触れていた。ＩＢＭの壮大な挑戦はチェス専用のスーパーコンピューター「ディープブルー」として結実し、一九九七年には世界チャンピオンのゲイリー・カスパロフを破った。

二〇一一年にはクイズ番組の「ジョパディ！」に参戦した「ワトソン」が二人のチャンピオン、ブラッド・ラターとケン・ジェニングズを倒した。プロジェクト・ディベーターのデビュー戦は宇宙開発で負け、遠隔医療で勝ち、引き分けで終わった。スコアボードは一対一で、勝負は続いていた。

こうしたことにもかかわらず、ぼくはプロジェクト・ディベーターを真剣にとらえていなかった。テクノロジーを専門とする記者は固唾をのんでそうした進化を見守る。だが、ぼくが最後にＳｉｒｉを頼りにしたのはいつだっただろう？　それに、九〇年代に子供だったぼくは世代的にテクノロジーには詳しかったが、テクノロジーの申し子ではなかった。テクノロジーがお粗末だった時代も知っていて、ダイヤルアップからブロードバンドへ、ウォークマンからｉＰｏｄへ、ウィンドウズ２０００からＸＰ、ビスタへと移行した時代を生きてきた。ぼく自身のディベートマシンのモデルといえば、スマーターチャイルドという、ＡＯＬのチャットボットで、ぶっきらぼうな言葉や矛盾する話で人を怒らせたり、失望させたり、混乱させたりするものだった。

二月のこの日の朝、デビューから一年もたたないうちに、機械はぼくに挑戦を突きつけてきた。ハリシュは経験豊富で優れたディベーターだ。ぼく自身、試合で何度か負けたことがある。だから、ぼくにとって他人ごとではなかった。

大衆文化においては、邪悪なロボットは寡黙なタイプが多い。沈黙は、相談より計算、説明より行動という性質のあらわれだ。それは機械が人間に従属するかぎり長所となる。しかし、ロボットが敵意を持ち、殺人も厭《いと》わなくなるとき、沈黙は脅威に変わる。スタンリー・キューブリックの「2001年宇宙の旅」のなかで、殺意を持った人工知能システムのHAL 9000は対話を拒絶する。

デイヴィッド・ボーマン「HAL、これ以上議論するつもりはない。ドアを開けろ」
HAL 9000「デイヴ、話し合っても無駄です。さようなら」(4)

もし、邪悪なプロジェクト・ディベーターがHAL 9000と同じ状況になったら、ぼくたちを倒したい理由を掘りさげて雄弁に語るだろうか。それでぼくたちは説得されるのだろうか。

サンフランシスコでは、観客席のテクノロジーの専門家や緊張した役員たちが静まりかえり、「インテリジェンス・スクエアド・ディベーツ」で長年司会をしていたジョン・ドノヴァンが二人のスピーカーを紹介した。「まず、今夜、肯定側に立つIBMのプロジェクト・ディベーターです」(5)。黒い物体の帯状の青いライトが光った。ぼくはプロジェクト・ディベーターがどんな形をしているのか知らず、これから運ばれてくるのだろうと思っていたので、ずっとそこにいたのを知って驚いた。「否定側はわれわれ人間の代表、ハリシュ・ナタラジャンです。どうぞこちらへ」。スリーピーススーツ姿のハリシュが、ロック・ミュージックとともに登場した。

論題は「幼稚園および保育園には補助金を出すべきである」というもので、一五分の準備時間が与えられた。ぼくはこのあわただしい時間を鮮明に覚えていた。ペンを走らせ、声を出さずにスピーチを練習し、小声で毒づきながらまとまらないかもしれない主張を探す。ハリシュは舞台裏で準備していた。マシンは世界を見ながら仕事をしていた。そして時間が来て、プロジェクト・ディベーターは優雅な女性の声で話しはじめた。

こんにちは、ハリシュ。あなたは人間相手のディベート大会で世界記録を持っていると聞きました。でも、機械とディベートしたことはないでしょう。未来にようこそ。

この八年前の二〇一一年二月、イスラエルのコンピューター科学者、ノーム・スロニムとその仲間は、テルアビブにあるIBMの研究所でアイデアを出し合った。ワトソンがクイズ番組「ジョパディ!」で二人の（人間の）チャンピオンを破ってから数週間後のことだった。会社の上層部はすでに次の挑戦に向けて動いていたのである。

スロニムのプロフィールの一部は、このプロジェクトを率いる科学者としてふさわしいものだった。二〇〇二年に機械学習の博士号を取得してヘブライ大学を卒業。専門は機械学習をテキストデータに適用することで、ワトソンの成功には不可欠な技術だった。しかし、彼の経歴のほかの部分は微妙だ。博士課程にいたとき、スロニムは副業として、短期間で終了したテレビのシットコム「パズル」を共同で制作した。また、卒業後の数年間はプリンストン大学で生物物理学の研究者として過ごしてから、イスラエルに帰国している。

長時間のブレインストーミングでスロニムが得たアイデアには、これらの異質な経歴が影響していた。それは人間、機械学習、エンターテインメント、科学がいっしょになったものだった。「目指すは、テレビで放送される競技ディベートで、人間のディベーターに勝利することだ」[6]

最初の提案はパワーポイント一枚に収まっていた。スロニムとその仲間は、目標達成には「まったく新しいデータマイニング法、自然言語理解と自然言語生成、論理思考、情報能力などが必要となる」とした。[7] 成功に向けて、ほかにはない課題があった。チェスや「ジョパディ！」と違って、議論には客観的な結果がない。そこで、明確なルールがあり、勝者を明確に決められる競技ディベートが解決策となった。ほかの点では控えめな文書で、彼らはある予測だけは大きく出た。「この挑戦を成し遂げたら、間違いなく画期的な成果と見なされるだろう」

テルアビブの研究所からそう遠くない場所で、裁きが進行していた。イスラエルは四つの主権国家と国境を接している。エジプト、ヨルダン、レバノン、シリアだ。二月下旬には、これらすべての国で、硬直化して腐敗した政治体制に対する地域発生的な運動として、大規模な抗議活動が起きていた。この動きは「アラブの春」——季節の説明ではなく、詩的な名称として——として知られるようになった。

「民主主義擁護」のための暴動が次々に報道されるなかで、西側のメディアは新しいヒーローを指名した。テクノロジーである。ジャーナリストは、抗議者がデモを組織したり情報を共有するために使ったソーシャルメディアのスクリーンショットを掲載した。彼らはウィキリークス上のチュニジア政府に関する一連の暴露と反政府活動のつながりを描いた。「ソーシャルメディア革命」という言葉があちこちで聞かれるようになった。八月にダンディーで開催されたワールド・スクールズ・ディベーティング・チャンピオンシップでは、「議会は、フェイスブックの時代には独裁政治体制は消えると考える」という論題が出された。

そのような楽観的な見解には理由も文脈もない。インターネットはこの世に誕生したときから、ユートピア的思考を大いに刺激してきた。ウェブの世界のパイオニアが広め、主流メディアが増殖させたこの考えによれば、ウェブは究極の公有地であり、国境や地位に関係なく人々が集い、共存できる場所だった。当然ながら、そうした接続性が、協力と同じように争いも頻繁に引き起こすリスクもあった。しかし、インターネット・フォーラムに関する初期の研究は、そこで起こる議論に対して驚嘆の声をあげた。ある研究者の言葉を借りれば「炎上や罵倒の応酬のなかに、議論や熱心に主張することの力を信じる気持ちが明らかに見てとれる」という。[8] 彼らは古いアナーキスト的な解放論を復活させ、インターネットをコーヒー店やサロン、公共の広場と比較した。

シリコンヴァレーの創業者たちにとって、アラブの春の初期のこうした流れは名を上げる助けとなった。おかげで彼らが社是として掲げた使命は、一〇〇パーセントの説得力があったとは言わないまでも、もっともらしく見えた。また、海外に事業を広げようとするユニコーン企業に、世界に通じている雰囲気を与えた。G8サミットでフランスのニコラ・サルコジ大統領は、テクノロジー企業への規制の強化を提言し、フェイスブックの最高責任者マーク・ザッカーバーグは話の締めくくりにこう言った。「私はよくこう言われます。アラブの春で大きな役割を果たしたのはすばらしいが、それは恐ろしいことでもある。人々の情報を集めて共有するのを可能にするからだ、と。ですが、片方だけを手にすることは難しいでしょう。インターネットで自分にとって好ましいものだけ切り離し、好ましくないものは統制するというわけにはいかないのです[9]」

ノーム・スロニムは、その年の残りをディベートマシンという概念に取り組んで過ごした。会社の上層部は候補をしぼっていった。スロニムのアイデアは次第に厳しくなる選考のなかで残り、進んでいった。最初のころ、彼はこの時代の政治のことをあまり考えていなかった。主な動機は「純粋に科学的」なものであり、その意味で言えば、大きな壁が立ちはだかっていた。スロニムが最初の会議で同僚に話したように、人工知能とテキストデータの研究は、八年前に彼が取り組んだときからほとんど進展していなかった。「みんな同じ問題と戦っている。このままではきりがない。あと二〇年は続けられるだろう。私はそれは退屈だと思う。われわれはまったく違う何かを必要としている[10]」

二〇一二年二月、スロニムはAI技術を統括するアヤ・ソファーからメッセージを受け取った。ニュースを聞いたかどうかと訊かれ（彼は聞いていなかった）、それから会社の次の大きな挑戦としてディベートが選ばれたと伝えられた。スロニムはソファーに支援を感謝し、その返事を見て言葉に詰まった。「感謝するのはまだ早いわよ[11]」

＊＊＊

それから七年後、ぼくはサンフランシスコのイベントで、そのマシンがほぼ完璧に話しているのを目の当たりにした。プロジェクト・ディベーターの開発者――スロニムとラニット・アハロノブのチーム――はマシンに二つの情報源を与えた。[12] 一つは四億の新聞記事、言い換えれば一〇〇億の文章で、プロジェクト・ディベーターはそこから主張や証拠を〝掘り出す〟ことができる。もう一つは、よくある議論、事例、引用句、たとえ、枠組みの手法をまとめたものだった。たとえば、闇市場の出現は、モノやサービスの禁止をテーマにしたディベートでよく出てくる。[13]

プロジェクト・ディベーターは後者を利用して話しはじめた。議論を大きな枠組みに当てはめたのである。「現状、私たちは補助金をお金の問題以上のものとしてとらえ、社会的、政治的、そして倫理的な問題として受けとめています」。それから、漠然とはしていても、筋の通ったまずまずの主張へとつなげた。「幼稚園や保育園などに補助金を出すとき、私たちは政府のお金を良い形で使っています。全体的に見れば、それは社会に便益をもたらすからです。社会を支援するのは私たちの義務です。補助金は重要な政策手段です」

どれ一つとして簡単ではない。人間であっても、この作業――論題を分析し、関連情報を求めて記憶を探り、考えをグループ化して順序づけ、伝わるように編集する――に習熟するには長い年月が必要だ。マシンの場合、これらの技能をそれぞれコード化しなければならない。

オープニングスピーチが始まって九〇秒ほどたったとき、プロジェクト・ディベーターは最大の強みを明らかにした。人間を超えた能力で証拠を結集させたのである。補助金が貧困層の助けになると主張した約一分間で、マシンは経済協力開発機構、アメリカ疾病予防管理センター、全米早期教育研究所、一九六〇年から二〇一三年までのメタ研究、オーストラリアの首相ゴフ・ホイットラムの一九七三年のスピーチに触れた。スピーチはあわただしくわかりにくい印象だったが、その流暢さは見事だった。

ぼくはハリシュがこの情報の集中砲火にどう対応するのだろうと思った。ディベートでは、情報不足のスピーカーにとって、事実はクリプトナイト〔スーパーマンの弱点とされる物質〕になりうる。マシンはデータベースから六つの別個の研究を掘り出してきた。その一つ一つにけちをつけても意味はない。たとえその文献に精通していたとしても、反駁《はんばく》には多大な時間がかかるだろうし、うまくいっても引き分けどまりだろう。では、どうすればいいのか。

ハリシュは相手を認めることから始めた。「今のスピーチにはたくさんの情報がありました。たくさんの事実、たくさんの数字がありました」。その口調はゆっくりとしていて明瞭で、まるで誤解を一掃しようとしているかのようだった。それから落ちついて攻撃に出た。「プロジェクト・ディベーターは非常に直感的なことを示唆しています。それは私たちが幼稚園や保育園を基本的に良いものだと信じていて、補助金を出すに値すると思っているということです。しかし、私はそれだけでは補助金を正当化できないと思います……なぜなら、社会にとって良いものはほかにもたくさんあるからです」。ハリシュは医療や高校卒業後の第三期の教育をあげたが、それらにはこだわらなかった。「私がここで言いたいのは、こうした施設が幼稚園や保育園よりも良いものだということではなく、なんらかの便益があるというプロジェクト・ディベーターの主張は、それだけでは十分ではないということです」

ハリシュはさらに論を進めた。幼稚園や保育園への補助金で特に問題となるのは、その恩恵を受けるのが、子供をそこに通わせる中流および上流の家庭であるという点だ。しかも、貧困家庭が子供を通わせられるようにするには、補助金では足りない可能性がある。この場合、貧困層は自分たちの税金によって、自分たちは受けられないサービスを助成するということになり、「二重に締めだされる」。では、なんのためにあるのか。これは「中間層に提供される政治的なサービス」なのだ。

プロジェクト・ディベーターは動じない。「まず最初に、私は相手の主張を聞いてときどき思うんです。相手は何を望んでいるのだろうと。貧しい人たちが戸口で金を無心することを望んでいるのでしょうか。暖房も水もとまった家で暮らす人々とうまくやっていけるでしょうか」。言葉の端々に扇動的な要素――中傷、誇張、洗練されていない繰り返し――が見られたが、その声はコンピューター・アシスタントの声と同じように、気遣いが感じられる口調だった。

次が正念場だった。プロジェクト・ディベーターは事前に反駁の用意をしていた。つまり、ハリシュが話すまえに、相手が切ってきそうな「最初のカード」を予想し、それに反論する準備をしていたのだ。[14] 試合中にしなければならないのは、ハリシュが言ったことがどのカードにあたるか判別し、適切な対応をすることだった。

ここでマシンの勢いがなくなったように感じた。プロジェクト・ディベーターは証拠をあげずに主張しはじめた。「国の予算は巨大です……だから、支出すべきもっと重要なものがあるという考えは適当ではありません。各種補助金は相互に相容れないものではないからです」。そして、補助金があれば、両親は働き続けることができるという見解を簡単に述べた（子供を幼稚園や保育園に通わせることができるかどうかというハリシュの論点に答えたものだろう）。しかし、詳しい説明をせずに、次の主張に移った。「私たちは、対象を明確にした制限付きの有益なシステムについて論じているのです」

ハリシュは反駁で融和的な姿勢を見せた。「最初にプロジェクト・ディベーターと同意見である点について言っておきたいと思います。私たちは貧困はひどいものだという意見で一致しています……これらはすべて私たちが取り組まなければならないものです」。そこで舵を切った。「幼稚園や保育園に補助金を出したからといって、これらの問題に取り組んだことにはなりません」。ハリシュはふたたび予算の制約について指摘した。たとえお金が不足していなかったとしても、支出に対する政治的な支援が十分に得られるわけではないと付け加えた。「私は自信を持って否定します」と言って話を締めた。

スピーカーは最後に二分間の演説をした。それから観客が投票した。ディベートに先立って行なわれた投票では、次のような結果となっていた。

賛成　七九パーセント
反対　一三パーセント
どちらとも言えない　八パーセント

試合後は次のようになった。

賛成　六二パーセント
反対　三〇パーセント
どちらとも言えない　八パーセント

「意見の変更」をもとに判定した結果、ハリシュ・ナタラジャンが勝者となった。

司会者は観客にもう一つ質問していた。「どちらのディベーターのほうがあなたの知識を豊かにしましたか」。ここではプロジェクト・ディベーターが五五パーセントの票を獲得し、ハリシュは二二パーセントだった（残りは同等という答えだった）。

ぼくは新聞用に解説の記事を書いた。それから昼食にバインミーを食べながら、試合を判定した二つの基準について考えた。

プロジェクト・ディベーターはぼくたちの知識を豊かにした。それが戦略の中心だったからだ。マシンは事実や研究結果が持つ説得力を追求するようにプログラムされていた。主張をまとめる際にはこう述べている。「私は自分のスピーチのなかで、幼稚園や保育園への助成は正しいものであるという十分なデータを示したと確信しています」。どちらかといえば、マシンは証拠の重要性に重きを置きすぎて、逆効果になったように見えた。研究結果や引用句をひねり出そうとするあまり、プロジェクト・ディベーターはほかの機会——さまざまな考えの意味を考え、観客とつながり、反駁ではもっと良い反応をする——を逃していた。

ハリシュは別のアプローチを取った。代償や予算の制約の観点から話を進め、そうした言葉を使って、理想と現実のあいだに線を引いた。ぼくにはそのほうが賢明に思えた。ぼくたちがふだん決断をするときにしていること、そうすべきであることに近いように思えた。

しかし、あとから振りかえってみれば、ぼくは予算の制約というロジックをあまりにも簡単に受け入れてしまったのではないかと思った。たとえば、教育を受ける機会を改善しないことで生じるコストについては、ほとんど考えたことがなかった。マシンはぼくが見逃していたものを見つけたのだと思う。階級によって受ける教育が決まるような社会には、それがとり返しのつかない問題を生じさせることについて、すでに多くの論文があるだろう。

ほかにハリシュがプロジェクト・ディベーターにまさった点としては、観客とのつながりがあった。ハリシュは「共通点」を強調し、懸念をはっきりと表明した。タイミングよく笑顔を浮かべ、そして眉をひそめた。こうした自然なパフォーマーに対して、コンピューターのスクリーンと効率的なユーモアのセンスを持ったマシンに勝ち目はなかった。ぼくはこの点に安心感を覚えた。もっとも人間らしい能力――他者と関係を持つ能力――は相変わらず人間だけのものだった。だが、メッセージそのものよりメッセンジャーにこだわり、自分と似ていない者より似た者を好む傾向は、ぼくたちを誤った方向に導くかもしれないと思った。人間が人間を支持する以上に自然な同類性があるだろうか。

これはぼくにとって最後の疑問を提起した。プロジェクト・ディベーターが試合に負けたのは、ディベートにおいてぼくたちより劣っていたからだろうか。もしくは優れていたからだろうか。残りのサンドイッチを食べ、オフィスに戻りながら、ぼくは答えを出した。その両方だろう。

＊＊＊

サンフランシスコのディベートのあとは忙しい週が続いた。四月一一日の朝、オーストラリアの首相が総督に議会の解散と翌月の選挙実施を助言した。一通のメールがニュース編集室に届いた。三八日間の選挙戦は国際的に見れば普通だったが、それでも「長距離レース」で「その年最大のニュース」だった。

ぼくにとっては、選挙報道は夢だった。ぼくのジャーナリズムの理想――民主主義に貢献し、必要かつ重要な仕事である――が実現できる機会に思えた。難しいのは、この街で注目を集める記事にするための切り口を見つけることだった。それでぼくは来る日も来る日も、ツイッターなどのソーシャルメディアをあさった。そこでは小さな論争が、生々しい傷口をあらわにしながら、絶え間なく起きていた。

ぼくのなかには、ミームのように「これでいいのだ」と言いたい自分がいた。ソーシャルメディアとともに育ったし、ソーシャルメディアのおかげで、三回海を渡る引っ越しをしても友達と連絡を取り続けられた。それに、ぼくのなかのディベーターは、オンライン上にある大量の政治的議論を歓迎していた。それはこの時代――人々は階級によって自らを分類し、エコーチェンバー効果があり、公のプラットフォームに全員がアクセスできるわけではなく、重要な問題について主要政党のあいだで意見の一致が見られる時代――にはめずらしいものだった。ぼくはこうしたことすべてを理屈で理解していた。しかし、こうしたサイトで長時間過ごしてみて、まったく違うことを体験した。一言でいえば、ひどいものだった。ぼくはインターネット上でうまく議論できる人はこの世に一人もいないのだろうかと思った。

オンライン上の議論についての研究を探ると、レディット〔アメリカ発祥のオンライン掲示板〕のあるフォーラムに行きついた。チェンジ・マイ・ビュー（r/changemyview）である。二〇一三年にスコットランドの一七歳のミュージシャン、カル・ターンブルが立ちあげたこのサブレディット「ＣＭＶ」は、七〇万人が参加するコミュニティに発展し、グーグル社内のインキュベーター部門から注目され、《ワイアード》では「オンライン市民談話の期待の星」と評された[15]。しくみはシンプルだ。最初の投稿者（ＯＰ）は自分の考えを主張するが、考えを変える可能性を残しておく（たとえば、「低所得者居住地区の再開発は難しいが、進めなければならない」）。それから、自分の考えを変える《チェンジ・マイ・ビュー》よう、ほかの参加者に挑む。ＯＰは挑戦してくれた人と議論し、それで自分の意見が変わった場合には、その相手にデルタマーク（Δ）を与える。フォーラムの参加者の名前の隣には獲得したデルタの数が表示される。ここでは、実現が難しそうな二つのことが起きているのがわかる。礼儀正しくオンライン上で議論できるということ、そして相手の意見は変えられるということだ。

研究者にとって、ＣＭＶの参加者のやりとりはデータの宝庫だ。そこではどのように異議を唱えるかが記録されるだけではなく、どういうアプローチがもっとも人の意見を変えやすいか――つまりΔを獲得しやすいか――が示されている。ＣＭＶのデータをもとにした六本ほどの研究論文のなかでも特に大量のデータが活用されたのは、コーネル大学の研究者たちによるもので、そこでは二年半のあいだに立てられたスレッド一万八〇〇〇件、参加者七万人のデータが使われている[16]。その結果、いくつかの経験則が明らかにされた。

早く動く

OPの意見が変わる可能性は、書きこみから時間がたつにつれて低くなる。書きこみに反応した一人目と二人目が意見を変える可能性は、一〇番目の人の三倍となっていた。

正直になる

説得力のある投稿は、不確実性や条件付きであることを認める傾向にある。おそらく同様の理由で、効果的な議論は、意見を述べる人に近い人称（私、あなた、私たちなど）が使われ、そうでなければ包括的な一般論になるかもしれない話がかみ砕かれて説明される。

オウム返しは避ける

成功する議論では、OPが投稿した言葉を使った反応より、異なる言葉を使った「新しい情報や新しい視点」が提供されることが多い。研究者は、反駁でよく見られる相手の言葉を引用する方法は「有力な戦略とは言えない」とも述べている。

証明する

説得力のある投稿はハイパーリンクを使ったり、例をあげたりして、外部の証拠を示す傾向がある。

アリゾナ州立大学の研究者による二〇一八年の別の研究によれば、「社会の道徳的な」議論でも、そこまで激しくない議論でも、証拠は強固な説得力を発揮するという[17]。

深追いしない（四回まで）

考えを変える可能性は、ＯＰとほかの投稿者のあいだのやりとり三回でピークを迎え、それ以降は急降下する。

どれもぼくにとっては腑に落ちる話だったが、ＣＭＶを読んでいるうちに、ここに投稿する人や環境が異様に思えてきた。参加者は痛々しいまでに正直だった。ＯＰの投稿には、新聞の特集ページに匹敵する長さのものもあった。個人的な小さな危機——ストレス、疑問、ひらめき——を、ほかのユーザーと共有したくて綴った人もいた。反応する側は辛辣な意見を寄せることが多く、なかには厳しく批判する者もいる。同様に問いかけておいて、議論の一部を譲歩する人も多かった。

ＣＭＶの参加者は、ウェブの危険地域から逃げてきて、新しい世界をつくった避難民のようだった。この社会は親和性や文化だけではなく、法や規則によってつくられている[18]。ＣＭＶの「ルール」のページには、アメリカ合衆国憲法よりも文字が詰めこまれている。形式的なもの——「タイトルは疑問文ではなく肯定文にすること。たとえば『ＣＭＶ：シリアルのトリックスは子供用である』であって、『ＣＭＶ：シリアルのトリックスは子供用なのか？』ではいけない」——から、道徳的なもの——「たとえば『その考え方は差別的だ』といったように、アイデアに対しては攻撃的な言葉を使ってもよいが、コメントをする人については使ってはいけない」――までである。こうしたルールは、ボランティアの運営者が監視することで成り立っている。運営者は投稿を削除し、場合によってはユーザーを締め出す権限を持つ。

CMVはこのようにソフトパワーとハードパワーを組み合わせることで、オンラインの悪しきディベートを生み出す三つの構造的な問題に取り組んでいるように見える。

聴衆

オンラインの議論のもっとも悪い点は、参加者が自分の価値観や嗜好を大勢の人に伝えることに重きを置き、相手の考えを変えることにあまり興味を持たないことだろう。そもそも議論する気がないこともある。CMVはこの問題を見事に解決した。「成功」するためには、他人の考えを変えるしかないというしくみをつくったのである。

アルゴリズム

ソーシャルメディアでの論争は、長引いて炎上することが多い。そのサイトのアルゴリズムが極端な内容を選んで、エンゲージメントを高めようとするからだ。CMVもエンゲージメントを重視しているが、スレッドのトップを決めるのは、ユーザーがスレッド全体を「いいね」と評価しているかどうかであって、個人のコメントではない。

匿名性

ソーシャルメディアのプラットフォームでは、ユーザーのプロフィールの約五パーセントはフェイクで、そのほとんどはボットだとされている。[19] これは選挙干渉などの深刻な問題になる恐れがあり、個人レベルでもほかのネット市民のアイデンティティや動機を疑う事態を招く。CMVのユーザーはほとんどが匿名（創設者自身が「スノーラックス」と名乗っていた）で参加しているが、ユーザーの評価はΔの数——このコミュニティに長期間かかわっていることを示す——で行なっている。

結果として、CMVは意見の相違を良い形にするための条件を部分的に修復することに成功した。それはスローガンより議論を、スタンドプレーより傾聴を、延長より解決策を促している。個人の選択によるところもあるが、多くはデザインによるものである。

しかし、CMVでの議論を維持するために必要な独特の文化、ルール、強制力にはコストがかかる。CMVはレディットのなかでもニッチなコミュニティだ。七〇万人という参加者数は、ほかのゲームや今日の学び、笑いといったサブレディットのメンバー数の二〇分の一から二五分の一である。正直に言えば、CMVのルールに縛られたまじめさは、ぼくでさえ重いと感じてしまう。彼らなりの完璧な議論は参入障壁が高すぎて、不自然でとても手が出せない気がした。

閲覧後、ぼくはある疑問を持ってログアウトした。もしこのユートピアが多くの人の好みに合わないなら（ぼくの好みには合わない）、実現可能な議論の未来はどのようなものになるのだろうか。

＊＊＊

数年前から、ぼくは台湾のオードリー・タンという異色の公僕を追っていた。一九八一年、ジャーナリスト同士の夫婦のもとに生まれたタンは子供のころから才能を発揮し、八歳でコンピューターのプログラミングを覚え、自分にふさわしい教育を求めて一四歳で学校をやめた（「プロジェクト・グーテンベルクやａｒＸｉｖで腕を磨いた」[20]）。彼女はやがて最初の会社をつくり、テクノロジーの起業家およびコンサルタントとしてキャリアをスタートさせた。

二〇一四年三月、三三歳のときに、タンはシリコンヴァレーの仕事をやめて、台湾に戻った。台北の街中で大きな事件が起きていた。国民政府が十分な審議をせずに、北京と自由貿易協定を結ぼうとしていたのである。一八日の夜、抗議する学生たちが立法院に押し入り、占拠した。タンは、社会問題の解決に取り組む「市民ハッカー」集団ｇ０ｖを通じてこの動きに加わり、抗議者の情報交換や組織化のための技術的なインフラの立ちあげを支援した。「ひまわり学生運動」と呼ばれるこの動きは一〇万人以上を結集させ、立法院から譲歩を引き出した。タンはビジネスの世界から身を引き、国民の声に耳を傾ける政府の実現を目指すこの運動にフルタイムでかかわるようになった。二〇一六年一〇月には、三五歳で台湾のデジタル担当大臣に就任した[21]。

タンは閣僚としては異色だった。自らを「保守的なアナーキスト」と評した。文化や伝統を守りたいという意味で保守的であり、権力に反対するという意味でアナーキストだという（大臣としてタンは命令することもされることもない、行なうのは提案だけだと言った[22]）。自分の職務内容を詩で表現し、ほとんどのインタビューは「スタートレック」のバルカン人のあいさつである「長寿と繁栄を」で締める。タンは二十代でホルモン補充療法を受け、自分をポストジェンダーであると認識している(代名詞は「なんでもいい」そうだ)[23]。大臣として二年が過ぎた二〇一九年、タンは台湾が行なったことを公表しはじめた。

タンが行なったことはチェンジ・マイ・ビューと比較すると理解しやすいように思う。サブレディットが規制――大手テクノロジー企業の反対派が使うスローガン――のもとで繁栄しているのに対して、タンらはもう少しゆるやかな手法を選んだ。反対すべき意見や反社会的なプラットフォームを否定するのではなく、競争によって排除しようとしたのである。

まず、政府は国民が意見を述べたり議論したりできるように、ソーシャルプラットフォーム「ジョイン」を立ちあげた[24]。これは参加者の賛成、反対をビジュアルで示して「大まかなコンセンサス」――ハッカー用語で、完璧ではないが許容できる解決策を指す――を得るためにつくられたg0v初期のプラットフォーム「v台湾」から生まれたアイデアだった。どちらもポリスというオープンソース・プログラムを利用している。挑発行為を減らすために「リプライ」が賛成と反対で示される点に特色がある[25]。しかし、v台湾の利用者数が数十万人であるのに対して、ジョインは台湾の人口の四分の一にあたる五〇〇万人以上が登録している[26]。ジョインの登録者数は、ソーシャルメディアを利用する理由が正しくとらえられていなかったことをうかがわせる。市民は自分の生活を左右する政治に影響力を行使したいと思っているのだ。

次に、自らが統制しないプラットフォームで、政府は誤情報や偽情報と戦った。各省は対策チームを設置し、間違った情報や有害な情報に対して六〇分以内に「同等かそれ以上に説得力のある情報」で反応するようにした[27]。成功の度合いはバイラリティ〔SNSなどで爆発的に広まること〕で測られるため、チームは冗談やミームを多用した（ドージとして知られる柴犬は、パンデミック対策のスポークスドッグだ）。政府の試みとは別に、g0vやLINEはそれぞれファクトチェックボットを導入し、ユーザーが特定の主張の真偽をチェックできるようにした。

こうした努力がうまくいかないことは、最初からある程度予想されていた。ソーシャルメディアでは真実より嘘のほうが早く広まること、そして中傷や誤情報はそれが疑わしいときでさえも、人の記憶に残りやすいことは、多くの証拠が示している。専門家の意見に対する不信感、一斉に流される偽情報、フェイクアカウントなどは問題を悪化させる一方だ。だが、タンにとってこうしたミームやファクトチェックは、説明可能な社会という大きな理想のなかに位置づけられるものだった。後者はメディアを理解する力を養う学校教育や、政府の透明性を高める改革も必要としている（「人々は間違った情報やうわさ話に耳を傾ける。何が起きているか知りたいからであり、全体を把握できないからだ」とタンは二〇一七年にジャーナリストに語っている[28]）。

どれもそのとおりと言わざるを得ないだろう（学校教育に反対する人がいるだろうか）。しかし、ぼくがタンのアプローチでもっとも特徴的だと思ったのは、理想的な環境が整うまで待たないことだ。情報大臣として、タンは自分が司会をしたすべての会合のやりとりをインターネット上で公開した。情報が文脈を無視して一人歩きしたり、タンにとって不利に使われる可能性があってもそうした。毎週水曜日は、時間を取って人々のコメントや反応に目を通した。まったくの無駄に終わることがあってもそうした。「これは政府を信じてほしいと言うまえにやらなければならないことです」と、《ダンボ・フェザー》に語っている。「誰かが先に動かなくてはならないのです[29]」

多くの点で台湾は自立している。島はレソトやベルギーほどの大きさで、二四〇〇万人の住民は比較的裕福で、教育を受け、ウェブにつながっている。もっと重要なのは、島の一八〇キロ先が中国沿岸だということだ。中国政府は島は中国の省であり、その指導力は地方当局のものであると主張している。台湾と外交関係を結んでいる国は一二カ国ほどにすぎず、アメリカなどは正式な独立に反対している。台湾の人々は政治や民主的な決定に深くかかわっているが、その参加を促したのはこうした不安定な状況だった。

また、台湾の民主化が最近の出来事であるという事実もある。一九八七年、ほぼ四〇年に渡った戒厳令が解かれ、一九九六年にはじめて総統の選挙が行なわれた。タンが指摘するように、二つの出来事はそれぞれ、台湾のパーソナル・コンピューターが発売された年、ワールドワイドウェブが導入された年に一致する。「インターネットと民主主義は別物ではなさそうです。同じものなのです」と、このつながりについて謎めかして言っている[30]。

台湾政府内でも、タンの立場はきわめて異例だった。その透明性へのこだわりから、極秘事項やデリケートな問題の議論からは外されることになった。命令することもされることも拒否していたにもかかわらず、「フェイクニュース」に対する処罰を検討したことで、台湾内閣は批判されることになった[31]。

タンの話やインタビューを聞きながら、ぼくは混乱していた。彼女の話は時代遅れ――インターネット黎明期のテクノ・ユートピア――にも聞こえたし、未来から語っているようにも聞こえた。いずれにしても、テクノロジーへの信頼が失われ、ほかのネット市民への信頼が確実に傷つく方向に向かっているように見える現状とはかみ合っていなかった。

しかし、オーストラリアの総選挙が行なわれた五月一八日の夜、ぼくは新聞のブログのライブ配信をしながら、タンがよく引用する二行のことを考えていた。それは紀元前六世紀のものとされる『老子』の一節だった。

人を信頼しなければ
人から信頼されない(32)。

＊＊＊

二〇二一年の半ばにノーム・スロニムに会ったとき、世界は新型コロナのパンデミックで激変していた。オーストラリアでは、二〇一九年に厳しい情勢のなか政権を守った保守党が、ワクチン接種の展開で後れを取っていた。オードリー・タンとその仲間は、公衆衛生に確実に影響をおよぼすオンライン上の「インフォデミック」〔うわさやデマも含めた大量の情報が社会に影響をおよぼす現象〕と戦っていた。イスラエルは三回のロックダウンを経験し、数千人の死者を出したが、最悪の時期は脱したように見えた。世界は新しい時代の崖っぷちでよろめいていた。

スロニムの姿は、二年前のサンフランシスコのイベントのときにライブストリーミングで見ていた。その後ひげを伸ばしたらしい。オンラインの画面で見る彼は、スクリーンのブルーライトが眼鏡に反射して、表情が読みづらかった。

スロニムから聞きたかったのは、時間を経てあのディベートが彼のなかでどう変化したかということだった。ディベーターなら誰でも経験がある。時間がたつにつれて、派手な敗北を後悔するのをやめるようになる。記憶は熟成し、新しい意味を持つ。しかし、そこに移行するためには、まずは敗北を認める必要がある。彼は認めただろうか。

「あのライブで行なわれたディベートではハリシュのほうがうまくやったと思う。それは単に彼がプロジェクト・ディベーターより格段に強いディベーターだったからだ」。スロニムは語り出した。「だからといって、どんなディベートでも彼に負けるということではない。でも、たいていのディベートなら、彼のほうがうまくやるだろう」

「観客があのディベートをもう一度聞いて、もう少し合理的に考えられたら、もっと接戦になると思う。でも、試合はそのようにはつくられていない。ライブで聞いて終わりだ」。スロニムの話を聞いて、ぼくはプロジェクト・ディベーターのほうが観客の知識を豊かにしたという結果になったことを思い出した。スロニムは、最初の投票結果——八〇パーセントの人が幼稚園と保育園の補助金に賛成していた——が、プロジェクト・ディベーターのハードルを高くしていたと説明した。

そこでスロニムは質問に戻った。「正直に言えば、私はまったく気にしていない。ある意味、負けたことが私たちにとってはいい結果になったと思っている。もっと接戦で負ければ、そのほうがよかっただろう。でも、あれは正しいメッセージを発信したし、いい教訓になったと本当に思っている」。彼のチームは、ディベートのチャンピオンにライブの討論で勝つというたった一つの目標に向かって何年も働いた。それなのに試合の直後でさえ、人々が注目したのは結果よりも内容のほうだった。「振りかえってみれば、この課題は重要じゃなかったということに気づく。つまり、私たちは間違った課題で苦労したわけだ」

いや、ちょっと待て、とぼくは思った。ディープブルーは一九九六年二月にゲイリー・カスパロフとの最初の対戦に敗れ、その一年後に再挑戦した。ときに失敗は、意義深い勝利へのステップとなる。

スロニムは、再戦にあたってどこにエネルギーを注げばいいかわかっていた。「観客の心」をつかむことだ。反駁に注力するだけではなく、共通点を探し、観客に直接訴えるようプログラムするのは可能だった。「技術的な観点から言えば、そうするのは難しくない」とスロニムは言った。彼の答えに皮肉が含まれているのは明らかだった。このディベートマシンは、ディベートに特化しすぎていたのだ。説得が最終目的なら、ひたすら攻撃して論理的につめるだけでは足りない。安心感、共感《シンパシー》、譲歩といった、よりソフトな技能も役割を果たす必要がある。

「そのうえで、さらに強い論理、強力な反駁といったものを構築できるか。答えはイエスで、それは可能だ。少しずつ取り組んで、それが求めるものだと確信したら、大きなチームで数年かけてやれば最終的には勝てるだろう。私はそう理解している」

さしあたってはすべて推測である。ＩＢＭはプロジェクト・ディベーターを、ライブでディベートをするシステムとしてはそれ以上開発するのをやめ、その技術の転用に注力することにした。これまでに明らかにされている方針によれば、システムの機能を一連の企業向けのＡＩ製品に統合するという。しかし、公的機関での利用も明らかにしており、大量のパブリックコメントを解析したり、意思決定者に重要なアイデアを提示したりすることになっている。

このインタビューの前月、彼のチームは《ネイチャー》でプロジェクト・ディベーターのすべてを解説した。システムがどのように機能するかという説明に加え、五三人の共同執筆者はプロジェクト・ディベーターの技術を定義しようとした。ほとんどのＡＩ研究では、その目的のために訓練された単体システムを使って、個別に細かく設定されたタスクを完璧に遂行することに注力する。一方、プロジェクト・ディベーターは小さなステップに分けてから、解を統合するという複雑な仕事をこなす。それは「複合的なＡＩシステム」であり、スロニムによれば、たくさんのライブコンポーネントの「オーケストレーター（編成者）」だという。

スロニムはエンドツーエンド型のディベートシステム――インプットからアウトプットまで、別につくられた中間地点を通らずに直接移動するしくみ――の実現には時間がかかると考えていた。そのようなシステムをつくるには、標準化されたデータが大量に必要となる（ディープブルーは、グランドマスターによるゲーム七〇万回分のデータから最初の一手を選んだ）。しかも競技ディベートで求められる結果は複雑すぎて、データを使ってどうすればいいか想像するのは難しかった。しかし、だからといってスロニムたちが考えなかったわけではない。

データ問題を解決する一つの取り組みとして、強化学習として知られる手法がある。二〇一七年一〇月、アルファベット傘下のディープマインド社は、自分と繰り返し対戦して囲碁をマスターしたソフトウエアを発表した。アルファ碁ゼロは、ゲームのルールだけ覚えて学習をスタートした。三日間で四九〇万局をこなし、一八回世界チャンピオンに輝いたイ・セドルを倒した古いバージョンのアルファ碁に勝った。ソフトウエアは成長し続けた。「純粋な自己学習を続けるアルファ碁は最強だ。その自らを改善する様子を見ていると、人間は不要に思えてくる」と中国人棋士の柯潔《かけつ》は言っている。(33)同年一二月、ディープマインドは同じ方法でチェス・将棋、囲碁をマスターしたソフトウエアを紹介した。

過去の勝負記録から解放されたことで、システムはこれらのゲームの最強プレーヤーを排除した戦略を取るようになった。その結果、開発元の言葉によれば、「もはや人間の知識の限界に縛られることはなくなった」という。(34)

スロニムは、この手法は理論的には議論にも適用できると言った。彼のチームは議論の強さを判定する「レフリー」をつくっていた。自分と議論して、フィードバックによって改善するシステムが、「(人間が)思いつかなかった説得のパターンを見つけることは可能だ」。しかし、そこには大きな落とし穴があった。ディベートの目的は、人間を説得してその人の考えを変えることなので、マシンは難解で人間が理解できない作戦を実行するわけにはいかないのだ。囲碁やチェスのプレーヤーが相手を超越しようとするのに対して、ディベーターは相手とともに進むしかない。

「人間は最初からこのループのなかにいる」とスロニムは言った。

ぼくはこの考えを聞いてほっとした。意見を戦わせるのは人間らしい行為であり、その境界線は人間独特の行動や限界をなぞるものだった。ぼくたちが持つ論理的思考、共感力《エンパシー》、判断力は、良くも悪くもディベートがどういうものであるかを規定している。議論で完全に人間を負かすマシンは、人間性を超えるのではなく、人間性を体現することでその偉業を達成するのだろう。

ノーム・スロニムから話を聞いたあと、ぼくのなかでこの考えが不穏な響きを持ちはじめた。ぼくは想像した。パーラメンタリー・ディベートの記録からソーシャルメディアでやりとりされるメッセージのログまで、数百万時間という人間の議論をもとにシステムが訓練される。マシンは、ぼくたちが困難を乗りこえて良い議論をする方法を見つけるところも、ときには扇動行為、非合理性、へつらい、敵意のレトリックに負けるところも理解するだろう。良い議論を可能にする技術や妨げる技術をつくったことまで認識するかもしれない。

こうしたデータをもとに訓練したマシンは、ぼくたちが人類として、意見の相違にどのように対処したのか判断するだろう。それに対して、システムは必要な調整をするはずだ。そうしたマシンがぼくたちの良心に話しかけるか、悪しき心に話しかけるか――争いの言葉で語るのか、あるいは議論の言葉で語るのか、戦争の精神をもって語るのか、あるいは協力の精神をもって語るのか――は、今のところはぼくたちにかかっている。

おわりに

この本はディベートの試合のように静かに始まったので、同じように静かに終えたいと思う。

二〇二一年七月のある土曜日の明け方、ぼくは初稿を書きおえ、不安が押し寄せてくるまえに数人の友達に原稿を送った。みんな議論が好きで、説得力のある意見を難なくまとめてくるタイプだったので、ぼくは覚悟して熱い反応が返ってくるのを待った。ところが、戻ってきたのは数週間という長い時間の沈黙だった。何百ページというボリュームに大量の打ち明け話。いったいなんのために?「知ったことか」。そんなところだろうか。

その後、友達だと思っていた人たちとの関係を考えなおそうとしはじめたとき、一人ずつ反応が返ってきた。彼らは長いメールを送ってきたり、興奮して電話をかけてきたりした。大絶賛とはいかなかった。さまざまな感想のなかで、一つ目立った意見があった。「良い議論はいい。だけど、それではあまりにも焦点が小さいし、個別性が強すぎるのではないか。構造的な改革より社交上の礼儀の話になっていないか」

シリコンヴァレーでスタートアップ企業を興した一人は、付箋に「どうやってディベートをスケール〔事業規模の拡大を意味するビジネス用語〕するか」と書いて、答えを見つけるまで洗面台の鏡に貼っておけ、と書いてきた。その数分後、画像が送られてきた。小さな長方形のなかで、ふさふさのあごひげを生やした老人が梃子《てこ》を使って地球を持ちあげている。その下にこう書かれている。「梃子と足場を与えてくれるなら、地球も動かしてみせよう」。アルキメデスだった。

大きな力が動いているのは理解できた。世界は構造的に大きく変わる流れの渦中にあるようだ。オーストラリアにいて、この地域の地政学的な力の変化が見えたし、アメリカの人種平等を求める運動の余波も感じた。そしてパンデミック。それはぼくたちがつくった世界をあっという間に壊しながら、同時に浮き彫りにしているようにも見えた。

構造の問題を重視する一般的な考え方は、ぼくの主張の前に壁となって立ちはだかっていた。もし議論の質が広範な社会の健全性を示す症状にすぎないとしたら、ぼくたちはディベートそのものより、その背景を形づくる制度的な問題に取り組むべきだ。おそらく、政治関係者へのアクセスが不均衡であることや、報道機関の構造の問題から始めるといいだろう。

毎朝、ぼくは洗面台を使いながら、いまいましい付箋――どうやってディベートをスケールするか――を目にして、絶対に答えを見つけてやると思った。そうして最終的には、公的機関にディベートの精神と実行性を浸透させるという目標に行きついた。

まず、設計の問題として、公的機関はディベートの機会をもっと増やすべきだ。議会の運営手続きのルールを変えるといった改革を少しずつ実施したり、新しい構造をつくりあげることでそれは達成できるだろう。後者の事例でもっとも有望なのは、市民集会だ。無作為に選んだ市民を集めて、拘束力のある、あるいはない政策勧告を行なえるようにする。

二つ目は、そうした集まりに参加するために必要な教育を市民に提供することだ。これは、基本的な市民意識を、教育学者のメイラ・レヴィンソンが言う「知識、スキル、態度、参加の習慣」に変えることを意味する。(1)これは学校から始めるべきだが、大人が教育を受ける機会――今のところ、少数の市民社会組織が担っている――を閉ざしてはいけない。

三つ目として、公的機関――政府であれ、公立学校であれ――はこうした集会をつくったあとでその品質を監視し、維持しなければならない。ディベートは公平な場所の存在を前提としている。参加者には確実に聞いてもらう機会が与えられ、どれだけ貢献したかによって判定される場所だ。現実の世界にそのような場所はめったにない。だから、ディベートを促進するための取り組みを、公平でしっかりした組織をつくるための確かなプログラムのなかに位置づける必要がある。

四つ目として、公的機関はディベートの結果にすぐに反応しなければならない。政府は行動を起こさないことを隠すために、よく審議会を利用する。しかし、人権を守るためのディベートは、実際に人権を守ることと同じではない。ディベートをして終わりという集まりは長くは続かない。

これらの考えは抽象的で理想を追いすぎていると思われるかもしれないが、世界の多くの場所で実際に取り入れられている。この二〇年で、カナダ、アメリカ、アイルランド、オランダ、ベルギー、ポーランド、イギリスで市民集会が導入されている。日本政府が裁判員制度――市民を招集して、専門家である裁判官とともに刑事事件について審議してもらう、陪審制度のようなしくみ――を再導入したときには、市民に法的な議論や審議手続きを教える啓発運動が展開された（法務大臣は、裁判員制度の公式マスコットであるインコの着ぐるみを着て、改革の促進に一役買った[2]）。

さらに、政府はその気になれば、特定の目的のために臨時の集会を開けることを示した。たとえば、経済改革に抗議する黄色いベスト運動を受けて、フランス大統領のエマニュエル・マクロンは二〇一九年一月、話し合いを公開で行なう大規模な「国民大討論会」を始めた。二カ月以上におよんだこの取り組みは、最終的に「オンラインでの投稿一〇〇万件、現地での会合一万回、苦情ノート一万六〇〇〇冊、さらに一連の市民集会」という結果につながった[3]。この実験の成果は今でも議論の対象となっている。それでも民主主義に対する組織的な改革として過去一〇〇年でもっとも重要なこの取り組みを、最初のバージョンだからという理由で軽視するのは愚かな行為だろう。

ぼくはここで述べた項目のすべてが必要だと信じているが、公的機関の問題に対する完全な解決策として提示しながら、どこかピントがずれているのではないかという思いが振り払えなかった。

＊＊＊

どうやってディベートをスケールするか。ぼくはこの疑問に早く答えなければならないような気がした。ディベートは危機的状況にあり、存在意義を問われていると言ってもいいと思うからだ。ぼくは公の場で炎上する議論を見ていると、傷つく当事者より、かかわろうとしない大多数の人のほうが心配になる。議論は参加するに値しない、黙っているのが得策だと思う瞬間をぼくはよく知っているからだ。

そういう沈黙は誘惑する。他者から離れた場所を確保し、安心、安全、優越感を味わわせてくれる。だが、ぼくがオーストラリアでの子供時代に学んだように、対話から自分を引き離すのは、他者から距離を置くだけではなく、世界との交わりのなかで存在する自分を否定することでもある。そうした行動の動機となったもの――不満、退屈さ、絶望――は、時間とともに粘度を増していく侮蔑へと変わるかもしれない。

この点において、社会に広がる不満の構造的な基盤に取り組むよう勧めるだけでは不十分だろう。公私の生活に横たわる問題の多くは、制度に由来している。しかし、悪い議論への不満――およびそれに伴うディベートへの信頼の喪失――は、社会の分断と機能不全を進行させる可能性がある。同様に、政治的な敵対者が対話する意志も能力もない環境で、実のある改革は続かないだろう。制度的な改革は文化の変化に先行するかもしれないが、その必要性を超えることはできない。

ある日の午後、ぼくがこうしたことについて考えていたとき、起業家の友人がスケールの秘密をもう一つ教えてくれた。「目指すのは単なる成長ではなく、自分が起こした小さな行動が大きな波及効果を生むような比例しない成長だ。一軒一軒を訪ねて回るようなやり方ではだめだ」

そのとき、彼の最初の質問に対する答えがわかった。ディベートはスケールしない。

ディベートにどのような力があっても、それは一対一で顔を合わせる出会いが持つ魔法によるものだ。議論するときに要する注意と配慮は、議論によって異なる。ディベートにアルキメデスの梃子は存在しない。一文ずつ重ねていって良い対話にするしかない。

それで十分なときもあるだろう。良い議論は新しいアイデアを生み、人間関係を強化する。ディベート教育は、政治的な日和見主義者の巧妙なごまかしを見抜く力を授ける。ディベートは多くの人を鍛えてきたが、その基本は独白ではなく対話にある。

世界を変えるためには、ディベートはまずディベーターの人生を変えなければならない。本書で、ぼくは自分の人生がどう変わったかを語った。ぼくが声を失っていたとき、ディベートは声を与えてくれた。自分の利益のためにどう主張するか、相手にどう反応するか、どんな言葉を使うべきか、品位を持って負けるとはどういうことか、どのように戦いを選べばいいかを教えてくれた。世界を変えることから見れば些細なことだが、ぼくにとってはすべてだった。

長年、ぼくの議論への興味は、自分の人生でたまたま起きたことから生まれたものだと思っていた。最近はディベートをもう少し普遍的に見ている。作家のスタン・グラントはヘーゲルの「人間はこの世に精通していない」という言葉をよく引用している。ヨーロッパにも祖先を持つ先住民族のオーストラリア人として、グラントは現代オーストラリアをつくった最初の衝突の両端に自分を位置づけている。「私は船と陸地のあいだに生きていた。私たちのつらい過去という塩辛い海を航海しながら」[4]。グラントはヘーゲル以後、こうした環境のなかで解放を求めるなら、弁証法によって実現しなければならないとした。ある視点（正）がもう一つの視点（反）を壊すプロセスは、自動的にどちらかを選ぶプロセスと違って、二つを統合する第三の道（合）を生み出す。

ぼくには、ディベートは同じ問題に対する答えのように思える。人間は異なる意見を持ち、世界に通じていない。だが、それは降参か拒絶のどちらかを選択するものではないし、別の人間に従属するか、声が聞こえなくなるまで距離を置くかという選択でもない。

ディベートではお互いにオープンな立場で相手を受け入れる余地を残すよう求められる。試合は自分から――自分の立場、主張、エゴを持って――始まり、必然的に相手に到達する。

この移動は、ディベート会場でスピーカーが自分の主張を終えたあとの沈黙のなかで起こる。その瞬間、そこには無神経な侮蔑も無気力なはぐらかしもない。その代わり、相手がどのように受けとめたか、どのように返してくるだろうか、という不安を伴う期待に満ちる。

ぼくにとって、この沈黙のなかに立たされるのは、ディベートをするなかでもっとも苦しい時間だ。それは先が見えないなかで人目にさらされ、他者の思慮にゆだねる時間となる。しかし、ぼくたちディベーターは相手にマイクを渡す。この信頼の行為なしに対話は成立しないからだ。

ぼくたちは自分の主張を生かすために、相手にそれを渡すのである。

謝辞

ぼくに居場所を与えてくれたこの伝統をつくりあげ、守ってきた過去のディベーターたちに感謝したい。彼らが集めた英知を、ぼくは彼らから渡された声をあげて伝えたつもりだ。ファナーレ・マシュワマには一〇年にわたる友情に対して感謝する（ぼくたちは本当に心から感謝すべきだと思う）。そして、アンドルー・フッドとスティーヴ・ハインドには導いてくれたことに対して深く感謝する。

出版にかかわってくれた皆さんの信頼と尽力にお礼を言いたい。スクリブナー・オーストラリアのベン・ボールは、最初にこの本に賭けてくれた編集者だ。（彼に対する）企画書を書く段階から手伝ってくれて、紆余曲折の旅をするにあたって必須のガイドとなってくれた。エージェントのゲイル・ロスとダーラ・ケイは、ぼくが八回も企画書を書きなおすあいだずっと導いてくれて、その後は熟練の腕でぼくを支えてくれた。ウィリアム・ヘイワードはペンギン・プレスとしてこの本の出版権を取得し、メインの編集者になってくれた。彼が描く展望は道を照らしてくれて、おかげでぼくは歩き続けることができた。この本のイギリス版の出版社であるウィリアム・コリンズのショーエブ・ロカディヤは、寛大な心と根気を持って友情の域に踏みこむ長電話で、ぼくのやる気を引き出してくれた。どんな書き手でも、こうした人材が一人でも仲間にいれば幸運だと思う。こうした人材に囲まれたぼくは、言い訳ができないという意味で、不運な状況に追いこまれた。

アン・ゴドフ、スコット・モイヤーズ、アラベラ・パイク、ダン・ルフィーノ、それからチームの皆さんには、ぼくの本を歴史ある刊行リストに加えてくれたことに感謝申し上げる。ペンギン・プレスのナタリー・コールマンとハーヴァード大学のアマンダ・チャンの鋭い指摘と明るさのおかげで、仕事はかなり楽になった。これまで出版を決めてくれた文学トンネ、早川書房、北京磨鉄、采實、リテラのほか、幅広い読者に届けるために尽力してくれたエージェントのアブナー・スタイン、ミルクウッド・エージェンシー、イングリッシュ・エージェンシー、グレイホーク・エージェンシー、リヴィア・ストイア・リテラリー・エージェントに深く感謝する。この版〔アメリカ・カナダ版〕に関しては、サラ・ハトソン、モリー・リード、シーナ・パタル、メーガン・キャバノー、ニコル・チェリ、テス・エスピノザ、アリ・ダマート、ライアン・ベニテスにお礼を言いたい。

これはぼくが受けた教育についての本だから、お礼を伝えたい先生方はたくさんいる。ジュディ・ギルクリストは言葉には人生を変える可能性があることを、とりわけぼくの人生を変えて教えてくれた。ジャメイカ・キンケイドは、ぼくにとって創造性と真実を述べる姿勢の変わらぬ手本だ。エレイン・スカーリーも道徳的な想像力と不屈の精神の手本となってくれる。ルイ・メナンドは、冷静な判断力というものを教えてくれた。政治や哲学に関するケヴィン・ラッド、ワン・フイ、アマルティア・セン、マイケル・ローゼン、ロベルト・アンガーとの議論は、ぼくの教育を形づくってくれた。ジャーナリズムについては、ハワード・フレンチ、リチャード・マクレガー、ジュリア・ベアード、アナベル・クラブ、そして《オーストラリアン・フィナンシャル・レヴュー》の大事な仲間たちが、良い質問の仕方を教えてくれた。法律では、マイケル・カービー、ジリアン・トリッグス、ルイス・モレノ＝オカンポ、マーサ・ミノウ、ジーニー・ソク・ガーセンの足跡をたどっていきたい。スティーヴ・シュワルツマンとビル・アックマンには、ぼくの教育の一部の資金を提供してくれたことに感謝している。リサ・マスカティーン、アダム・グラント、ロバート・バーネット、ノーム・スロニムにもお礼を言いたい。

友人や家族の協力には心から感謝している。オーストラリアが誇るすばらしい作家、ケリドウェン・ダヴィは仕事の合間を縫って最初から最後まで指導してくれた。ジョナ・ハーン、ウィン・グレアム、アクシャー・ボヌ、ネイサン・ブースは対話の相手として完璧だった。原稿を書き終えたのはおばのミギョン・オの家だった。

この本は、いつもぼくのそばにいてくれた、愛するジンギョン・パクとウォンギョ・ソに捧げる。

訳者あとがき

競技ディベートとは、一定のルールに則ってチーム対抗で議論を行ない、勝敗を決めるゲームである。海外では欧米を中心に教育の一環として行なわれているところが多い。世界から参加者を募って開催される国際大会もたくさんある。そうした国際大会の世界チャンピオンと言えば、どんな人物を思い描くだろうか。本書の著者は、競技ディベートの世界大会で高校・大学と二回チャンピオンになり、オーストラリアのナショナルチームとハーヴァード大学のチームのコーチも務めた人物だ。ディベート界で彼の名前を知らない人はいないだろう。そんなレジェンドが「議論」について本を書いたと聞けば、おそらく「議論で勝つ」ためのスキルについて書かれたものだと思うのではないだろうか。

ところが本書はそういう本ではない。原題は *Good Arguments*、問いかけているのは良い議論とは何かということだ。それは著者によれば、「意見の相違があるほうが、ないよりも良い結果をもたらすように」行なう議論のことである。

私たちは日々、意見の相違に直面している。政治や社会問題といった大きなテーマで対立することもあれば、家族や友達とちょっとしたことで言い争ったりする。だが、良い議論ができれば、意見の相違によってより良い社会、より良い人間関係が築けるのではないか。そして、競技ディベートのスキルは良い議論をするために役立つのでないか。著者はそう主張する。

議論に勝つのは気持ちがいい。相手を論破するのは、論破する本人にとっても、同じ側に立って見ている人にとっても、おそらく楽しい経験だろう。だが、それによって事態はよくなったか。何のためにも、誰のためにもならないなら、それは自己満足にすぎず、良い議論ではない。SNS上の活発なやり取りも、中身を見ればそれぞれが言いたいことを言っているだけで、話し合いの体を成していないことが多い。それどころか各人の怒り――アリストテレスは怒りには喜びが含まれると言っている――が負の連鎖を生み出していることも少なくない。こうした時代だからこそ、異なる意見を上手に言いあうことが求められているのではないだろうか。

八歳のときに韓国からオーストラリアに移住した著者は、当初は英語が話せなくて人と議論するのを避けていたが、先生に誘われて参加したのがきっかけでディベートにのめりこんだ。本書は、ディベートから多くを学び、世界の頂点にまでのぼりつめた著者が、自身の半生を振り返りながら、良い議論についてつづったものだ。

競技ディベートを見たことがないという方は、まずは実際の試合をYouTubeでご覧いただきたい(https://www.youtube.com/watch?v=Ys0Sgicnjz4)。第五章で描かれている、2016年にテッサロニキで開催されたワールド・ユニヴァーシティズ・ディベーティング・チャンピオンシップ(WU

DC）の決勝戦だ。試合が始まるまえから会場は沸いている。チームが紹介されるたびに拍手が鳴り響く。向かって左から二番目の席についた著者と相棒のファナーレ・マシュワマ氏は顔を寄せ合い、作戦会議を続けている。論題が読み上げられ、一番手の著者はおもむろに立ち上がり、ゆっくりと歩いて演台につく。それまでとは打って変わって静まりかえる聴衆を前に、著者はスピーチを始める。よくとおる低い声で最初はゆっくりと一語一語、聴衆に語りかけるように、主張を伝えていく。スピーチは次第に熱を増し、途中相手チームから入るPOI（質疑応答）をさばいて観客からは歓声があがる。著者は本文中で、最後は足が震え、声もかすれたと書いているが、見ている限りそんな様子はまったくうかがえない。終始堂々としたスピーチだった。そして、マシュワマ氏は演台に立ち、話しはじめるかと思いきや「ちょっと待ってください」と手にしたジャケットを着こみ、時間をかけてメモを並べ替える。そして軽く咳払いをしてから話しはじめ、やや早口で手ぶりを交えながら迫力あるスピーチを繰り広げる。終えたときには盛大な拍手と歓声があがる。そして、結果は本文にあるとおりだ。もし言葉がわからなくても、世界最高峰の戦いの熱気が伝わってくるはずだ。競技ディベートが「知のスポーツ」であることを実感してもらえると思う。

冒頭で述べたとおり、このディベートを教育の一環として取り入れている国は多い。ディベートで勝つためには知識、論理的思考力、プレゼンテーション力のほか、チームで対戦するのでチームワークも必要となる。試合形式には、事前に準備してのぞむ準備型と試合当日に論題と立場を与えられる即興型があり、準備型なら調査力、即興型なら瞬発力も鍛えられる。さまざまなスキルが身につくのは容易に想像できるが、より良いコミュニケーションの観点から、ここではディベートで養われるエンパシーと聞く力に注目したい。

競技ディベートでは、論題に対する各チームの立場（肯定または否定）は指定され、自分では選べない。つまり自分の考えとは違っていても、勝つためには与えられた立場で聞いている人を納得させなければならないのだ。そのためにはエンパシーの力がいる。このエンパシー、日本語では「共感」と訳されるが、日本語で共感というとシンパシーを指すことの方が多い。エンパシーとシンパシーは違う。どちらも他者の考えや感情を共有することを指すが、ある程度相手と同じ気持ちになることを前提とするシンパシーに対して、エンパシーは同じ気持ちになる必要はない。求められるのは、理性的に他者を理解しようとする姿勢だ。シンパシーに後押しされて噛み合わない議論が多い今、エンパシーの重要性は増しているように思う。

もう一つは聞く力だ。競技ディベートには反駁のパートがある。第三者の審判を説得するためには、自分たちの意見を述べるだけではなく、相手の意見に適切に反論する必要がある。そのためには、何よりもまず相手の話をよく聞かなければならない。相手の主張を理解せずにやみくもに反論しても誰も説得できないだろう。相手の言うことを聞いて理解する。簡単そうでいて実践するのは難しい。だが、これこそコミュニケーションの第一歩ではないだろうか。このエンパシーと聞く力、今の時代に特に求められているように思う。

翻って、日本のディベート事情はどうだろう。残念ながら、欧米のように普及しているとは言いがたいが、ディベートの普及を目指して活動している団体は複数あり、全国規模で大会を開催しているところもある。

先人たちの地道な活動が奏功したのだろう、世界大会で活躍する日本人も出てきている。先ほどご覧いただいたWUDCには、オープン部門（英語を第一言語とする話者の部門）、ESL部門（英語を第二言語とする話者の部門）、EFL部門（英語を外国語とする話者の部門）があり、英語圏以外の学生も参加できる。言葉の壁もあってなかなかいい成績を収められなかった時代も終わりつつあり、近年はESLやEFLでの上位入賞だけではなく、オープン部門でも決勝トーナメント進出という実績が生まれている。

さらに、最近注目すべき変化があった。高校の学習指導要領において、二〇二二年度から英語の「論理・表現」という科目が新設され、そのなかの活動例にディベートが含まれることになったのである。今はまだ実践する教育現場は少ないようだが、ディベートには先ほど述べたとおり、さまざまな効用がある。今後はディベートを授業に取り入れる学校が増えるかもしれない。そうなればディベート人口も増えていくだろう。

では、こうしたディベートが広まれば、私たちは良い議論ができるようになるのだろうか。それは一人一人がどう議論に取り組むかにかかっている。著者が言うように、ディベートは人と人の対話というきわめて人間的なものであり、スタートアップビジネスのように「スケール」するものではない。一つ一つの対話を良いものにして積み重ねていくしかないのだ。第6章で見たような「いじめっ子」に遭遇することもあるだろう。しかし、不安と不満のあらわれとしての議論から、世界を立て直すための道具としての議論に転換できるかどうかは、私たち一人一人にかかっている。

最後に著者の近況をお伝えしたい。著者は現在、《オーストラリアン・フィナンシャル・レヴュー》の記者をしながら、《ニューヨーク・タイムズ》や《アトランティック》などさまざまな媒体に寄稿している。また、最近までオーストラリアの討論番組「ザ・ドラム（The Drum）」にパネリストとしてレギュラー出演していた。本書は著者の初の著作で、日本を含めて一五の国と地域で刊行あるいは刊行予定となっている。訳者としては、著者がディベートと出会って得た声が、言葉の壁を越えて世界に届くことを願っている。

二〇二四年二月

原 注

はじめに

1. David Corn, "Secret Video: Romney Tells Millionaire Donors What He REALLY Thinks of Obama Voters," *Mother Jones*, September 17, 2012, www.motherjones.com/politics/2012/09/secret-video-romney-private-fundraiser/.
2. Amy Chozick, "Hillary Clinton Calls Many Trump Backers 'Deplorables,' and G.O.P. Pounces," *New York Times*, September 10, 2016, www.nytimes.com/2016/09/11/us/politics/hillary-clinton-basket-of-deplorables.htm.
3. M. Keith Chen and Ryne Rohla, "The Effect of Partisanship and Political Advertising on Close Family Ties," *Science* 360, no. 6392 (2018): 1020–24.
4. Toni Morrison, "Nobel Lecture, 7 December 1993," *Georgia Review* 49, no. 1 (1995): 318–23.

第1章

1. Pauline Hanson, "Maiden Speech," Common-wealth of Australia, House Hansard, Appropriation Bill (No. 1), 1996–97, Second Reading, p. 3859.
2. Mark Latham, "Politics: New Correctness," Commonwealth of Australia, House Hansard, Grievance Debate, 2002, p. 5624.
3. "House of Commons Rebuilding," Parl. Deb. H.C. (5th ser.) (1943) cols. 403–73, https://api.parliament.uk/historic-hansard/commons/1943/oct/28/house-of-commons-rebuilding.
4. "House of Commons Rebuilding."

第2章

1. *Scent of a Woman*, directed by Martin Brest (Universal Pictures, 1992).「セント・オブ・ウーマン／夢の香り」
2. " 'Wingnuts' and President Obama," The Harris Poll, March 24, 2010, https://theharrispoll.com/wp-content/uploads/2017/12/Harris-Interactive-Poll-Research-Politics-Wingnuts-2010-03.pdf.

3. "Full Transcript: Obama Interview with NBC News," NBC News, Aug. 29, 2010, https://www.nbcnews.com/id/wbna38907780.
4. "Encomium," Silva Rhetoricae, accessed February 9, 2022, http://rhetoric.byu.edu/Pedagogy/Progymnasmata/Encomium.htm.
5. Sharon Crowley and Debra Hawhee, *Ancient Rhetorics for Contemporary Students* (New York: Pearson/Longman, 2003), 385.
6. George Alexander Kennedy, *Progymnasmata: Greek Textbooks of Prose Composition and Rhetoric* (Leiden, Netherlands: Brill, 2003), 5–6.
7. David J. Fleming, "The Very Idea of a Progymnasmata," *Rhetoric Review* 22, no. 2 (2003): 116.
8. William H. Cropper, *Great Physicists: The Life and Times of Leading Physicists from Galileo to Hawking* (New York: Oxford University Press, 2004), 254–55.〔ウィリアム・H・クロッパー『物理学天才列伝』水谷淳訳、講談社〕
9. John Horgan, *The End of Science: Facing the Limits of Knowledge in the Twilight of the Scientific Age* (New York: Basic Books, 2015), 29.〔ジョン・ホーガン『科学の終焉』筒井康隆監修、竹内薫訳、徳間書店〕

第3章

1. Eugene Devaud, trans., "Teaching of Ptahhotep," 1916, www.ucl.ac.uk/museums-static/digitalegypt/literature/ptahhotep.html.
2. Dale Carnegie, *How to Win Friends and Influence People* (New York: Simon & Schuster, 2009), 122.〔D・カーネギー『人を動かす　完全版』東条健一訳、新潮社ほか〕
3. Paul Kelly, "Campaigns Characterised by Complacent Timidity," *The Australian*, July 28, 2010, https://www.theaustralian.com.au/subscribe/news/1/?sourceCode=TAWEB_WRE170_a_GGL&dest=https%3A%2F%2Fwww.theaustralian.com.au%2Fopinion%2Fcolumnists%2Fcampaigns-characterised-by-complacent-timidity%2Fnews-story%2F4ae48b1667bbe66f4d63df9dd80b8f7e&memtype=anonymous&mode=premium&v21=dynamic-hot-test-score&V21spcbehaviour=append.
4. Norberto Bobbio, *In Praise of Meekness: Essays on Ethics and Politics* (Cambridge: Polity Press, 2000), 34.
5. Bhikkhu Bodhi and Bhikkhu Ñanamoli, *The Middle Length Discourses of the Buddha: A Translation of the Majjhima Nikaya* (Somerville, MA: Wisdom, 2015), 326.〔『原始仏典　第四巻　中部経典Ⅰ』中村元監修、春秋社ほか〕
6. David Jackson, "Study: Obama Wins 'Interruption Debate,'" *USA Today*, October 20, 2012, www.usatoday.com/story/theoval/2012/10/20/obama-

romney-debate-interruptions-george-mason/1646127/.
7. "Obama Hits Back In Fiery Second Debate with Romney," BBC, October 17, 2012, https://www.bbc.com/news/world-us-canada-19976820.
8. Jim Rutenberg and Jeff Zeleny, "Rivals Bring Bare Fists to Rematch," *New York Times*, October 16, 2012, https://www.nytimes.com/2012/10/17/us/politics/obama-and-romney-turn-up-the-temperature-at-their-second-debate.html.
9. Jackson, "Study: Obama Wins 'Interruption Debate.' "
10. Aristotle and Jonathan Barnes, *The Complete Works of Aristotle: The Revised Oxford Translation, Vol. 2 (Bollingen Series LXXI-2)* (Princeton, NJ: Princeton University Press, 1984), 2195.
11. Aristotle, "Rhetoric," 350 BC, trans. W. Rhys Roberts, The Internet Classics Archive, http://classics.mit.edu/Aristotle/rhetoric.2.ii.html.〔アリストテレス『弁論術』戸塚七郎訳、岩波書店ほか〕
12. Jeremy Waldron, *Political Political Theory: Essays on Institutions* (Cambridge, MA and London, England: Harvard University Press, 2016), 102.
13. Edmund Burke, "Thoughts on the Cause of the Present Discontents, 1770," in *Perspectives on Political Parties*, ed. Susan E. Scarrow (New York: Palgrave Macmillan, 2002), 40.〔エドマンド・バーク『エドマンド・バーク著作集1』中野好之訳、みすず書房〕

第4章

1. Paul C. Nagel, *John Quincy Adams* (New York: Knopf Doubleday, 2012).
2. John Quincy Adams and John Adams, *An Inaugural Oration: Delivered at the Author's Installation, as Boylston Professor of Rhetoric and Oratory, at Harvard University, in Cambridge, Massachusetts, on Thursday, June 12, 1806* (Boston: Munroe & Francis, 1806), 17.
3. John Quincy Adams and Charles Francis Adams, *Memoirs of John Quincy Adams, Comprising Portions of His Diary from 1795 to 1848* (New York: AMS Press, 1970), 332.
4. K. H. Jamieson and D. Birdsell, "Characteristics of Prebroadcast Debates in America," in *Presidential Debates: The Challenge of Creating an Informed Electorate* (New York: Oxford University Press, 1988), 20.
5. Jamieson and Birdsell, "Characteristics of Prebroadcast Debates," 19.
6. Ralph Waldo Emerson, *The Works of Ralph Waldo Emerson Comprising His Essays, Lectures, Poems, and Orations* (London: Bell, 1882), 191.

7. Gorgias, *Encomium of Helen*, trans. Douglas M. MacDowell (Bristol, UK: Bristol Classical Press, 2005), 21.

8. Plato, *The Dialogues of Plato*, vol. 1, trans. and with analyses by Benjamin Jowett (New York: Random House, 1936), 507.

9. Encyclopedia Britannica Online, s.v. "Liberal Arts," August 10, 2010, www.britannica.com/topic/liberal-arts.

10. Pooja Podugu, "CS50, Stat 110 See Continued Increases in Enrollment," *Harvard Crimson*, September 12, 2013, www.thecrimson.com/article/2013/9/12/course-enrollment-numbers-CS50/.

11. さらに知りたい方は以下を参照されたい。 Jay Heinrichs, "How Harvard Destroyed Rhetoric," *Harvard Magazine* 97, no. 6, July–August 1995, 37–42.

12. Markku Peltonen, *The Cambridge Companion to Bacon* (Cambridge: Cambridge University Press, 1996), 224.

13. Charles W. Eliot, "The New Education," *Atlantic Monthly*, February 1869.

14. John C. Brereton, ed., *The Origins of Composition Studies in the American College, 1875–1925: A Documentary History* (Pittsburgh, PA: University of Pittsburgh Press, 1995), 13.

15. British Broadcasting Company, "History of the BBC: 1920s," accessed February 9, 2022, www.bbc.com/historyofthebbc/timelines/1920s.

16. Boris Johnson, "Boris Johnson explains how to speak like Winston Churchill," *The Telegraph*, November 3, 2014, YouTube video, 2:31, https://www.youtube.com/watch?v=FLak2IzIv7U.

17. People for the Ethical Treatment of Animals, "Debate Kit: Is It Ethical to Eat Animals?" accessed February 9, 2022, www.peta.org/teachkind/lesson-plans-activities/eating-animals-ethical-debate-kit/.

18. Edward T. Channing, *Lectures Read to the Seniors in Harvard College [with a Biographical Notice of the Author, by R. H. Dana the Younger]* (Boston: Ticknor & Fields, 1856), 7.

19. William Bentinck-Smith, *The Harvard Book: Selections from Three Centuries* (Cambridge, MA: Harvard University Press, 1986), 254.

20. Bruce A. Kimball, " 'This Pitiable Rejection of a Great Opportunity': W. E. B. Du Bois, Clement G. Morgan, and the Harvard University Graduation of 1890," *Journal of African American History* 94, no. 1 (2009): 5–20.

21. Kimball, " 'This Pitiable Rejection of a Great Opportunity,' " 13.

22. Philip S. Foner and Robert James Branham, *Lift Every Voice: African American Oratory, 1787–1900* (Tuscaloosa: University of Alabama Press, 1998), 731.

23. W. E. B. Du Bois and David Levering Lewis, *W. E. B. Du Bois: A Reader* (New York: H. Holt, 1995), 18.
24. W. E. B. Du Bois, "Harvard in the Last Decades of the Nineteenth Century, May 1960," W. E. B. Du Bois Papers (MS 312), Special Collections and University Archives, University of Massachusetts Amherst Libraries.
25. Sarah Abushaar, "Undergraduate Speaker Sarah Abushaar—Harvard Commencement 2014," Harvard University, May 29, 2014, YouTube video, 9:41, www.youtube.com/watch?v=AiGdwqdpPKE.

第5章

1. National Speech & Debate Association, "The National Speech & Debate Association Announces 2018 National High School Champions," July 2, 2018, www.globenewswire.com/en/news-release/2018/07/02/1532485/0/en/The-National-Speech-Debate-Association-announces-2018-National-High-School-Champions.html.
2. Peter Rosen, "Policy Debaters Argue at the Speed of Cattle Auctioneers," KSLTV, March 9, 2019, https://ksltv.com/409597/policy-debaters-argue-speed-cattle-auctioneers/.
3. Guinness World Records, s.v. "Fastest Talker (English)," August 30, 1995, www.guinnessworldrecords.com/world-records/358936-fastest-talker.
4. "UK: World's Fastest Talker Speaks," AP Archive, July 27, 1998, www.aparchive.com/metadata/youtube/46e1d010e07752b77b4a7b86ec67e2cc.
5. Rachel Swatman, "Can You Recite Hamlet's 'To Be or Not to Be' Soliloquy Quicker Than the Fastest Talker?" Guinness World Records, www.guinnessworldrecords.com/news/2018/1/can-you-recite-hamlets-to-be-or-not-to-be-soliloquy-quicker-than-the-fastest-t-509944.
6. Princeton Debate, "Speaking Drills," accessed February 9, 2022, https://sites.google.com/site/princetonpolicydebate/home/debaters/speaking-drills.
7. Jay Caspian Kang, "High School Debate at 350 WPM," *Wired*, January 20, 2012, www.wired.com/2012/01/ff-debateteam/.
8. Debra Tolchinsky, "Fast-Talk Debate in an Accelerated World," *Chronicle of Higher Education*, July 22, 2020, www.chronicle.com/article/fast-talk-debate-in-an-accelerated-world/.
9. Tim Allis, "Education: The Bloody World of High School Debate," *D Magazine*, May 1986, www.dmagazine.com/publications/d-magazine/1986/may/education-the-bloody-world-of-high-school-debate/.

10. スプレッドについて深い考察を示した作品。Ben Lerner, *The Topeka School* (New York: Farrar, Straus and Giroux, 2019).
11. Tom Pollard, "Lincoln-Douglas Debate: Theory and Practice" (Lawrence: University of Kansas, 1981), 7.
12. Pollard, "Lincoln-Douglas Debate," 7.
13. Pollard, "Lincoln-Douglas Debate," vi.
14. Jack McCordick, "The Corrosion of High School Debate—and How It Mirrors American Politics," *America Magazine*, September 26, 2017, www.americamagazine.org/arts-culture/2017/09/26/corrosion-high-school-debate-and-how-it-mirrors-american-politics.
15. *Resolved*, directed by Greg Whiteley (One Potato Productions, 1992).
16. Kang, "High School Debate at 350 WPM."
17. UK Parliament, "Origins of Parliament," accessed February 9, 2022, www.parliament.uk/about/living-heritage/transformingsociety/electionsvoting/chartists/overview/originsofparliament/.
18. Taru Haapala, "Debating Societies, the Art of Rhetoric and the British House of Commons: Parliamentary Culture of Debate Before and After the 1832 Reform Act," *Res Publica* 27 (2012): 25–36.
19. American Whig-Cliosophic Society, "Who We Are," accessed February 9, 2022, https://whigclio.princeton.edu/.
20. "Donald Trump: 'I Will Be Greatest Jobs President God Ever Created'—Video," *The Guardian*, June 16, 2015, https://www.theguardian.com/us-news/video/2015/jun/16/donald-trump-us-president-republicans-video.
21. Glenn Kessler, "A History of Trump's Promises That Mexico Would Pay for the Wall, Which It Refuses to Do," *Washington Post*, January 8, 2019, https://www.washingtonpost.com/politics/2019/live-updates/trump-white-house/live-fact-checking-and-analysis-of-president-trumps-immigration-speech/a-history-of-trumps-promises-that-mexico-would-pay-for-the-wall-which-it-refuses-to-do/.
22. "Donald Trump Announces a Presidential Bid," *Washington Post*, June 16, 2015, https://www.washingtonpost.com/news/post-politics/wp/2015/06/16/full-text-donald-trump-announces-a-presidential-bid/.
23. Staff, "Ayaan Hirsi Ali Responds to Brandeis University," *Time*, April 9, 2014, https://time.com/56111/ayaan-hirsi-ali-they-simply-wanted-me-to-be-silenced/.
24. Samuel Earle, " 'Rivers of Blood': The Legacy of a Speech That Divided Britain," *Atlantic*, April 20, 2018, www.theatlantic.com/international/archive/2018/04/enoch-powell-rivers-of-blood/558344/.
25. Martin Walker and Don Bateman, *The National Front* (London: Fontana,

1978).
26. Camilla Schofield, *Enoch Powell and the Making of Postcolonial Britain* (Cambridge, UK: Cambridge University Press, 2013), 209.
27. Evan Smith, *No Platform: A History of Anti-Fascism, Universities and the Limits of Free Speech* (Oxford and New York: Routledge, 2020), 28.
28. Smith, *No Platform*, 93.
29. NUS, April Conference: Minutes and Summary of Proceedings (London: NUS, 1974), 79.
30. 99 Parl. Deb. H.C. (6th ser.) (1986) cols. 182–277, https://api.parliament.uk/historic-hansard/commons/1986/jun/10/education-bill-lords.
31. "NUS' No Platform Policy," NUS Connect, February 13, 2017, https://www.nusconnect.org.uk/resources/nus-no-platform-policy-f22f.
32. Joseph Russomanno, *Speech Freedom on Campus: Past, Present, and Future* (Lanham, MD: Lexington Books, 2021), 11.
33. Janell Ross, "Obama Says Liberal College Students Should Not Be 'Coddled.' Are We Really Surprised?" *Washington Post*, April 26, 2019, www.washingtonpost.com/news/the-fix/wp/2015/09/15/obama-says-liberal-college-students-should-not-be-coddled-are-we-really-surprised/.
34. Richard Tuck and Michael Silverthorne, eds., *Hobbes: On the Citizen* (Cambridge, UK: Cambridge University Press, 1998), 26.
35. Teresa M. Bejan, *Mere Civility* (Cambridge: Harvard University Press, 2017), 11.

第 6 章

1. Roger Gottlieb, *The Oxford Handbook of Religion and Ecology* (New York: Oxford University Press, 2011), 316.
2. S. Marc Cohen, Patricia Curd, and C. D. C. Reeve, *Readings in Ancient Greek Philosophy: From Thales to Aristotle* (Indianapolis: Hackett, 2016), 315.
3. *Washington Post* Staff, "Wednesday's GOP Debate Transcript, Annotated," *Washington Post*, April 26, 2019, www.washingtonpost.com/news/the-fix/wp/2015/09/16/annotated-transcript-september-16-gop-debate/.
4. Commission on Presidential Debates, "September 26, 2016 Debate Transcript," September 26, 2016, www.debates.org/voter-education/debate-transcripts/september-26-2016-debate-transcript/.
5. Commission on Presidential Debates, "September 26, 2016 Debate Transcript."
6. Martin Cohen, *Philosophical Tales: Being an Alternative History Revealing the*

Characters, the Plots, and the Hidden Scenes That Make Up the True Story of Philosophy (Malden, MA: Blackwell, 2008), 172.

7. Arthur Schopenhauer, *The Art of Controversy: And Other Posthumous Papers*, ed. and trans. T. Bailey Saunders (London: Swan Sonnenschein, 1896), 4.〔アルトゥール・ショーペンハウアー『負けない方法、他二編』高橋昌久訳、京緑社〕
8. Robert Wicks, *The Oxford Handbook of Schopenhauer* (New York: Oxford University Press, 2020), 98.
9. Schopenhauer, *Art of Controversy*, 5.
10. Schopenhauer, *Art of Controversy*, 5.
11. Schopenhauer, *Art of Controversy*, 10.
12. Schopenhauer, *Art of Controversy*, 11.
13. Schopenhauer, *Art of Controversy*, 10.
14. Schopenhauer, *Art of Controversy*, 46.
15. Keith Lloyd, "Rethinking Rhetoric from an Indian Perspective: Implications in the 'Nyaya Sutra,'" *Rhetoric Review* 26, no. 4 (2007).
16. Portland State University, Toni Morrison, Primus St. John, John Callahan, Judy Callahan, and Lloyd Baker, "Black Studies Center Public Dialogue. Pt. 2" (1975). Special Collections: Oregon Public Speakers, 90. http://archives.pdx.edu/ds/psu/11309.
17. George Monbiot, "This Professor Of Denial Can't Even Answer His Own Questions on Climate Change," *The Guardian*, September 14, 2009, https://www.theguardian.com/commentisfree/cif-green/2009/sep/14/climate-change-denial.
18. Commission on Presidential Debates, "October 9, 2016 Debate Transcript," October 9, 2016, www.debates.org/voter-education/debate-transcripts/october-9-2016-debate-transcript/.
19. Anna Palmer and Jake Sherman, "Poll: Hillary Clinton Won the Second Debate," *Politico*, October 11, 2016, www.politico.com/story/2016/10/clinton-trump-debate-poll-229581.
20. Nikita Sergeevich Khrushchev, *Memoirs of Nikita Khrushchev*, vol. 3, ed. Sergei Khrushchev (University Park: Pennsylvania State University Press, 2007), 183.
21. Jonathan Aitken, *Nixon: A Life* (Washington, DC: Regnery, 1993), 27.
22. "Live Presidential Forecast," *New York Times*, November 9, 2016, www.nytimes.com/elections/2016/forecast/president.
23. Commission on Presidential Debates, "October 19, 2016 Debate Transcript."
24. Bonnie Kristian, "America's Presidential Debates Are Broken. Here's How to

Fix Them," *The Week*, September 7, 2016, https://theweek.com/articles/646203/americas-presidential-debates-are-broken-heres-how-fix.
25. Lee Drutman, "The Presidential Debate Format Stinks. We Should Run Crisis Simulations Instead," *Vox*, September 23, 2016, https://www.vox.com/polyarchy/2016/9/21/13006732/presidential-debate-format-bad.
26. Arthur Schopenhauer, *Parerga and Paralipomena* (Oxford: Clarendon Press, 2000), 26.〔ショーペンハウアー『ショーペンハウアー全集 12』白水社〕
27. Schopenhauer, *Parerga and Paralipomena*, 31.
28. "Hesiod: Works and Days," trans. Hugh G. Evelyn-White, 1914, https://people.sc.fsu.edu/~dduke/lectures/hesiod1.pdf.

第 7 章

1. Malcolm X, *Autobiography of Malcolm X*, 43.〔マルコム X『完訳　マルコム X 自伝　上・下』濱本武雄訳、中央公論新社〕
2. Malcolm X, *Autobiography of Malcolm X*, 43.
3. Malcolm X, *Autobiography of Malcolm X*, 44.
4. Malcolm X, *Autobiography of Malcolm X*, 178.
5. Malcolm X, *Autobiography of Malcolm X*, 212.
6. Malcolm X, *Autobiography of Malcolm X*, 212.
7. "Education: Oxford v. Norfolk," *Time*, December 31, 1951, http://content.time.com/time/subscriber/article/0,33009,821992,00.html.
8. Peter Louis Goldman, *The Death and Life of Malcolm X* (Urbana and Chicago: University of Illinois Press, 1979), 16.
9. Malcolm X, *Autobiography of Malcolm X*, 198.
10. Natasha Haverty, "After Half A Century, Inmates Resurrect The Norfolk Prison Debating Society," NPR's *Morning Edition*, December 27, 2016, https://www.npr.org/2016/12/27/506314053/after-half-a-century-inmates-resurrect-the-norfolk-prison-debating-society.
11. Susannah Anderson and Briana Mezuk, "Participating in a Policy Debate Program and Academic Achievement Among at-Risk Adolescents in an Urban Public School District: 1997–2007," *Journal of Adolescence* 35, no. 5 (2012): 1225–35.
12. Scott Travis, "Broward Schools Make the Case for Debate Classes," *South Florida Sun-Sentinel*, June 18, 2018, www.sun-sentinel.com/local/broward/fl-broward-debate-classes-20141222-story.html.
13. Farmer, *Lay Bare the Heart*, 117.

14. Michael D. Bartanen and Robert S. Littlefield, "Competitive Speech and Debate: How Play Influenced American Educational Practice," *American Journal of Play* 7, no. 2 (2015): 155–73, https://doi.org/ISSN-1938-0399.
15. David Gold, *Rhetoric at the Margins: Revising the History of Writing Instruction in American Colleges, 1873–1947* (Carbondale: Southern Illinois University Press, 2008), 41.
16. Robert Littlefield, *Forensics in America: A History* (Lanham, MD: Rowman & Littlefield, 2013), 254.
17. James Farmer, *Lay Bare the Heart: An Autobiography of the Civil Rights Movement* (Fort Worth: Texas Christian University Press, 1998), 121.
18. Douglas Martin, "Henrietta Bell Wells, a Pioneering Debater, Dies at 96," *New York Times*, March 12, 2008, https://www.nytimes.com/2008/03/12/us/12wells.html.
19. Gail K. Beil, "Wiley College: The Great Debaters," *East Texas Historical Journal* 46, no. 1 (2008): 18–26, https://scholarworks.sfasu.edu/cgi/viewcontent.cgi?referer=&httpsredir=1&article=2530&context=ethj.
20. Beil, "Wiley College."
21. Hobart Jarrett, "Adventures in Interracial Debate," *The Crisis* 42, no. 8 (August 1935): 240.
22. Linda Green, "Excitement Builds for Washington-Winfrey Debate Movie," *Global Debate*, October 19, 2007, https://globaldebateblog.blogspot.com/2007/10/excitement-builds-for-washington.html.
23. Deborah Tannen, *The Argument Culture* (New York: Ballantine Books, 1999), 3, 134.
24. Farmer, *Lay Bare the Heart*, 224.
25. Farmer, *Lay Bare the Heart*, 225.
26. Farmer, *Lay Bare the Heart*, 225.
27. Robert James Branham, " 'I Was Gone on Debating': Malcolm X's Prison Debates and Public Confrontations," *Argumentation and Advocacy* 31, no. 3 (1995): 117–37, https://doi.org/10.1080/00028533.1995.11951606.
28. Ben Voth, *James Farmer Jr.: The Great Debater* (Lanham: Lexington Books, 2017), 167.
29. The Open Mind, "Malcolm X, Wyatt Tee Walker, Alan Morrison, and James Farmer," PBS, aired June 11, 1963, https://www.njtvonline.org/programs/the-open-mind/the-open-mind-open-mind-special-race-relations-in-crisis-61263.
30. Beil, "Wiley College."
31. Malcolm X, "The Ballot or the Bullet" (speech, Cleveland, Ohio, April 3,

1964), www.edchange.org/multicultural/speeches/malcolm_x_ballot.html.
32. Leilah Danielson, "The 'Two-ness' of the Movement: James Farmer, Nonviolence, and Black Nationalism," *Peace & Change* 29, no. 3–4 (2004): 431–52, https://doi.org/10.1111/j.0149-0508.2004.00298.x.
33. James Farmer, *Freedom—When?* (New York: Random House, 1966; 1965), 92, 95.
34. Christina Ting Fong, "The Effects of Emotional Ambivalence on Creativity," *The Academy of Management Journal* 49, no. 5 (2006): 1016–30.

第８章

1. "Malcolm Turnbull Takes Question from Reporters On Postal Plebiscite Decision," *Sydney Morning Herald*, August 8, 2017, https://www.smh.com.au/politics/federal/transcript-malcolm-turnbull-takes-question-from-reporters-on-postal-plebiscite-decision-20170808-gxrwp7.html.
2. Justin Welby, "Archbishop Delivers Presidential Address to General Synod," The Archbishop of Canterbury, November 24, 2015, https://www.archbishopofcanterbury.org/speaking-and-writing/speeches/archbishop-delivers-presidential-address-general-synod.
3. Finish, "Finish Launches #Skiptherinse: A Movement to Help End Wasteful Dishwashing Habits and Conserve Water," Cision PR Newswire, July 28, 2020, www.prnewswire.com/news-releases/finish-launches-skiptherinse-a-movement-to-help-end-wasteful-dishwashing-habits-and-conserve-water-301101054.html.
4. Hugo Mercier and Dan Sperber, "Why Do Humans Reason? Arguments for an Argumentative Theory," *Behavioral and Brain Sciences* 34, no. 2 (2011): 57–74, doi:10.1017/S0140525X10000968.
5. Patricia Cohen, "Reason Seen More as Weapon Than Path to Truth," *New York Times*, June 14, 2011, www.nytimes.com/2011/06/15/arts/people-argue-just-to-win-scholars-assert.html.
6. William Ury, *Getting to Peace: Transforming Conflict at Home, at Work, and in the World* (New York: Viking, 1999), 148.
7. Anatol Rapoport, "Three Modes of Conflict," *Management Science* 7, no. 3 (1961): 210–18, www.jstor.org/stable/2627528.
8. Robert Louis Stevenson, *Lay Morals and Other Papers* (New York: Scribner, 1911), 137.
9. Blaise Pascal, *Pensées*, trans. A. Krailsheimer (London: Penguin, 2003), 68. 〔パ

スカル『パンセ』前田陽一、由木康訳、中央公論新社〕
10. Chris Zabilowicz, "The West Treats Russia Unfairly | Chris Zabilowicz | Part 1 of 6," Oxford Union, posted March 28, 2017, YouTube video, 18:06, www.youtube.com/watch?v=Ufb0ClkQY7U.
11. Theodore Roosevelt, *Autobiography* (New York: Macmillan, 1913), 28.
12. "Fearful Colleges Ban Debate on Recognition of Red China," *The Harvard Crimson*, June 17, 1955, www.thecrimson.com/article/1955/6/17/fearful-colleges-ban-debate-on-recognition/.
13. William M. Keith, *Democracy as Discussion: Civic Education and the American Forum Movement* (Lanham, MD: Lexington Books, 2007), 197.
14. Sally Rooney, "Even If You Beat Me," *The Dublin Review*, Spring 2015, https://thedublinreview.com/article/even-if-you-beat-me.
15. A. Craig Baird, "The College Debater: 1955," *Southern Speech Journal* 20, no. 3 (1955): 204–11, https://doi.org/10.1080/10417945509371360.
16. Robert M. Martin and Andrew Bailey, *First Philosophy: Fundamental Problems and Readings in Philosophy* (Peterborough, ON: Broadview Press, 2012), 598.
17. "Warren Buffett Has a Problem with 'Independent' Directors," *New York Times*, February 24, 2020, www.nytimes.com/2020/02/24/business/dealbook/warren-buffett-deals.html.
18. Gordon R. Gordon, "Switch-Side Debating Meets Demand-Driven Rhetoric of Science," *Rhetoric & Public Affairs* 13, no. 1 (2010): 95–120, https://doi.org/10.1353/rap.0.0134.
19. Nelson Mandela, *Long Walk to Freedom: The Autobiography of Nelson Mandela* (New York: Back Bay Books, 1995), 616.〔ネルソン・マンデラ『自由への長い道——ネルソン・マンデラ自伝』東江一紀訳、NHK出版〕
20. SABC News, "De Klerk, Mandela Pre-election Debate Rebroadcast, 14 April, 1994," streamed live on April 14, 2019, YouTube video, 1:57:47, www.youtube.com/watch?v=oTIeqLem67Q.
21. Stanley B. Greenberg, *Dispatches from the War Room: In the Trenches with Five Extraordinary Leaders* (New York: Thomas Dunne Books/St. Martin's Press, 2009), 145.
22. Mandela, *Long Walk to Freedom*, 617.

第 9 章

1. N. Slonim et al., "An Autonomous Debating System," *Nature* 591 (2021): 379–84, https://doi.org/10.1038/s41586-021-03215-w.

2. Dave Lee, "IBM's Machine Argues, Pretty Convincingly, with Humans," BBC News, June 19, 2018, www.bbc.com/news/technology-44531132.
3. Edward C. Baig and Ryan Suppe, "IBM Shows Off an Artificial Intelligence That Can Debate a Human—and Do Pretty Well," *USA Today*, June 20, 2018, www.usatoday.com/story/tech/2018/06/18/ibms-project-debater-uses-artificial-intelligence-debate-human/712353002/.
4. *2001: A Space Odyssey*, directed by Stanley Kubrick (Metro-Goldwyn-Mayer, 1968).〔「2001年宇宙の旅」スタンリー・キューブリック監督〕
5. Intelligence Squared Debates, "IBM Project Debater," February 26, 2019, YouTube video, 46:48, www.youtube.com/watch?v=3_yy0dnIc58&t=1275s.
6. IBM Research, "What Happens When AI Stops Playing Games," June 22, 2020, YouTube video, 25:48, www.youtube.com/watch?v=NSxVEaWEUjk&t=483s.
7. IBM Research, "What Happens When AI Stops Playing Games."
8. T. W. Benson, "Rhetoric, Civility, and Community: Political Debate on Computer Bulletin Boards," *Communication Quarterly* 44, no. 3 (1996): 359–78.
9. Patrick Winter, "Facebook Founder Zuckerberg Tells G8 Summit: Don't Regulate the Web," *The Guardian*, May 26, 2011, www.theguardian.com/technology/2011/may/26/facebook-google-internet-regulation-g8.
10. Noam Slonim と Chris Sciacca への著者によるインタビュー。2021年4月14日実施。スロニムの言葉は、特に断りがないかぎり、このインタビューから引用した。
11. IBM Research, "What Happens When AI Stops Playing Games."
12. Nick Petrić Howe and Shamini Bundell, "The AI That Argues Back," *Nature*, March 17, 2021, www.nature.com/articles/d41586-021-00720-w?proof=t.
13. プロジェクト・ディベーターの内部オペレーションの詳細については以下を参照されたい。"An Autonomous Debating System—Supplementary Material," *Nature*, March 17, 2021, https://static-content.springer.com/esm/art%3A10.1038%2Fs41586-021-03215-w/MediaObjects/41586_2021_3215_MOESM1_ESM.pdf.
14. Howe and Bundell, "AI That Argues Back."
15. Virginia Heffernan, "Our Best Hope for Civil Discourse on the Internet Is on . . . Reddit," *Wired*, January 16, 2018, www.wired.com/story/free-speech-issue-reddit-change-my-view/.
16. Chenhao Tan et al., "Winning Arguments," in *Proceedings of the 25th International Conference on World Wide Web* (Geneva: International World Wide Web Conferences Steering Committee, 2016), 613–24, https://doi.org/10.1145/2872427.2883081.

17. John Hunter Priniski and Zachary Horne, "Attitude Change on Reddit's Change My View," in *Proceedings of the 40th Annual Conference of the Cognitive Science Society*, eds. T. T. Rogers, M. Rau, X. Zhu, and C. W. Kalish. (Austin, TX: Cognitive Science Society, 2018), 2276–281.
18. "Change My View (CMV)," Reddit, accessed October 21, 2021, www.reddit.com/r/changemyview/wiki/rules#wiki_rule_a.
19. Jack Nicas, "Why Can't the Social Networks Stop Fake Accounts?" *New York Times*, December 8, 2020, https://www.nytimes.com/2020/12/08/technology/why-cant-the-social-networks-stop-fake-accounts.html.
20. Audrey Tang, "Meeting with Dr. Todd Lowary," *SayIt*, September 18, 2019, https://sayit.pdis.nat.gov.tw/2019-09-18-meeting-with-dr-todd-lowary#s328598.
21. "Taiwan's Digital Minister Audrey Tang Highlights Opportunities in Social Innovation," *Asia Society*, March 26, 2021, https://asiasociety.org/texas/taiwans-digital-minister-audrey-tang-highlights-opportunities-social-innovation.
22. Audrey Tang, "Interview with Cindy Yang Fiel," *SayIt*, January 7, 2021, https://sayit.pdis.nat.gov.tw/2021-01-07-interview-with-cindy-yang-field#s453187.
23. Audrey Tang, "Nancy Lin Visit," *SayIt*, April 17, 2019, https://sayit.pdis.nat.gov.tw/2019-04-17-nancy-lin-visit#s287792.
24. Andrew Leonard, "How Taiwan's Unlikely Digital Minister Hacked the Pandemic," *Wired*, July 23, 2020, www.wired.com/story/how-taiwans-unlikely-digital-minister-hacked-the-pandemic/.
25. Leonard, "How Taiwan's Unlikely Digital Minister Hacked the Pandemic."
26. Audrey Tang, "Conversation with Alexander Lewis," *SayIt*, January 7, 2019, https://sayit.pdis.nat.gov.tw/speech/266922.
27. Tang, "Conversation with Alexander Lewis."
28. Audrey Tang, "Interview with Felix Lill," *SayIt*, November 7, 2017, https://sayit.pdis.nat.gov.tw/2017-11-07-interview-with-felix-lill#s111583.
29. Audrey Tang and Mele-Ane Havea, "Audrey Tang Is Radically Transparent," *Dumbo Feather*, December 7, 2017, www.dumbofeather.com/conversations/audrey-tang/.
30. Audrey Tang, "Media Training with Joe Dolce," *SayIt*, October 10, 2017, https://sayit.pdis.nat.gov.tw/2017-10-10-media-training-with-joe-dolce#s99991.
31. Matthew Strong, "Taiwan Plans to Punish Fake News About Coronavirus with Three Years in Prison," *Taiwan News*, February 19, 2020, www.taiwannews.com.tw/en/news/3878324.
32. Audrey Tang, "Conversation with German Interviewers," *SayIt*, October 22,

2020, https://sayit.pdis.nat.gov.tw/2020-10-22-conversation-with-german-interviewers#s438054.
33. Guo Meiping, "New Version of AlphaGo Can Master Weiqi Without Human Help," CGTN, October 19, 2017, https://news.cgtn.com/news/314d444d31597a6333566d54/share_p.html.
34. David Silver and Demis Hassabis, "AlphaGo Zero: Starting from Scratch," *DeepMind* (blog), October 18, 2017, https://deepmind.com/blog/article/alphago-zero-starting-scratch.

おわりに

1. Meira Levinson, *No Citizen Left Behind* (Cambridge, MA: Harvard University Press, 2014), 42.〔メイラ・レヴィンソン『エンパワーメント・ギャップ――主権者になる資格のない子などいない』渡部竜也、桑原敏典訳、春風社〕
2. Colin P. A. Jones, "Mascots on a Mission to Explain the Mundane," *Japan Times*, March 11, 2019, www.japantimes.co.jp/community/2011/08/30/general/mascots-on-a-mission-to-explain-the-mundane/.
3. Renaud Thillaye, "Is Macron's Grand Débat a Democratic Dawn for France?" *Carnegie Europe*, April 26, 2019, https://carnegieeurope.eu/2019/04/26/is-macron-s-grand-d-bat-democratic-dawn-for-france-pub-79010.
4. Stan Grant, "Between the Ship and the Shore: The Captain James Cook I Know," *Sydney Morning Herald*, April 28, 2020.

まずは「聞《き》く」からはじめよう
対話のためのディベート・レッスン

2024年4月10日　初版印刷
2024年4月15日　初版発行

＊

著　者　ボー・ソ
訳　者　川《かわ》添《ぞえ》節《せつ》子《こ》
発行者　早　川　浩

＊

印刷所　株式会社精興社
製本所　大口製本印刷株式会社

＊

発行所　株式会社　早川書房
東京都千代田区神田多町2−2
電話　03-3252-3111
振替　00160-3-47799
https://www.hayakawa-online.co.jp
定価はカバーに表示してあります
ISBN978-4-15-210322-2　C0036
Printed and bound in Japan
乱丁・落丁本は小社制作部宛お送り下さい。
送料小社負担にてお取りかえいたします。

ハヤカワ・ノンフィクション

パイを賢く分ける

——イェール大学式交渉術

SPLIT THE PIE

バリー・ネイルバフ
千葉敏生訳
46判並製

ゲーム理論から生まれた交渉術

交渉の当事者同士が手を組むことで、分け合う価値＝パイの大きさを最大にしよう！イェール大学のＭＢＡ課程で一五年間教えられてきたシンプルかつ実践的な交渉術を、ゲーム理論の専門家で、コカ・コーラ社との企業売却交渉など豊富な経験を持つ著者が伝授